1,036 EXTREME SUDOKU CHALLENGES

NOT-SO-EASY *TO* TOUGH PUZZLES

FRANK LONGO

Main Street
A division of Sterling Publishing Co., Inc.
New York

4 6 8 10 9 7 5 3

Published by Sterling Publishing Co., Inc.
387 Park Avenue South, New York, NY 10016

Distributed in Canada by Sterling Publishing
c/o Canadian Manda Group, 165 Dufferin Street
Toronto, Ontario, Canada M6K 3H6
Distributed in the United Kingdom by GMC Distribution Services
Castle Place, 166 High Street, Lewes, East Sussex, England BN7 1XU
Distributed in Australia by Capricorn Link (Australia) Pty. Ltd.
P.O. Box 704, Windsor, NSW 2756, Australia

Manufactured in the United States of America

Sterling ISBN-13: 978-1-4027-4034-3
ISBN-10: 1-4027-4034-4

For information about custom editions, special sales, premium and corporate purchases, please contact Sterling Special Sales Department at 800-805-5489 or specialsales@sterlingpub.com.

CONTENTS

INTRODUCTION

To solve sudoku puzzles, all you need to know is this one simple rule:

Fill in the boxes so that each of the nine rows, each of the nine columns, and each of the nine 3×3 sections contain all the numbers from 1 to 9.

	A	B	C	D	E	F	G	H	I
J									
K					2		1	8	4
L	9		5		7		2		6
M	1		4	3	9	2		7	
N				7		6			
O		7		1	4	8	9		2
P	3		2		6		8		5
Q	8	4	9		3				
R									

And that's all there is to it! Using these simple rules, let's see how far we get on this sample puzzle at right. (The letters at the top and left edges of the puzzle are for reference only; you won't see them in the regular puzzles.)

The first number that can be filled in is an obvious one: box EN is the only blank box in the center 3×3 section, and all the digits 1 through 9 are represented except for 5. EN must be 5.

The next box is a little trickier to discover. Consider the upper left 3×3 section of the puzzle. Where can a 4 go? It can't go in AK, BK, or CK because row K already has a 4 at IK. It can't go in BJ or BL because column B already has a 4 at BQ. It can't go in CJ because column C already has a 4 at CM. So it must go in AJ.

Another box in that same section that can now be filled is BJ. A 2 can't go in AK, BK, or CK due to the 2 at EK. The 2 at GL rules out a 2 at BL. And the 2 at CP means that a 2 can't go in CJ. So BJ must contain the 2. It is worth noting that this 2 couldn't have been placed without the 4 at AJ in place. Many of the puzzles rely on this type of steppingstone behavior.

	A	B	C	D	E	F	G	H	I
J	4	2							
K					2		1	8	4
L	9		5		7		2		6
M	1		4	3	9	2		7	
N				7	5	6			
O		7		1	4	8	9		2
P	3		2		6		8		5
Q	8	4	9		3				
R									

We now have a grid as shown at right. Let's examine column A. There are four blank boxes in column A; in which blank box must the 2 be placed? It can't be AK because of the 2 in EK (and the 2 in BJ). It can't be AO because of the 2 in IO. It can't be AR because of the 2 in CP. Thus, it must be AN that has the 2.

By the 9's in AL, EM, and CQ, box BN must be 9. Do you see how?

	A	B	C	D	E	F	G	H	I
J	4	2							
K					2		1	8	4
L	9		5		7		2		6
M	1		4	3	9	2		7	8
N	2	9		7	5	6			
O		7		1	4	8	9		2
P	3		2		6		8		5
Q	8	4	9		3				
R									

We can now determine the value for box IM. Looking at row M and then column I, we find all the digits 1 through 9 are represented but 8. IM must be 8.

This brief example of some of the techniques leaves us with the grid at left. You should now be able to use what you learned to fill in CN followed by BL, then HL followed by DL and FL. As you keep going through this puzzle, you'll find it gets easier as you fill in more. And as you keep working through the puzzles in this book, you'll find it gets easier and more fun each time. The final answer is shown at right.

	A	B	C	D	E	F	G	H	I
J	4	2	1	6	8	3	5	9	7
K	7	3	6	5	2	9	1	8	4
L	9	8	5	4	7	1	2	3	6
M	1	5	4	3	9	2	6	7	8
N	2	9	8	7	5	6	4	1	3
O	6	7	3	1	4	8	9	5	2
P	3	1	2	9	6	7	8	4	5
Q	8	4	9	2	3	5	7	6	1
R	5	6	7	8	1	4	3	2	9

The puzzles in this book start out at a medium level and get harder as you go, going up in level every 250 puzzles, up until puzzle 1000. The first 250 puzzles are medium level, the next 250 are medium-hard, the following 250 are hard, and puzzles 751-1000 are expert. The last 36 puzzles are challenger-level puzzles.

1

			6			8		
		6	1					
5						3	9	6
6	9				3			
			4	7	2			
			5				3	4
7	4	8						1
					1	5		
		2			7			

2

	4		9	7	6	3		
7		6		4	1	2		9
5						8	6	
	1	8						2
4		5	1	6		9		3
		1	4	5	9		2	

3

		2		1		7		
	1				7			
9	6		4	3		8		
				6	1	3		
	4						7	
		9	2	5				
		6		4	3		1	2
			5				3	
		4		9		6		

4

		5			9	2		
1			2		6			7
							1	
4	5		1			6	9	
			5		2			
	2	7			4		3	1
	9							
2			6		3			8
		3	7			1		

5

	5			1	6	3		
			5					
		2			4		7	
				3			1	
6	4		7		1		3	2
	2			6				
	3		1			8		
					8			
		8	9	2			4	

6

		4			8			
	7			2	4		3	
8	5			7	6			2
4								6
	9	6				1	2	
3								9
5			4	3			9	8
	4		6	8			5	
			7			2		

7

			5		8		7	2
5				3		1		
					6	9	5	
6			7	8			3	
	2						6	
	1			2	3			4
	7	1	8					
		6		7				9
2	5		4		9			

8

			9				2	7
			7			8		4
	4		3					
		8						6
3	1			5			7	2
9						5		
					1		9	
5		4			7			
2	8				3			

9

8					6			
2				9				4
9			4	3		1		
4	6		5			8		
		5			9		3	6
		8		6	4			2
3				5				8
			2					5

10

		9			1			
				4				2
8		4	6	2				
		2				6	5	
	1		3	5	6		2	
	7	6				8		
				1	7	2		4
2				6				
			9			5		

11

4								3
5				1	8			
	9				4			
		7	3				8	5
	1			6			9	
3	4				9	7		
			1				6	
			5	8				2
1								9

12

			9					3
	6		1				4	
		2		3		6	7	
	8		4			1	2	
	2						8	
	1	7			3		6	
	3	8		6		7		
	9				8		3	
2					9			

13

	2							
		4			9	5		
5	9	8	7	6				3
		6					8	
			5	1	4			
	7					3		
8				7	6	1	4	9
		2	9			7		
							5	

14

						4	5	
3		5		7				8
	2			9				
4		2	7				1	
	1						8	
	9				6	2		7
				1			3	
6				8		7		5
	5	4						

15

				1	7			
1					9			8
		4			8	1	9	
2			9	5	3			
		5				3		
			4	7	2			6
	3	7	1			6		
8			2					1
			7	3				

16

				3	4	2	7	
			2					
				8		4		9
	3	5					6	2
9			5		3			1
6	1					5	8	
8		6		5				
					7			
	2	3	6	9				

17

<table>
<tr><td>5</td><td>9</td><td>4</td><td></td><td></td><td>7</td><td></td><td>2</td><td></td></tr>
<tr><td>8</td><td></td><td></td><td></td><td>9</td><td>4</td><td>3</td><td></td><td></td></tr>
<tr><td></td><td></td><td>6</td><td></td><td>2</td><td></td><td></td><td></td><td></td></tr>
<tr><td></td><td></td><td></td><td></td><td></td><td></td><td>7</td><td></td><td>6</td></tr>
<tr><td></td><td></td><td></td><td>2</td><td></td><td>5</td><td></td><td></td><td></td></tr>
<tr><td>4</td><td></td><td>9</td><td></td><td></td><td></td><td></td><td></td><td></td></tr>
<tr><td></td><td></td><td></td><td></td><td>1</td><td></td><td>4</td><td></td><td></td></tr>
<tr><td></td><td></td><td>1</td><td>7</td><td>5</td><td></td><td></td><td></td><td>9</td></tr>
<tr><td></td><td>7</td><td></td><td>9</td><td></td><td></td><td>2</td><td>1</td><td>3</td></tr>
</table>

18

<table>
<tr><td></td><td></td><td></td><td></td><td>4</td><td>6</td><td>8</td><td></td><td></td></tr>
<tr><td>5</td><td></td><td>4</td><td></td><td></td><td>2</td><td></td><td></td><td>6</td></tr>
<tr><td></td><td>6</td><td></td><td>9</td><td></td><td></td><td></td><td></td><td></td></tr>
<tr><td>4</td><td></td><td>8</td><td></td><td></td><td></td><td></td><td></td><td>1</td></tr>
<tr><td></td><td></td><td>6</td><td></td><td>3</td><td></td><td>7</td><td></td><td></td></tr>
<tr><td>1</td><td></td><td></td><td></td><td></td><td></td><td>6</td><td></td><td>3</td></tr>
<tr><td></td><td></td><td></td><td></td><td></td><td>7</td><td></td><td>3</td><td></td></tr>
<tr><td>6</td><td></td><td></td><td>3</td><td></td><td></td><td>5</td><td></td><td>2</td></tr>
<tr><td></td><td></td><td>2</td><td>4</td><td>9</td><td></td><td></td><td></td><td></td></tr>
</table>

19

<table>
<tr><td></td><td></td><td></td><td></td><td>2</td><td></td><td>6</td><td></td><td>1</td></tr>
<tr><td></td><td></td><td>9</td><td></td><td>8</td><td></td><td></td><td></td><td>3</td></tr>
<tr><td></td><td></td><td></td><td></td><td></td><td>4</td><td>9</td><td>8</td><td></td></tr>
<tr><td></td><td></td><td>5</td><td></td><td>4</td><td></td><td></td><td></td><td></td></tr>
<tr><td>6</td><td>4</td><td></td><td></td><td>3</td><td></td><td></td><td>2</td><td>7</td></tr>
<tr><td></td><td></td><td></td><td></td><td>7</td><td></td><td>8</td><td></td><td></td></tr>
<tr><td></td><td>8</td><td>7</td><td>6</td><td></td><td></td><td></td><td></td><td></td></tr>
<tr><td>1</td><td></td><td></td><td></td><td>9</td><td></td><td>2</td><td></td><td></td></tr>
<tr><td>9</td><td></td><td>2</td><td></td><td>5</td><td></td><td></td><td></td><td></td></tr>
</table>

20

<table>
<tr><td></td><td>3</td><td></td><td></td><td></td><td></td><td></td><td></td><td></td></tr>
<tr><td>2</td><td></td><td>5</td><td></td><td>9</td><td></td><td></td><td>7</td><td></td></tr>
<tr><td></td><td></td><td>8</td><td>7</td><td></td><td>1</td><td>3</td><td></td><td></td></tr>
<tr><td></td><td></td><td>7</td><td></td><td></td><td>3</td><td></td><td></td><td>6</td></tr>
<tr><td></td><td>5</td><td></td><td></td><td></td><td></td><td></td><td>8</td><td></td></tr>
<tr><td>3</td><td></td><td></td><td>5</td><td></td><td></td><td>4</td><td></td><td></td></tr>
<tr><td></td><td></td><td>4</td><td>9</td><td></td><td>8</td><td>2</td><td></td><td></td></tr>
<tr><td></td><td>1</td><td></td><td></td><td>6</td><td></td><td>7</td><td></td><td>8</td></tr>
<tr><td></td><td></td><td></td><td></td><td></td><td></td><td></td><td>6</td><td></td></tr>
</table>

21

							9	
2		3	1					
			2	5		6	1	3
6		8	5					
7			6	3	9			2
					8	7		5
4	1	7		6	2			
					1	4		6
	8							

22

	4	3	5		7			1
							4	
								5
	8		1		5		2	6
	3		4		2		5	
5	2		9		8		3	
8								
	7							
6			2		4	3	1	

23

			6					2
2					7		6	5
				2		8	9	
5					9		4	
9			2	8	5			1
	3		1					9
	2	7		1				
8	9		7					6
4					6			

24

	1		8					
	4	3	2		6		9	1
	8					2		
2					9	6		
1				7				3
		9	4					7
		1					3	
3	9		1		7	4	5	
					3		6	

25

3			6		2		9	
				8		4	7	
9							5	
		7	3					
		5		4		9		
					6	3		
	2							9
	4	9		6				
	1		9		5			2

26

9				3				
			8		2			4
			7	4	6	3	5	
						8	2	7
		9				5		
7	8	2						
	1	7	3	8	5			
5			9		4			
				2				5

27

3	2				5		7	
				7			2	
4		9			2			
7	1					5		
2	9						6	4
		8					1	7
			6			9		2
	8			4				
	6		2				4	3

28

			4				8	
	3			2	6	4		
	6							7
				3	9			
1		2		5		8		3
			1	8				
6							5	
		8	9	6			3	
	9				7			

29

		8	7			2	5	
				8	2		3	
7			6	3				
			3				9	
	2			5			4	
	6				4			
				7	9			3
	5		8	1				
	7	3			6	4		

30

	5							
		7		1				
8				5	4	6	9	
	1		2				6	
		9	3		5	8		
	8				1		4	
	7	6	4	9				1
				3		2		
							8	

31

	4				2	7	9	
	1		5	4				8
					8	6		
							1	
4			2		5			6
	7							
		5	3					
1				5	6		2	
	2	7	8				5	

32

			2			9		
	2		7					4
6		8	9			2	5	
						3	7	
			6		7			
	5	2						
	7	3			1	8		5
8					9		4	
		9			2			

33

6				2			1	
	3					4		
		2	6			9		
			7		2		4	
	9		5		8		3	
	7		4		6			
		8			1	5		
		1					9	
	4			8				3

34

					9		4	1
			8				7	
	4	5	1	7				9
	7					4		
		8				6		
		1					8	
1				8	4	2	3	
	6				7			
5	8		6					

35

5				8			4	
8	3							
	9		4					6
	6			1	9	2		
9								8
		1	7	5			9	
7					4		6	
							2	3
	8			6				9

36

	4	8						3
		6	9					
5						2		1
	7		2		1			4
1				4				9
3			5		9		7	
7		2						8
					2	4		
4						5	2	

37

		6				1	8	
					5	9	3	
			4		1			
		1	8					9
2		8		7		4		1
6					3	2		
			2		7			
	7	5	3					
	2	3				6		

38

			2				7	
			6			2	8	1
					3	6		
	7	8			1	4	3	
	4						6	
	2	6	8			1	9	
		7	3					
3	1	9			6			
	8				5			

39

	4		7					
5					3	1		9
		2		1		5		
4	9				8			
				7				
			2				1	3
		5		4		2		
8		9	5					6
					6		8	

40

	2							5
5	7			2	6	3		
				9	3			4
		2						
6	1			7			3	2
						8		
9			6	1				
		1	8	4			9	7
2							8	

41

		3	5			1		
					7		4	
		9		2			8	
4		8			9		7	
	9	7				8	5	
	6		7			4		1
	8			1		6		
	1		2					
		2			6	7		

42

6				4	7			5
	3	2	1			8		
		5						
8	7		6			3		
		3			8		6	9
						2		
		9			4	6	5	
1			2	3				7

43

			9	5	3	8	1	
	5						4	
								7
2				8	9			
8			1		4			2
			5	7				3
9								
	3						7	
	1	7	4	9	5			

44

				1			6	
	6		8					5
				6		3		8
9	7				2	1		4
	8						2	
1		2	6				5	7
8		9		4				
4					8		9	
	2			7				

45

5					9		7	
		7	6	8				
3	4				1			
6	9							3
2							1	6
			4				3	2
				1	7	4		
	1		3					8

46

3		7		5				
	5				2			
2			9	1				4
4						3	8	
	9	3				6	7	
	8	5						1
5				6	4			3
			1				6	
				2		4		8

47

9	3		7			6		
				8	4	7		
			3	6	5	1		
2			8					
		5		3		4		
					6			3
		9	2	5	8			
		6	4	7				
		2			1		8	7

48

				1	7		4	
						8	9	
		1	9		4			
9				4				3
6		4				9		5
7				6				8
			5		3	2		
	2	8						
	5		1	2				

49

					2		1	5
2	4	7	1					
				4				7
8	1	3		7		2		
		6				5		
		2		8		3	7	1
9				1				
					9	1	8	4
1	6		4					

50

5							6	4
9			1			2		
6			5	3	2			
		2			8			
		9	2		1	8		
			3			7		
			8	7	5			6
		5			3			2
7	6							8

51

			6		9	7		3
			4				9	
					7			5
		8		9	1		4	
	6	3				5	2	
	1		5	2		8		
8			7					
	3				5			
7		4	9		8			

52

5		6	2					
1	8							
	7		6					2
	3				6	9		1
2			3		5			6
9		8	1				3	
4					8		5	
							1	7
					1	2		8

53

	7	8					5	
			7		5	4	9	
3			2		4			
1				7				
		7	4		3	6		
				1				4
			3		2			9
	1	2	8		9			
	3					8	6	

54

			3	8				
			2		6	7		
6	1	8					3	
5				3			2	
4	8						7	9
	7			9				8
	2					9	1	3
		5	9		1			
				6	3			

55

4	6		3			8		
	3							4
	2	8			1			9
				4				7
	1			7			8	
8				6				
2			7			5	3	
6							9	
		1			5		4	2

56

6	3		2					
				8				7
		9			5			
5		6			4			
	4			1			7	
			6			2		5
			9			1		
8				7				
					8		3	4

57

	6				8	5		
7			6				1	
		2	4			8		
4		8	5		6	2	9	
	5	1	9		3	4		6
		9			4	6		
	4				7			8
		7	3				4	

58

	2		1		7		4	8
								1
			4	6		2		
					6	8		7
	3	7				5	1	
5		8	9					
		9		3	4			
2								
8	5		7		9		3	

59

	9	3			1		8	2
		7				3		9
8	2							
	5		4	7				
			5	1	3			
				6	2		5	
							9	5
2		6				7		
9	4		3			2	6	

60

						7		
	8		1				4	5
2			8		7			
9					4	8		
	3			9			6	
		2	3					1
			5		3			8
7	4				9		5	
		5						

61

			8			3		5
		9			3	4		
3			1			2		
				7		1		6
9								7
7		4		3				
		3			2			8
		2	3			9		
5		7			9			

62

	2	3						
				3			7	4
					1	3	8	
		4	6		5	9	3	
	7						2	
	1	9	3		2	8		
	9	2	4					
5	4			8				
						1	4	

63

9						7		
1			6			4		
	8			7				5
2			7	8			5	
8								6
	4			9	6			8
5				2			1	
		4			9			3
		8						7

64

9			4		1			
			3			6	4	
				8	2	5		
5	8							
1		2				3		9
							5	2
		6	2	4				
	7	1			9			
			6		3			5

65

	7		2					6
			9	8				4
		6		7		5	1	
		4						5
7			8	9	5			3
9						6		
	4	5		2		3		
1				6	9			
2					8		6	

66

				8		9		
				1	5	8		4
5					9		7	
		9					8	
8	2	4				5	1	7
	5					3		
	1		2					6
6		8	4	9				
		5		6				

67

	5		3	1				
							2	
	9		6	7				8
5				4		6	9	
4								7
	3	7		8				1
1				2	6		8	
	8							
				9	8		6	

68

			9	7				2
4						3		
			1		4	5	8	
		8			1		6	
1								7
	2		7			9		
	6	9	4		8			
		4						5
3				9	7			

69

			2	4		7		1
9								8
5	1		6			3		
						5	4	2
				6				
3	7	2						
		1			6		8	9
4								7
7		8		1	4			

70

					8	1		
	4		6			7	8	
	8							9
		1	2				6	
5		8		9		2		3
	6				7	9		
8							5	
	5	4			3		7	
		7	5					

71

3			5		1		8	
			3			7		
1	7							
		6		8				
	2	8				1	9	
				9		4		
							1	2
		5			6			
	8		4		5			7

72

	4			5	2	9		8
			3			7		
5		1					4	
8		3			7			9
9			6			3		1
	3					8		2
		8			1			
7		9	8	6			3	

73

		6	2	9			1	
9	5				8			
		3						8
		2		5		7	8	
	7	8		6		9		
5						6		
			1				7	3
	3			4	5	8		

74

							8	4
				9	3			7
			1					2
	8		9			1		
	2			4			3	
		5			8		6	
6					9			
4			7	1				
7	3							

75

				9	3	8		
							6	4
					6	3		2
		5		7	8		4	
	7			2			8	
	4		9	3		7		
2		4	5					
1	9							
		8	7	6				

76

		8	2				6	
2			8					1
	3	7						5
4					2			
		9	6		5	3		
			3					2
7						4	3	
9					7			6
	1				8	5		

77

			8				2	6
	9	5						
	2	7	4	3		5		
4	3					8		
			3		4			
		6					4	2
		4		8	7	9	6	
						1	5	
1	7				6			

78

	5		6		9			
			4	7			2	5
		8		3		1		
4			1					6
		6				4		
3					4			7
		7		2		3		
2	9			1	5			
			7		8		9	

79

					8		3	
	9		5		3		2	
	3			2		7	8	
3				1		8		
		1	6		7	2		
		7		3				1
	8	5		6			4	
	1		3		4		5	
	7		2					

80

	2						7	
6		4		8		1		
			3	6		2		
1						4		2
			4		9			
9		7						8
		8		3	6			
		2		7		6		5
	5						3	

81

9		7			5		3	4
							7	
	8					9		
6		5			8		9	
	9			1			6	
	4		5			1		3
		2					4	
	6							
8	3		4			2		9

82

		5	1					
	4	8			3			9
	1		9	4			2	
								1
5		1		8		9		7
6								
	3			5	4		8	
8			3			6	1	
					7	3		

83

							8	
			8	4	7			2
		8			1	7	5	
	9	2			4			
8								6
			3			5	7	
	7	3	5			6		
4			1	7	2			
	1							

84

		6	9		4	7		
					5		6	2
				7			3	
	9					5		
2			7		8			9
		3					1	
	3			8				
7	6		2					
		8	4		1	2		

85

			9			3		
		4	6	7	5	1		
							6	
	8			4	1		5	
	3						1	
	1		2	6			9	
	4							
		7	1	8	2	9		
		9			7			

86

5				6		1	2	9
	8			7				
4								
	6		7	9		4		
2	4		6		5		3	7
		5		4	2		9	
								6
				3			1	
9	1	4		2				3

87

5				8	3	4		9
			9			5		6
2				1				8
3	8							
				3				
							5	7
6				5				2
9		5			6			
4		3	7	2				5

88

			7			3		
				1	9		5	
	6	7			8		4	
			9					1
	5	3				2	8	
8					5			
	1		8			9	6	
	8		4	2				
		6			1			

89

1	5	9	2		7			
				9				
2			5					
7		1			4		5	3
		8		1		2		
5	2		8			7		9
					6			2
				7				
			1		9	4	7	6

90

	9		5					8
		3			9			
		5	8		6		7	
8					2			4
	7						6	
6			1					7
	1		3		8	5		
			2			4		
2					1		3	

91

		4					7	
	1	6	2			5		
9						6		
					4	3	6	
6	5		9	8	7		4	1
	8	2	1					
		9						3
		5			2	7	1	
	6					4		

92

2				8				
5	4			1			9	
	6				9		4	7
				9	7			1
		8				6		
1			5	6				
3	8		9				6	
	1			3			8	5
				5				9

93

						9		2
		6	3		1		4	
		5		4			8	
6	3					8		1
				3				
8		2					5	9
	9			5		7		
	6		2		7	1		
1		7						

94

1				4		5	6	
5								
		8	6				3	
		7			8	3		
		5	2		1	6		
		2	4			1		
	8				3	4		
								3
	9	3		7				5

95

		7	4					2
	8			5				6
5		4			8	9	3	
	2			7	4			
			2	8			5	
	5	1	8			2		3
4				9			7	
9					7	4		

96

	1			7	2			
6			1	4	5		7	
						9		
3					7	8		
1	5						9	6
		6	2					3
		4						
	8		4	5	6			9
			8	1			4	

97

				4				7
		8			9	3		2
		5	6				1	
5				7	4			
4								8
			3	2				5
	5				8	7		
8		4	2			6		
1				3				

98

			5					6
8							2	
					8		3	4
		5		7	6		8	1
		7				9		
4	8		1	9		7		
3	9		2					
	4							7
2					5			

99

		7	6			8		
					2			
		6		3		4	7	
			3		7		4	8
				5				
6	5		8		1			
	3	5		8		6		
			1					
		4			6	2		

100

				9		5	6	
		2		1				
			4				7	
4		3					2	7
2								9
1	5					8		6
	3				2			
				5		9		
	1	9		3				

101

		6		3			9	
			1			7		
9				6	8	1		
7	8	4						
3		1				2		7
						4	5	1
		5	2	7				4
		2			3			
	3			5		9		

102

9					7	6		3
	8	3			6		1	
					8			9
					4	3		2
		7				5		
3		5	8					
6			3					
	1		6			2	3	
2		9	4					6

103

1								
6	9	3		4		8		1
	5	7						
			4		1		7	
2				9				4
	3		6		2			
						1	4	
4		9		5		3	2	6
								5

104

6			5	3	1	2		
		2						
	5				8	4		
5				2		3		7
			1		9			
9		4		6				2
		3	7				8	
						5		
		5	9	8	6			3

105

1		9						2
	2						5	
8	7		3				6	
		6	9			2		
			1	2	7			
		7			6	9		
	5				8		1	6
	4						9	
9						5		7

106

1			3		7		4	
				5			7	9
8						1	6	
				8	3			
	4		7	2	6		1	
			5	4				
	6	3						8
5	7			3				
	8		2		5			1

107

		7		2				
		2	7					
9	6	8		4				
	8				7		5	9
	1						6	
4	3		6				7	
				7		9	8	4
					1	5		
				5		1		

108

7						9	2	4
	2	9		3		5		1
						6		
2		7			9		6	
			3		7			
	5		1			4		7
		2						
1		5		7		2	3	
3	8	4						9

109

1		3			2			
	2	6	5			3		
						1	2	
	5			4		7		
7								9
		2		7			5	
	3	4						
		7			8	5	1	
			3			2		8

110

		1			7			6
			5	8	1		7	
7	3							
				3		2	8	
	7	5				4	1	
	9	8		4				
							6	4
	1		4	5	6			
6			2			5		

111

3		9						
4						9	7	
1				8	4			
		5	7			4		
			3	4	9			
		8			5	6		
			2	5				1
	6	1						5
						8		6

112

		2	6					1
			4	9	5			3
		7	2				4	
2						8	9	
	3	9						7
	5				8	2		
1			5	7	4			
8					6	4		

113

						7		
2	6				4		5	
	1		7					4
6							8	
	9		8	6	5		1	
	3							9
4					1		3	
	8		5				6	2
		9						

114

	5						7	
7	2		4		3			
9				5		6	2	
		5		8	6			
1				4				8
			2	3		4		
	9	3		1				2
			3		2		4	6
	8						1	

115

	5		7	6			8	9
1					3			
				2				6
	7	5			6		2	
				5				
	2		4			3	5	
4				1				
			6					7
6	9			8	7		1	

116

		2			7		8	
3			4			5		2
		7		2			9	
		8			1		4	9
9	3		8			2		
	5			9		7		
8		4			5			1
	9		7			6		

117

		1		6	5		9	
					1		5	2
4						7		
	9	4					2	
	1		4	9	8		7	
	7					6	4	
		6						5
1	8		5					
	2		3	1		9		

118

		8					3	
		2			6	5	9	
6			3	4				
9				1				
		1	2		8	7		
				5				1
				9	2			5
	8	5	6			9		
	6					4		

119

1	7	3			4			
	5			9				
		4				3	6	
	1			7				9
			9	4	2			
8				6			3	
	2	1				8		
				2			9	
			1			5	2	6

120

4	3	7				8		
	6						3	
	8		3		2			
8			9	6		2		
		2		4	1			7
			1		5		2	
	7						6	
		9				4	5	8

121

				5	9	8		
1	4						7	
8	6			4				
2		8		7				
			5	3	2			
				8		4		1
				2			5	7
	8						9	2
		7	3	9				

122

	5	2	6			3		
7			5				6	
					2		4	8
				9	6		3	
			3		8			
	3		2	1				
5	6		7					
	8				9			2
		1			5	6	7	

123

					2			7
			5	9	3		6	4
			1					5
4		5					2	
1	7						3	9
	2					6		8
5					6			
8	4		9	3	7			
2			8					

124

2		1				7		
8					7	9	6	
							3	
7				5				2
	3		9		1		8	
1				4				3
	8							
	1	6	4					7
		7				8		4

125

5						7		9
					2			
		6		1		5	8	
1				9			2	
	5		7		1		6	
	8			2				1
	9	4		7		8		
			2					
8		7						4

126

		6	7			4		
7			3				6	
	2	4			9			
			5		3		9	
8								1
	6		2		8			
			1			3	5	
	8				6			9
		5			7	1		

127

		2		6	8			
	5		2	7				
	8						4	
		9		3			8	7
	6		9		7		2	
7	3			2		4		
	9						6	
				1	9		7	
			4	5		3		

128

	5		3		7			8
	8							2
			2				9	1
5		6		8				
1	7						8	4
				1		2		7
6	3				1			
4							7	
8			9		6		3	

129

7		8						
		3			1			
		2			8		6	3
	4	7			5			2
				8				
2			7			1	4	
8	5		9			3		
			3			2		
						9		4

130

3			2			7		
					7	4	3	
	4						6	
			6				8	
2		8	3		9	6		5
	1				5			
	3						9	
	2	9	8					
		4			2			1

131

		9			7	1		
1							7	5
2				4		3		
			4	3				
			2	5	9			
				7	6			
		5		2				4
9	4							2
		7	8			6		

132

				3	4		5	
5			2	9	6		1	3
1						4		
4		5		6				
		6				3		
				1		2		6
		2						4
7	5		3	4	2			9
	9		6	7				

133

5			9					
	3			8	1	4		
		1		2				6
2	6						4	
			7		6			
	7						5	8
8				4		5		
		7	5	6			2	
					7			3

134

		4		9				1
7			6					
			2	7	4	9		
		3		5		6		7
1	8						4	3
5		6		2		8		
		8	7	1	6			
					2			8
2				8		3		

135

	1		3	5				
9					6			5
		5			9			3
		6			5	4		
	4		6		2		9	
		8	7			3		
3			8			2		
6			5					4
				9	3		1	

136

				2				
8	9	5						
1		2	3		8			
4					7		6	
5	1			8			7	3
	6		9					1
			2		6	5		7
						6	1	8
				4				

137

1				8	9	5		
	2	9						
		6	1	7		9		
	9		7			6	3	
	3	5			4		8	
		2		9	6	4		
						2	5	
		4	3	2				6

138

5				9		3	7	
	6					1		2
1			2					
8			3				2	
			9		8			
	9				1			3
					4			7
2		3					5	
	4	1		7				8

139

3			5			7		
						2	1	9
				4	9	5		
				9			5	
	8	2		3		6	7	
	1			6				
		4	9	1				
8	3	6						
		1			4			7

140

			3			6	8	5
			4	5				
		6		2				7
		2					1	6
9		8				7		4
6	1					8		
1				8		3		
				1	9			
8	6	4			3			

141

3	4	6						
				4		7	2	
8		7	1				6	
						3	7	8
6								9
5	9	3						
	3				5	1		2
	8	2		7				
						4	3	7

142

4	6	1		9				
								8
	5	9	6		3		2	
		4			7			
3				2				9
			1			2		
	3		5		9	4	8	
6								
				4		7	1	6

143

					4		3	
					9	1	4	6
3						7		
5				7	1			4
	7			8			9	
2			9	4				1
		5						7
4	2	7	6					
	3		2					

144

	6			4			1	7
7	3				9			
		4		8		9		
					8	1		6
			2	7	3			
8		9	5					
		2		3		6		
			7				8	9
4	8			2			5	

145

	3					9		
5							7	
6			5		7	2		1
		5		1	9		6	
1								2
	8		6	5		4		
3		1	7		5			9
	7							6
		9					2	

146

		2		7		8	4	
					5			
4	1							3
					4	5		9
	5						3	
9		3	2					
6							9	1
			1					
	4	8		2		6		

147

				9				
2	8	6			1			
9			3	4			7	
	5					6		2
		2				4		
3		4					5	
	3			8	9			4
			4			7	1	6
				7				

148

	3	6	9					
7			8	6		1		
9		8						
8		7			5			
2			1		8			4
			2			9		8
						5		3
		2		8	4			6
					2	4	8	

149

					4	9		
4				9		5		8
		9	3		5			
	2	4		3	6		5	
	9		5	1		4	3	
			8		9	6		
1		5		7				4
		7	2					

150

			8	7				
					4	3	5	
		1		3	2			4
5						7		
4	9						6	3
		8						5
3			7	4		5		
	7	9	6					
				8	9			

151

3	7	6	1					4
	4				3		5	
			4	7				
5					7	6	8	
	8	9	3					1
				2	4			
	5		6				1	
2					1	3	7	9

152

1						7		5
			7	6				
			5		1			2
	5			7	3		1	
	1						6	
	4		1	9			8	
9			4		8			
				3	7			
8		5						3

153

	1				5	6	9	
8		2		6				
		9	7				4	
	8		2					
		1		8		5		
					6		3	
	3				1	7		
				5		9		3
	5	8	6				1	

154

		2			4			
4			1	5				2
8		5						
	8	4	2			7		
				1				
		7			6	4	9	
						9		3
7				6	8			5
			9			2		

155

	3			6	4		5	9
				7			8	
					8			7
	8						2	
		3		9		6		
	1						7	
1			5					
	6			4				
5	2		7	8			1	

156

			5		7	3	6	
3			1					4
				6	3			
8		1				4		
6	2						5	7
		7				1		2
			8	9				
2					6			9
	8	4	7		5			

157

		9				2	5	
			2		9		3	
2				7	5	1		9
				3			6	4
		4				9		
6	3			5				
9		6	5	1				8
	8		4		7			
	4	5				3		

158

4		7				8		
					4		6	
	2		3					9
2			8		1		9	
		5	7		6	2		
	8		4		9			7
6					5		7	
	5		1					
		9				1		5

159

	1			7		2	5	
	7	9	6					
			1		8			3
					6	4		
7				1				8
		6	7					
1			2		5			
					1	5	2	
	8	2		3			9	

160

				9			6	4
	3			2	7	8		
					8	5		
		6	9				8	
9			2	1	3			6
	4				6	1		
		9	1					
		5	7	3			1	
7	1			4				

161

		4						3
	6				9			1
			2	5				7
		3			5	7	9	
				8				
	2	1	7			8		
5				3	7			
9			6				5	
1						6		

162

	7	5	4					1
	8				6			
			5	3	8		9	6
7							1	
1				8				4
	4							7
3	1		6	5	2			
			1				6	
2					4	1	3	

163

				9			7	1
	5			3		2		
			4		2	6		
							8	
3			9	4	5			6
	2							
		6	8		9			
		4		2			9	
8	3			5				

164

	3		2			1	4	
					9	3		
5			1				2	8
1	4					5		7
6		3					9	4
3	6				5			2
		4	8					
	8	5			7		6	

165

						9		7
		3						2
9			7	8	6	3		5
				6	4		3	
		6		1		5		
	2		8	9				
7		1	9	3	2			4
6						2		
2		4						

166

9				7	6	2		4
	8		4		3	1		
			5					
4						3	6	
7	5						2	1
	1	3						9
					7			
		1	2		4		9	
3		2	6	5				8

167

6							9	
	3	8		1	5	2		
			8				7	
	7	4	3	9				
	2						5	
				2	4	7	1	
	9				8			
		3	1	5		6	8	
	6							5

168

3					1			
	5		6					
7	4				2	1	3	6
	7		8				1	
		2		6		5		
	8				7		9	
5	3	9	2				6	7
					9		2	
			7					9

169

			4	3	6			1
						4	2	
				9	5	3		
3	8				2		4	
				6				
	6		9				1	3
		4	6	7				
	1	9						
7			3	1	8			

170

	5	9				4		
			5		2			
6			8	7				
4						5	6	9
8		7				1		4
3	6	5						8
				1	6			5
			9		7			
		1				6	2	

171

	9				5			
	8	2	1				4	9
7			4					8
	1		5			7		
		7		9		8		
		8			7		6	
1					2			5
4	2				6	3	8	
			9				2	

172

		3				6		2
	8			9	4		1	
				5			8	
			7			8		
	1			8			7	
		9			5			
	6			4				
	2		3	7			4	
4		1				9		

173

4		7			3		9	
9		3	5					
	1							6
6	4			1		8		
1			3		8			4
		9		2			5	1
2							6	
					2	9		3
	9		4			2		5

174

	7		9			5	4	
	6				1			
					5			3
9		8		3				6
		4	7		8	3		
7				5		4		9
8			5					
			4				1	
	4	5			9		2	

175

				5				6
					7			8
			6	1	8			3
	5				1		8	
3	2		8		6		9	5
	1		9				6	
5			3	7	2			
9			5					
2				8				

176

			4				9	
	5					7		
4					5	3		8
9		3	1					4
				7				
7					6	9		1
5		8	3					7
		2					6	
	3				8			

177

	6		9			5		
	7		2		3			
				8		4		2
7						8	3	
		4	8		7	9		
	3	8						4
3		1		5				
			6		2		4	
		6			9		1	

178

					9			5
				3		4	6	
			8	4		9		3
	2	6	4	5		7		
			2		1			
		4		7	3	8	5	
9		3		1	4			
	7	2		8				
8			9					

179

5	8							3
					6	4		
	1	3			4			8
1							4	
	4		5	3	7		9	
	7							6
2			4			7	3	
		9	2					
4							6	2

180

		1				7		
	7			1				5
8			7				4	
		3		9		5		4
1				5				7
2		6		8		9		
	9				5			2
5				4			7	
		4				3		

181

7		1	8			6		
	5							
6			1		3		2	
8			9					
3		2				1		5
					5			9
	8		3		4			1
							6	
		4			1	7		8

182

				7				
		1	3				2	
5		2					9	7
			7	9			4	1
1								8
7	5			6	1			
4	9					1		3
	3				6	7		
				5				

183

2		3		9				6
		5		1			8	
9				6		3		2
1			5		4			8
4		6		3				1
	1			4		6		
6				8		1		3

184

2	8		9		1			
1		7						
6		5				3	8	
	4	6		9				
			5		6			
				7		1	5	
	5	8				2		9
						8		3
			2		9		7	5

185

8		3	6	4		2	5	
				5		7		
	7				1			
2				8	9			
			5		6			
			4	2				8
			7				4	
		9		1				
	5	7		3	8	1		2

186

						4		
		5	6			2		9
				9	8		5	
		9		2		6		1
	8						7	
7		2		6		5		
	1		7	3				
5		8			2	3		
		4						

187

	2	5		6				7
4			2				6	
6				1				
	5		8					
8		2	6		7	9		5
					5		4	
				9				2
	4				6			1
1				8		6	9	

188

1		7						
8	6	4		5				2
	2		3				8	
			9				6	3
				6				
5	7				2			
	5				8		3	
6				1		8	5	7
						2		9

189

2	1		6					5
6		3					1	
					5	6	7	
		5						
			3	9	7			
						4		
	7	4	5					
	8					1		9
9					6		8	7

190

	5						6	
7	4	6						2
					9			4
				8		2		
8			7	4	1			5
		1		6				
6			5					
1						7	3	9
	3						5	

191

2						6		1
9			1				8	
			6	4				
1	9						7	
		3				2		
	4						3	9
				5	4			
	1				9			5
7		6						4

192

6					7		3	8
	7		6		4			
			2	3				
	8				9	3	2	
2								5
	4	7	5				1	
				9	6			
			1		2		4	
8	6		7					1

193

	1				7	8		
8								
	7		8	5	4		6	1
	8			2		9	4	6
2	5	7		4			3	
1	3		9	7	8		5	
								7
		6	5				8	

194

	8			7		5		9
	9				8			
7			5			6		
	7			6				
	2		3		4		9	
				1			3	
		4			5			2
			1				8	
2		8		9			6	

195

	2		3					4
					4		2	
	3			9		1		6
		7	6	4				5
	8		7		3		6	
1				8	9	7		
2		3		1			5	
	1		9					
7					6		1	

196

	2			3	4		5	
		7						
	9	4	6			3		
5	8				2			7
				9				
4			8				9	1
		3			6	2	7	
						4		
	4		2	8			6	

197

	9					8		
7							5	
	3			4	6			
9		7			5		4	
8	6						7	2
	4		8			5		1
			1	6			3	
	5							6
		3					8	

198

		5				4		
			8	7	4	5		
					1			7
		6						2
2		1	6	4	9	7		5
9						8		
8			7					
		7	1	2	3			
		2				6		

199

	5		3	9				
8	3		5					1
		4						
4		7		5		8		
1	8						6	7
		6		1		2		4
						1		
2					8		4	9
				2	9		7	

200

				6	1	5		
		1	9		7		8	4
	7							
		9					6	
8		5		9		4		7
	2					3		
							5	
6	1		2		9	8		
		3	8	1				

201

		8	5	7	3			
	1			8	4			
	5		9					7
	6			2		7		1
	7						6	
1		9		3			4	
8					7		1	
			3	4			7	
			1	5	8	4		

202

	2							4
	5				7	6		1
3				4				9
6	3			8				
			9		5			
				2			7	8
7				5				2
8		5	3				4	
9							8	

203

	7							4
6					3			8
	3		4	7				
		1			2	6	5	
			7		8			
	2	7	5			8		
				8	1		6	
5			9					3
7							9	

204

5			3					
	6		5	7		1	8	
		4	2			5		
		7		5			1	
2	5						7	3
	9			2		8		
		9			2	7		
	2	6		8	5		4	
					4			8

205

			1		8	5		9
	2	1			9	4		
				5				
		2			6		7	
6				7				4
	7		2			1		
				8				
		4	5			8	2	
1		5	7		2			

206

	1			6	5	4		
2				9	4			
	5							2
9	3					2		
8	2						5	6
		6					9	3
6							3	
			8	2				9
		1	3	4			2	

207

			9			2		
			7				4	8
1		3					6	
8	5				6	4		9
				7				
6		1	4				7	5
	2					6		3
5	1				9			
		8			4			

208

			3		5	1		
	5			9				
			2			3		5
9	8					6		
		2		1		8		
		5					9	7
4		8			2			
				7			4	
		7	8		1			

209

2			5		6		9	
		5	2		9			
							3	
7	3	6		5			2	
	2						1	
	8			2		5	4	3
	7							
			8		1	7		
	6		7		2			9

210

	2			1		3		
			2			4	7	9
7		3	4			5		
						1	9	
			5	6	2			
	7	2						
		4			8	2		6
8	5	6			9			
		7		5			8	

211

			5	7		3		
		5			8	2		9
	3							
4		8			7			6
9	6						3	5
1			4			8		2
							1	
5		4	7			6		
		2		6	3			

212

	8			6			7	
3							1	2
			8			3		6
				4			2	7
		7				6		
4	1			5				
2		5			8			
6	7							9
	9			7			8	

213

		7	4		3			8
			6	7		1		3
			5					
	7							2
8	3		7		4		6	5
9							1	
					5			
7		1		6	8			
6			3		7	4		

214

	2	9						7
			3					
7		1	5					
8		6	9			2		
2				4				9
		5			7	4		8
					6	1		4
					5			
9						6	5	

215

								1
5					2		9	
2			8	1				3
				5		6		
	8		2		6		7	
		4		3				
7				9	1			4
	9		7					2
3								

216

	9					5		1
6			2	3				9
4		7		5		2		3
1			4					
				9				
					3			8
2		4		1		9		6
8				2	7			4
9		1					8	

217

		2	1	5				7
			7		4		8	
5	4							
				9	1		3	5
6	1		8	7				
							5	3
	2		5		6			
4				8	9	2		

218

5				3				
		3	1		6		9	
		1	7		8	4		
						9	7	1
		7				5		
1	8	2						
		6	2		5	8		
	1		6		4	2		
				8				6

219

						4		
			6		1	8		
9				8		5		2
5		9	8			7		4
				4				
2		8			7	1		3
6		5		2				1
		2	9		6			
		7						

220

	9	5			1		6	
	4		5			3		
	3							1
				7		8		2
				4				
2		9		6				
7							1	
		6			3		5	
	2		6			9	3	

221

	8			3	9	5		1
				8			9	6
		3	5					9
4		6	8		2	1		3
5					4	7		
6	1			7				
9		2	1	4			6	

222

		3	2					
						9	2	6
4					7			3
		7		6		5		
		6	8		3	4		
		1		5		6		
7			1					8
9	1	2						
					4	2		

223

2		9	8	3				
5				1				
		7					9	
		3			8	1	6	
		5				2		
	4	6	3			8		
	9					7		
				2				3
				5	4	9		1

224

			6	9		2		
9		8					7	
		1		7	4			
6		3		5				4
5				8		6		9
			9	2		1		
	1					5		7
		6		3	7			

225

		1				3		
	7		8	1			2	5
9	6				2			
		6		9				4
	4						3	
1				8		7		
			3				1	2
2	1			5	9		8	
		3				6		

226

9								
	1	2		9			8	
		4			3			5
6			5				3	
1			8	4	6			9
	8				7			6
3			1			5		
	4			6		2	7	
								1

227

			4	9		8	7	
	8		2			1		
9	3	7						2
				4			2	
2		5				7		6
	7			5				
8						3	1	4
		9			1		5	
	5	3		2	4			

228

9				6		2		3
	1							
				3	8		4	
4	5			2		3		
	3		4		6		2	
		9		5			7	4
	4		6	1				
							5	
2		5		9				8

229

	1		4	3		5	7	
8	5	7		2				
								6
3					2			
	9						5	
			7					1
4								
				6		2	4	9
	8	2		5	4		6	

230

					9		1	
9				6		5	8	
	6	5						
7			3		2		6	8
				8				
2	8		4		7			3
						6	2	
	9	8		3				4
	4		6					

231

6	2	3	9					
8	7					5		
		4	6					
	6		7	2		3		
	9			4			5	
		2		8	1		9	
					2	8		
		7					4	2
					7	9	3	5

232

		7		4				8
6			7			1		
9			5			4		3
2	6					9		
				6				
		4					8	2
7		9			8			6
		8			5			9
1				9		8		

233

	4					6		2
				1				
	9		5		6		4	8
							5	7
4		9				1		3
7	6							
6	5		3		4		7	
				5				
2		1					8	

234

						1		8
		9	1		2	6		
	3	5					9	
3		8			1			
2				4				7
			2			8		4
	6					5	4	
		4	6		9	2		
5		3						

235

8			7	2	6			
4			1					
	7				5			1
		4				2	9	
5	2		4		8		3	7
	8	3				5		
6			9				8	
					4			9
			6	1	7			5

236

	2							7
		1		9		2	6	
3								4
		3	6				5	
	8			2			1	
	6				4	8		
2								8
	5	4		1		6		
7							9	

237

		3	7		2			
		8		9	5			
7	2		3					
	3	7			8			4
1								8
8			2			7	6	
					7		5	6
			1	2		9		
			8		9	1		

238

	7	4			8			6
9			1		5			
	3	1	7			4		
	9		2					
		2				6		
					7		3	
		9			6	3	4	
			8		3			2
3			9			5	6	

239

8		3					4	9
					5	3		
6					2		5	
	2		1	5				
				9				
				8	6		1	
	1		7					3
		2	3					
4	3					8		6

240

5					8			
	2							
6				2		4	3	1
	4			6		7		
3				5				9
		5		7			8	
2	1	9		8				5
							9	
			7					4

241

			8	9	2			
		5	4			9	7	
			6			2		4
	6					5	4	1
				6				
4	5	8					2	
5		3			6			
	9	2			5	4		
			2	7	1			

242

5				6				4
6	7		9		8	1		
		3		1				
7					3	8	1	
			4		1			
	3	8	6					5
				5		9		
		4	1		9		6	2
9				3				1

243

4					3			
		6	2		7	8		
	3							6
8	5				1			4
				9				
9			7				1	2
1							3	
		4	5		9	2		
			8					5

244

1					4			
6		3	1					
		2		6		5		
		7		5	8			
8								5
			3	9		6		
		9		2		3		
					5	1		4
			4					2

245

1			3					
	5	7	2			9		
4			1				7	
8							1	
6		4				2		7
	1							9
	7				4			5
		6			2	1	9	
					8			3

246

	1		9	5			8	4
7	9							
						9	7	
	5		8	2				1
			3		9			
1				6	5		4	
	3	9						
							2	5
5	2			7	6		9	

247

				3			1	
		7	4	5		8		6
6		3						7
			2	6				5
1								4
5				7	9			
3						6		8
2		6		4	3	7		
	8			1				

248

		6	1				3	
1				4		6		
								8
5		3			7	4		
2				9				3
		4	8			7		6
8								
		2		3				9
	3				5	8		

249

3			8	9				
		6			4			
		8			3		5	
8		7			5		1	2
5								6
6	3		1			4		5
	5		3			2		
			9			7		
				8	1			4

250

5		3			7			6
		9	3	5				4
			2				7	
	3		5					
		6		1		4		
					4		3	
	9				5			
3				4	8	2		
7			1			8		5

251

		2			8	4		
	3							
4	9			2	3			
6	4				2			1
			5		1			
3			9				7	2
			3	7			1	9
							5	
		4	8			7		

252

	9	2	6		8		4	
		1				5		
7					9		6	
		7		4				9
		9				8		
1				6		4		
	7		5					4
		5				9		
	2		1		3	7	5	

253

		4		1	6	5		
7					3			
	6							1
	7		4		5	6		
6	4						9	3
		1	3		7		5	
8							2	
			8					5
		9	1	3		8		

254

4		7	6					
			3			7		5
	8				4			
5		8				1		
	3			6			9	
		2				5		6
			8				5	
7		9			1			
					9	4		3

255

	1							
			5					
5			1	2	9		6	3
7					3		9	
1	5						3	8
	4		7					2
3	6		2	4	1			5
					6			
							8	

256

				5	2	9		
			8		9			
3	2			4			8	1
8						6		
2		1				8		7
		5						2
7	4			9			2	5
			1		7			
		2	4	8				

257

2		1				4	5	
				1		3		
8			9		5		6	
5					1	6	3	
6								7
	3	9	6					5
	2		4		6			1
		6		2				
	5	4				8		6

258

	6	5		4		8		7
				6	8			
	8						9	
		3			6			8
		6		5		2		
4			7			5		
	3						8	
			6	9				
7		4		8		6	3	

259

6				2				
5	8		4	6				3
					3	5		
4		6	1				7	
	7				4	1		5
		9	7					
7				8	5		2	4
				9				7

260

					4	3		
1	3						5	
	5			8				9
6				4	7		2	
	2		8		5		4	
	8		6	2				3
2				9			6	
	6						9	8
		1	2					

261

2		7			5			
8				9		5		
			7	3				
	3	1	8					5
	8						1	
4					1	2	9	
				7	2			
		4		5				9
			9			7		3

262

4		5					8	
		8	3		4			
		7			1		2	
	4			7				1
		2		1		3		
1				2			5	
	3		8			6		
			7		9	4		
	7					8		9

263

		7	4	8				
	5			6	3			
1			5			4		
		5				2		4
	7			3			6	
6		4				1		
		3			6			7
			3	7			1	
				4	2	8		

264

	4	7	8		1		5	2
						7		
8			2					6
		3	4		5			9
2			7		6	1		
3					9			4
		5						
9	8		6		2	5	1	

265

6				1	3		2	
	3	1	2			6		
					7			8
	6					8		2
		8		4		5		
1		4					3	
9			3					
		3			9	2	6	
	5		4	2				3

266

		9	6			7		5
	8		4		5	3		
	3					2		
9					6			
			5	2	4			
			9					8
		2					7	
		4	2		8		9	
8		3			7	5		

267

7		9			4	6	3	
					2	8		7
2								
			7	8		5		
	1						6	
		2		3	6			
								5
1		7	5					
	3	5	6			9		4

268

	1		2				5	
				4		6	8	
4					1			
		7		6	8	2	3	
			3		5			
	3	4	7	1		5		
			8					5
	4	3		5				
	7				6		9	

269

9						6		
5			2					8
			8	4			7	
1			4	7			8	
		2	3		5	4		
	7			2	8			3
	6			8	2			
2					4			9
		8						6

270

	9					5	1	
			7				4	8
		5		3		6		
			9	2		1		6
2		8		5	7			
		2		7		3		
7	1				3			
	5	3					6	

271

2								
9		8				4		7
4		7			8		5	
					3	9		
			9	1	7			
		2	8					
	8		1			5		6
7		9				3		8
								9

272

8				9				
6	2		5				9	3
		3			2		1	
			2		8	6		7
5		6	4		7			
	5		3			4		
1	3				4		2	5
				2				8

273

3	1			5			6	
		7				2		3
			7					4
	4	8	6		5			
				8				
			9		7	1	8	
6					1			
7		2				6		
	8			7			4	2

274

	1	5			4			
					2	9		
9	2			5		1		
6			7	8				
		2				6		
				2	6			5
		1		9			2	6
		3	2					
			4			8	9	

275

				4	5			3
6		1						5
7					6	8		
				5		3		
3		8				5		7
		2		7				
		3	9					1
9						4		2
8			7	1				

276

						1		4
					5	2	7	
		2		4			5	6
9				2		5		
5			3		8			9
		8		9				3
2	8			1		9		
	4	3	9					
1		5						

277

	5	8						
					2	6		9
				4	7	8	2	
7		2	4					
	1						4	
					5	7		8
	7	6	3	9				
3		1	8					
						1	6	

278

		9	3	1				
	3					5		7
7		2		5				
8				3	1			
1								4
			8	2				3
				8		9		5
9		8					2	
				4	3	8		

279

			6			5		2
			5	7		9		3
							1	
3	8		1					5
2				5				8
5					7		9	6
	7							
4		2		9	3			
6		3			4			

280

9				7	2		8	
							6	
		1				2		3
	1			3	8	5	9	
			7		5			
	4	3	1	9			2	
7		4				8		
	9							
	5		9	8				7

281

6						8	4	
						7		
	4		7	6	5			
4			8			2		
9			5	7	2			3
		1			6			9
			3	9	1		2	
		3						
	6	9						8

282

1	9	6	5			8		
	2							
8				1		9		5
4				3	8		2	
				9				
	7		2	5				6
5		3		6				9
							5	
		7			5	6	3	4

283

1			7				8	
				2				3
	2		9		3		7	5
5		2						
		7		4		5		
						3		8
9	6		3		2		5	
8				6				
	3				1			6

284

			6		1		9	
				2				4
	6	9			4		2	1
							8	
2		1				5		9
	5							
3	4		5			8	6	
5				3				
	9		2		6			

285

2			4					
		5	1		3			
9								7
	1		8	6		2		
		6	3		1	9		
		2		5	9		3	
5								8
			2		8	6		
					5			9

286

6					9			8
							6	4
	2	4		7	6			
5		3			7		9	
	6		3			7		2
			7	4		9	2	
1	9							
2			6					1

287

5		6			2	9		
	8							
	3	7		1	5			4
			2	5	7		1	
	5		1	9	8			
7			5	3		8	9	
							3	
		5	7			4		6

288

	5		7			4		
			2					7
					8	6	1	
9				8			6	
4		6				8		3
	1			7				9
	9	4	1					
1					7			
		8			6		7	

289

	1							3
8					2			
		2		7			6	
		7	2	9			8	
1	2		5		8		3	7
	8			3	7	4		
	7			4		3		
			3					9
9							1	

290

3				8				1
	8				5			
		5	1			7		
	2		3	5				
9	4			2			7	3
				9	7		4	
		4			2	9		
			5				3	
7				6				8

291

				9	1	4		
	7	8						
					4	5	8	2
9	8							1
			4	2	8			
5							2	8
6	5	3	1					
						8	6	
		9	7	3				

292

		8	9	1		4		
		6	2		5	9		
							1	6
6	1							
			5		4			
							2	7
8	9							
		2	4		7	3		
		3		8	1	2		

293

	8				7			
		2				6		
				6	5		8	
9				7	3			2
8	6						3	5
2			6	1				4
	9		1	8				
		3				9		
			4				7	

294

1					6			
		3			2		6	4
	2		8	3				
		4	3		9		8	
	3		7		4	6		
				6	8		5	
8	5		9			1		
			1					3

295

	3	1	6		8			
7	4			3	2		5	
		6						
3					5			
	7						2	
			9					1
						2		
	2		4	7			1	6
			3		6	9	7	

296

	5	9	4					
	8				5			
		4	6			8	2	
	7	6		1				
		3		2		6		
				6		4	9	
	1	2			6	3		
			1				5	
					3	2	8	

297

	3					9	7	
		6			3		4	
		4				2		
9				1	5		2	
3			9		4			1
	6		2	3				9
		5				1		
	2		5			8		
	1	3					9	

298

	3		2	6			1	5
			7		1	6	4	
					9		8	
	6							
		5		2		7		
							6	
	8		9					
	2	6	3		7			
3	9			4	6		7	

299

			7	6				
	2	7				6		5
1			8			9		
		4			6		5	
6		2		9		8		4
	1		4			7		
		1			9			2
5		9				3	4	
				4	5			

300

	1	9	5			2		
7				9				
		6						7
8	7		4	5		1		6
			7		3			
5		4		1	2		7	8
1						6		
				2				1
		7			1	5	3	

301

	1							
5		3					7	6
	2			6		8		5
1	5		6					
			2	5	1			
					4		8	1
2		4		9			6	
6	8					3		2
							5	

302

	7		8					1
	8	2		9		4	7	
							5	
9				2		5		
	4			6			2	
		7		3				8
	3							
	2	6		5		7	9	
7					6		1	

303

		1	7					
		3		1				8
	4		5		8	7	1	
	8							9
		2		7		3		
3							8	
	1	9	3		4		7	
5				8		2		
					2	4		

304

5				7			1	
	1		5		9		4	
						7		
		6	4	5				2
		9				6		
2				9	8	1		
		8						
	3		8		7		6	
	6			1				3

305

			9	8			6	2
		5			3			8
		7			1		4	
							1	4
		9	5		4	8		
4	8							
	5		1			3		
7			4			6		
2	6			7	9			

306

8			7				5	
4				5	9			
	1	5	2		3		7	
						4	6	
		2		7		5		
	4	9						
	5		6		4	2	1	
			1	3				5
	7				2			6

307

2	4			3	6		7	
	5	6	9					
8								
	2			8			9	
		9	5		7	3		
	6			4			1	
								4
					2	7	8	
	7		1	9			3	2

308

	9			1				
2	3		5		4	1		
					9		5	
3					6			8
5	6						2	9
7			2					4
	5		9					
		1	8		5		4	2
				4			7	

309

			3	8				1
	3	8	1					
		6		9				
7	2				8		4	
		3				1		
	8		7				6	2
				7		5		
					1	6	7	
8				3	2			

310

	5				1			
1			8	9			2	
9			2	3		6	1	
5		9	6					
	8						5	
					7	9		2
	4	7		1	2			5
	9			5	8			3
			3				9	

311

	5		8			1		
			3					9
4	8		2			3		
					3			1
		9	7		5	2		
6			9					
		7			9		5	3
8					2			
		4			8		9	

312

	8		5					9
9		1					6	
			9	4		1		
	2			8	6		7	
1								3
	3		1	9			8	
		6		7	8			
	1					8		6
8					3		2	

313

	9	6				4	5	
	4			6	2			
		7						6
	8				5	7		
		2				1		
		5	4				9	
3						9		
			3	7			4	
	2	4				3	6	

314

	6	2			4			
	8	7				4	3	
3				7				2
	2			6	1	7		
	5						4	
		1	4	9			6	
6				4				7
	1	4				6	8	
			8			3	2	

315

	4	6	5			1		
			3		1			
1				6	2		9	
	7					6		5
9		1					7	
	6		9	7				2
			1		3			
		4			6	3	8	

316

1				7				
	3		4		5			
	9	6						5
			2	4		1	7	
	7						2	
	2	8		3	1			
7						5	3	
			3		2		9	
				8				1

317

9			4				1	
1	2				9			6
					8	2		
	4	3			1		6	8
2	8		6			1	3	
		2	8					
6			3				8	7
	5				6			9

318

	8	4	6	3	7			1
3				4		6		
2					8			
						7		8
	7						1	
1		8						
			9					3
		3		1				6
4			3	8	5	2	7	

319

			9		1	4	2	
		4	8					1
	1							7
	3			2			6	
	5						7	
	8			7			3	
2							5	
1					3	2		
	7	8	4		2			

320

			1	8	3			4
						9	1	
				2	6			5
		4	3					6
	1			4			9	
3					2	5		
8			4	3				
	9	7						
6			7	9	5			

321

				5		9		2
5		4					3	
			6		3			
	5	3	9	7				1
6				1	5	8	4	
			2		1			
	1					2		5
3		8		9				

322

3			2	4				
			3		5	2		
1			8				7	
		7	1					8
6				5				2
9					3	5		
	6				4			7
		4	5		7			
				3	8			5

323

1	5		4					
6		2		7	9			
7		9			1			
2								
4	8		9		7		1	5
								9
			1			8		3
			2	8		1		7
					5		9	4

324

		8		3		6	2	
	9			2			3	
3					8	5		
	3		2					5
5				9				1
8					5		4	
		4	1					7
	6			4			1	
	1	3		7		4		

325

8	1							3
		4	3		5			
7	2			8			4	
			6	9	4			1
4			2	5	8			
	5			4			1	9
			1		6	2		
1							7	8

326

	4		5				3	1
			2		8			
		7		4	1	6		
	1						9	
	9	2		5		1	6	
	3						7	
		6	8	2		3		
			1		4			
9	2				5		4	

327

	1						3	
4		7		3				9
					5			6
2		8	9				1	
				8				
	3				1	7		2
7			8					
8				9		3		1
	2						5	

328

	9	7			6		3	
	6		9	1				
							6	
5		6	1			4		
			3		7			
		1			2	8		6
	5							
				8	3		4	
	7		4			6	8	

329

		5					8	2
8			3		2			9
					5			
	8		2				6	
	7		5	8	1		4	
	1				6		9	
			1					
3			4		8			7
2	5					8		

330

3		8		9				6
		5						
	2		6	3			4	
				5	6		3	
	3	1				6	2	
	9		3	1				
	8			7	3		6	
						8		
9				4		3		7

331

	5	9		2				
			8					
3			5		6	7		8
1						3		
5	8						4	2
		2						1
6		3	1		8			4
					4			
				3		2	1	

332

		1		2	8			
4			5	6				
2	8		4					
	3		6		4	8		
		6		9		4		
		9	1		7		6	
					6		2	9
				7	2			4
			9	4		7		

333

		4		5				2
			2		6	3	4	
				1		7		
7	4		8			1		
	5						2	
		2			1		5	6
		3		8				
	8	7	1		4			
4				6		2		

334

1	2	3	6		5			
8	6							
				2				
3		7					6	
6				1				3
	5					8		4
				7				
							3	2
			1		9	4	8	5

335

			5					
	9					6		
		5	1		4		9	
	2		7					8
7				5				1
1					3		6	
	3		4		1	7		
		6					3	
					6			

336

		8			2	5		
	5				1	6		7
6		1				8	4	
			5	3				
8								4
				8	9			
	1	3				4		5
7		5	2				8	
		6	7			3		

337

5			2					
	2	7			9			
	9						6	4
		3	8		4	9		
				1				
		8	6		5	3		
7	8						9	
			9			1	3	
					8			5

338

			7	2				
				8			5	1
3	2	8					4	
			1	3	6			
	5	1				6	3	
			8	5	7			
	7					8	9	4
2	9			4				
				7	5			

339

	3			5	2			
2			6					
8	9	1			4			
		8			7		1	
4		7				2		8
	5		8			7		
			3			6	9	1
					9			5
			4	6			2	

340

	1		6	4			8	
3	6				7		9	
				8	1			7
		1	7		4	8		
6			3	9				
	8		5				1	6
	4			3	8		5	

341

		4			7	3	9	
7		8	6			4		
	5				3			
8			9					
5			7	8	2			9
					6			2
			2				7	
		5			1	8		4
	8	7	4			2		

342

7				9	2	8		
		1						
8		5	6					
		4		3				1
	3	7				6	9	
2				7		4		
					4	2		7
						9		
		9	5	2				4

343

	5	7			9	2	6	
	3		8	1				4
6								
		5	7		1			2
7			4		2	5		
								7
2				7	8		4	
	7	4	1			3	2	

344

			2			6		
	3	2		4			5	
1	5		7	9				
		1					8	
9				5				1
	4					2		
				7	3		2	8
	9			6		3	7	
		3			2			

345

			9		8			5
	8			4		6	3	
			1	5			7	
		6				9		2
4		9				7		
	2			6	7			
	9	8		2			6	
1			4		5			

346

			9				1	6
			2	4		3		9
	5			6				
1	2	6					4	
	9					5	2	8
				2			3	
3		8		9	7			
5	1				6			

347

5	7			1	9			
1			5					9
8								
	5	1			2		7	
7								6
	4		9			1	8	
								3
4					5			8
			6	2			9	1

348

			7	9				
	1	8		4				5
	6		5			1		
						3	8	1
		5				2		
6	8	3						
		7			4		6	
8				3		5	7	
				7	2			

349

	4			2	5			8
	5					4		
		6	4		7	2		5
		7				3		
			6	9	2			
		5				8		
6		2	7		3	5		
		8					2	
3			2	5			8	

350

	2		6					
					7		8	
		7		3		2		1
8		9			6	3		
	4			2			1	
		2	8			4		7
2		5		6		8		
	9		7					
					5		9	

351

1								
2	3		8	5			4	7
	9		2				6	
	1					9	2	
				6				
	2	9					7	
	7				6		9	
9	8			1	5		3	2
								4

352

				9				
						8	3	
7			3		2	9		
1	5		2				8	
	3		8		9		5	
	6				7		1	3
		8	9		1			7
	9	6						
				6				

353

	5		1		3			
		4			9			
8	2							1
	4	3				2		
2								6
		7				8	5	
6							8	7
			8			3		
			9		5		1	

354

4		3			9			5
			3	4			9	
9				7				
2	9			3		6	5	
		1				4		
	5	4		9			3	7
				8				3
	1			6	3			
3			9			7		8

355

		8	2			3		
		2		7				6
			3		4			9
	6							1
	2			1			4	
5							3	
2			9		7			
8				6		1		
		5			2	7		

356

	1							
3			5			1	6	
	8			3	1			7
8						4		1
	6		7		3		5	
4		3						9
5			4	2			9	
	4	2			9			5
							1	

357

			8		9	7		
	6		7	2		9		
5				4			2	
6						8		9
		4		7		3		
9		7						5
	4			3				7
		2		8	7		6	
		6	1		4			

358

3		2		1				
			8					7
4		7		2	9			8
9				7				1
		3				9		
6				8				2
1			7	3		2		4
2					1			
				9		8		6

359

5	2	4					7	3
	9						8	6
		8			4			5
			4		9			
	6			1			3	
			6		5			
2			9			5		
8	5						2	
1	4					7	6	9

360

				8				
5	3		7			8		
2	6		5			9		
9			2			3	1	
		4				5		
	2	5			8			9
		1			9		2	3
		3			5		9	4
				7				

361

5	6		4			3		1
7					6			5
					5		6	
			7			1	8	
			6		3			
	7	1			4			
	2		9					
4			3					2
6		9			7		3	4

362

4	9				5			6
		6		1				8
7				9				
		4	5			7		
	6			2			8	
		3			8	5		
				8				1
6				5		4		
3			2				5	9

363

	8	3	5					
	2			3	1			
6						1		
	7		1			6		9
9				7				5
4		8			9		2	
		9						2
			6	8			5	
					4	8	1	

364

	1	5			7		4	
3	7				6			5
4				2				
		8						2
	5	4				8	7	
9						4		
				6				3
5			4				2	1
	9		1			5	6	

365

		8						
4			1				3	
	2		8					1
9	1		7					5
6		3	2		9	4		7
7					6		1	2
3					7		2	
	7				1			9
						6		

366

	1		8		3			
6			4					
3	7			1	6			
4		7						3
8			6		9			2
1						8		4
			1	5			8	6
					8			7
			3		2		1	

367

		6	5			2	7	
				1				
3	5							6
5		8			9		4	1
4	6		1			9		2
6							1	4
				3				
	9	5			6	3		

368

	2	1	5			6		
					3		2	
		7	4					
	6	5			7			1
		4	2		5	3		
7			1			8	4	
					4	9		
	5		7					
		6			2	7	8	

369

		9			1			6
	2			8	5		9	
7		8		9				3
							4	
9		4				6		8
	8							
6				5		4		7
	1		9	2			6	
5			7			2		

370

	9							1
		8		2		6		3
	6		3	5	9		4	
			2				1	5
		5				7		
2	7				5			
	8		4	9	3		6	
4		3		6		1		
6							3	

371

	6						5	7
			8	3				4
		1	7				3	
	7			2				1
	9		4		3		6	
3				7			2	
	8				7	1		
2				9	8			
6	1						8	

372

		8			2			
6	2					9		
	4	5					7	
1			3	2				
		4	5		8	1		
				9	7			5
	3					2	4	
		9					6	1
			7			3		

373

2					4	9		1
		9			8			
	8	3				2	7	
6			1					
		7	8		6	4		
					3			2
	9	1				6	3	
			6			8		
8		4	7					5

374

	3	7					5	4
			7			2		1
	4							3
	8		5		7			9
3				2				6
2			8		3		1	
5							4	
7		3			1			
4	1					6	3	

375

	2			6	7			
5		6						
		7	9	2			8	
4	5		2					
1								5
					4		9	8
	7			1	6	8		
						6		2
			8	4			1	

376

1	4		3					
3				9				2
7		6					3	
		8		7	3			
	5						4	
			9	5		7		
	2					6		3
5				2				4
					4		8	5

377

		1	3	6				5
7					5			1
5	3				7			
			5				7	8
				7				
2	5				4			
			4				5	9
9			7					6
4				3	2	8		

378

2			7					
8	7			2			3	
					1		7	
		8	3		9			2
		6				3		
9			2		4	5		
	4		8					
	8			5			1	6
					3			9

379

		7					5	
		5	8	2				7
6	8				7			3
8	5		6		1			
			3		5		1	8
5			7				4	9
4				3	8	2		
	1					6		

380

				3	4		1	
			2				3	8
3			6		8	9		
			8				5	3
		5		9		4		
7	4				5			
		3	5		6			7
4	6				3			
	7		4	1				

381

4	8	7	5		2			
	5		6					
6					9			
7							1	9
				9				
5	1							3
			2					8
					3		7	
			8		5	2	9	4

382

3		2						
	4			8	7			
	7		4	2		5		
1	9		8		5			6
7								5
6			9		3		8	4
		9		3	4		5	
			1	5			4	
						2		3

383

8								5
		3			5		6	
			1			9	3	
6	9			2				
		5		4		7		
				7			9	3
	7	8			4			
	6		3			5		
2								6

384

	8	5						
6	9			1	7	3		
	7		9					
9		8					4	
5	6			4			9	3
	3					5		1
					3		5	
		3	8	2			7	9
						6	3	

385

7		5			9	1		2
						7	8	
	1		8					
		8	6					7
	2			7			3	
5					1	8		
					5		7	
	5	1						
4		9	2			5		6

386

	5		9		4	1		
6								
	8	9			6			2
9				1			6	
		7	6		2	9		
	6			9				7
5			3			8	7	
								5
		4	2		7		3	

387

	7		2					
4	6							
2					8	9		
	9	1	5	7		6		
8				3				9
		7		8	9	5	3	
		2	6					5
							9	1
					3		7	

388

2	6				3			
3	8				2		1	
			5	7			2	
						3	5	1
8	7	9						
	4			2	5			
	9		4				7	2
			1				4	5

389

	9	1					3	2
			9		4			
	4			1		8		
		8	1			2		
4				9				6
		6			7	5		
		2		5			8	
			3		1			
7	5					1	6	

390

	6	9			4		3	1
		7				4	6	
1								
		2		5	1			9
	1						8	
9			4	2		1		
								5
	7	1				8		
8	3		6			7	1	

391

	3	6						
9			2	1				4
				8	6			5
8	6					2	7	
		9				5		
	1	4					9	3
4			6	5				
6				4	9			7
						4	6	

392

					3			1
	9		5					6
			8		9	3	7	5
	4					8		
			6		8			
		1					5	
9	5	8	2		7			
6					5		1	
3			9					

393

8		5						
1			4	5				
		4	7				2	
	1		2				3	
		6				9		
	4				9		7	
	7				1	6		
				3	4			2
						4		8

394

	8				9	5	3	
		2		5	1			
9				7		6		
	2	7		9	8			
			1	3		2	6	
		4		2				9
			4	8		3		
	6	5	9				2	

395

					5	6		1
	9					2	4	
							9	7
8		1		5	6			
				3				
			1	2		5		8
5	2							
	3	4					1	
6		7	4					

396

	7		1			9	3	
3		4	8	7				1
	9	8						
2				8			4	
			2		1			
	3			5				6
						3	8	
9				2	3	5		4
	5	3			8		1	

397

	8		7					
	2	6		1		3		
3		5	6					
		4		6	1	5		
7								2
		2	9	5		8		
					5	1		8
		3		7		4	5	
					9		2	

398

	7			2		8		
8			5			9		
	6		3				1	
		5	6					
	8						4	
					2	6		
	1				7		2	
		4			9			5
		6		1			8	

399

1							6	
			1	7				3
			3		9	5		
	4					2		
7		2		5		9		4
		8					1	
		7	4		3			
2				9	6			
	6							8

400

9	2			3	8			
	6	1						
			2			6		
				6	4	3		1
7								5
1		3	8	5				
		9			1			
						9	7	
			5	2			1	6

401

			2		4		7	
5			7	6		9		
		9					3	
8			5			6		
		6				4		
		4			2			5
	3					1		
		5		2	1			9
	2		3		6			

402

			1	6	7			2
						4	3	
9	2							6
8		3			2	6		
			8		1			
		4	9			8		5
4							9	7
	3	6						
7			3	1	8			

403

5		3	7		6			8
7				8	9		4	
		8		5			3	
4								1
	2			6		4		
	4		2	1				5
1			4		3	9		6

404

			4				1	
4	2						5	
		5	9			4		8
	8				7	3	9	
				3				
	5	9	8				2	
9		2			5	6		
	6						4	2
	4				1			

405

			9					2
			8			3	7	
5	3		4					8
			5	9		8		
		9				6		
		5		3	8			
4					7		1	3
	8	7			1			
6					9			

406

	4				8			
5			1			4		
		2	7		9			6
8						3	7	5
2	1	3						9
9			4		2	5		
		7			1			2
			8				9	

407

	1	5	2		3			6
	4				1	3	5	
5	3	8						7
				9				
9						6	2	8
	8	7	6				3	
2			5		8	4	7	

408

3	1	8					9	
5	4		1	3				
			6					
8	6	4		2	1			
		5				1		
			4	5		7	6	8
					7			
				1	2		3	6
	2					8	7	9

409

				3		6	5	
6					7	1	4	2
9		2						
			2				8	3
				4				
1	4				9			
						5		1
3	8	1	6					4
	9	4		2				

410

				7	2	9	8	
	9		6					1
		5		3		2		
		4					1	
1				5				2
	5					3		
		2		6		8		
9					7		2	
	7	3	4	2				

411

6			3					
2	5	4					7	
	7		4					
	6	7	5					1
		8		3		7		
5					8	4	6	
					4		2	
	4					5	1	7
					7			9

412

		4		6	5			9
			4			2		3
			3		1			6
5			2		3	1		
	2						3	
		3	1		8			5
4			6		7			
3		1			4			
7			9	3		5		

413

	3		9				6	
				2		1		4
8	6			1				5
7					1		4	
		6				3		
	1		5					7
1				3			9	6
6		9		5				
	8				7		1	

414

	8				7			4
								7
		4		8		5	6	
		6	8	1		4	9	
				9				
	4	9		3	5	1		
	5	1		2		6		
6								
4			1				2	

415

	4						3	
			3	7			4	2
			4	2				1
	6	1						9
		8	7		9	2		
9						6	7	
5				9	7			
6	1			8	3			
	7						8	

416

2			5			6		
8		5	6					
	6						9	
		4		8		5	3	
	9			7			6	
	5	7		1		8		
	4						7	
					7	4		2
		3			2			6

417

				4		1	7	
2			9		6			
		1		5				
		5	4					2
1				2				3
7					1	6		
				3		9		
			1		9			4
	9	3		6				

418

		9						
8				1		6	2	
3	6			7		9		
			7	8		4		
	3		4		1		6	
		5		6	3			
		6		4			8	5
	7	8		3				6
						7		

419

	1		7			5	4	
		8			9	2		7
		7						8
	6			4				5
		3		1		4		
7				5			8	
3						9		
1		2	3			8		
	4	9			8		3	

420

					3	1	5	
7		1	8			9		6
		2					3	
	6		5		7			
		5		1		6		
			3		6		7	
	2					5		
6		4			5	7		3
	9	7	1					

421

		8						3
7	3			8	9		5	
2	1				7			
		7		1				8
				6				
8				2		3		
			3				4	5
	4		6	9			3	1
3						2		

422

		2			6	3		
			8		7		5	4
				5			2	
					8	9	4	
		6		4		2		
	3	1	7					
	1			8				
3	5		1		9			
		4	2			8		

423

		5		6	2			
8			5		3	2		
6		2			8			
						9		1
			9	4	5			
3		7						
			8			1		6
		1	6		9			5
			2	3		8		

424

2		1	5	6				
8	4							
5							7	1
		5	8				4	
		9		5		3		
	2				1	5		
6	7							9
							8	3
				7	8	6		5

425

3	2			6			4	
5	6		7	2				9
9					8			
	3				5		9	
				3				
	4		1				5	
			4					8
2				9	3		1	4
	9			1			2	7

426

	5		4				1	6
						8		
	3			1	7			2
	9		3			6		
	6						4	
		7			4		8	
2			6	3			5	
		5						
3	7				2		6	

427

				5				
2					9		6	
	7	3	8					
1		7		3		4		8
	4		1		8		5	
8		5		4		1		7
					4	6	1	
	9		6					2
				2				

428

2		4		6				
				2	9			1
9		7						3
	3				6			
6		2	4		5	7		9
			2				3	
1						5		4
3			6	4				
				7		3		6

429

1	6			3		5		
	5	9					6	
2					1		8	
			9					6
	3			5			9	
9					3			
	9		4					2
	2					8	5	
		5		2			4	1

430

		6	2		5			4
				6		9		
		4					8	
6	8				3		5	
1		5				3		8
	3		9				1	2
	4					5		
		8		4				
7			6		1	8		

431

8		6		7			5	
						7		
	2	4	5					3
	4			5	6		2	
		8		4		5		
	7		3	8			1	
1					7	9	8	
		2						
	9			6		2		1

432

2	9							
		3	2			8		
	5			9	6	1		
	6					5		
		9	6	8	5	3		
		5					4	
		7	8	2			6	
		1			4	2		
							1	7

433

1						5		
	7	6				8		4
4			7		8			
	6			2				5
	2		4		3		6	
9				7			8	
			8		1			7
7		5				4	9	
		4						2

434

	9				8		4	
5							8	
		8			1	3		
1	7			2	9			4
				6				
9			1	8			6	2
		1	6			4		
	3							1
	5		8				2	

435

4			8					3
	3			6	5			
9					4		7	
1	9				3	2		
		2	7				3	1
	7		6					5
			4	2			6	
2					1			8

436

3	6					7		
		4		5		3		
			4	7			5	
2					5		9	
5								3
	7		3					1
	9			1	4			
		2		3		4		
		3					2	7

437

	4		8	7				
			6				8	
				9	5	2	6	
9	8			5		6	4	
	2	6		3			7	8
	1	8	7	4				
	5				6			
				8	2		9	

438

			7		4		6	
	6	9		8		1	7	
								4
			1					8
9		1				7		5
2					7			
3								
	2	6		4		8	3	
	8		6		5			

439

8			5			9		
	9		3					
				4		5		3
3			9		1	6	5	
	1	5	6		8			2
2		7		9				
					7		2	
		3			5			8

440

	1							3
		7	1			6		
6					7	8		4
			2		5	7		
		8				3		
		2	6		8			
7		4	5					6
		5			2	4		
9							2	

441

7		9		6				
1	8				9			
6							2	
	2	7		4			1	
	6		1		8		9	
	1			9		3	4	
	9							8
			3				6	2
				7		4		1

442

1		3						
	6		3			7		
7					5		1	6
			1		3		5	8
4		1				2		7
6	8		7		4			
3	2		5					1
		6			9		7	
						5		2

443

	2				9	6		
	3		5			8		
	5	6		8	1			9
		8		9	7	2		
		3	6	5		4		
3			9	1		5	4	
		9			5		8	
		5	3				9	

444

8	3		7				1	6
			8			3		
7		6						
9				7	4		5	1
1	8		5	9				2
						6		7
		7			8			
5	6				7		3	9

445

	1		3	7		4		5
				6			9	
2	3		9					
8			5			9		
	5						2	
		9			6			3
					7		5	9
	7			5				
5		4		8	3		7	

446

				6	7			
5	4							
9	6			5	3		2	
	2	6	5					4
		9				8		
8					6	1	3	
	1		3	2			5	7
							1	8
			7	1				

447

		9	3					
	2				6	8		
4		6			8			9
						1	4	5
	1						2	
8	4	5						
6			2			9		3
		8	6				5	
					3	2		

448

5			7		1	9	6	
9			3	2				
		4			9			
						1	8	
	7	3				5	9	
	5	1						
			9			2		
				5	8			1
	2	7	1		6			9

449

		4			1			
8	9		7				6	
	7		4					5
3				5		2		9
7		2		3				1
4					3		9	
	1				7		3	2
			2			6		

450

				2			4	
2				4			5	9
		3		1			2	
7			6				9	4
		4				6		
6	5				1			8
	1			5		4		
4	7			8				3
	3			6				

451

		7			6	4	5	
		4	3	9	7			
8								
	3						8	
		8	5		2	7		
	7						9	
								1
			7	1	3	6		
	8	2	4			3		

452

						1		
2	7		6					3
			8	4			6	9
1			7				3	
	8			2			5	
	6				3			1
4	2			9	8			
7					5		2	8
		6						

453

				7		2		1
	4		3	5	1			
					9			
6				3		5		9
2	9						4	6
1		4		2				8
			6					
			8	4	5		6	
5		6		1				

454

8				4			7	2
		4		2				
	7		6			1		
								1
4	1		7		5		6	9
9								
		8			6		1	
				7		8		
1	2			9				3

455

9	3		8			2		
				1				
4				6	5	1	9	
			7	2				9
		2				5		
1				5	4			
	1	6	5	7				2
				8				
		9			6		1	5

456

5	9	6			1			
								8
3		4			6	1		
					2		3	
	7	3				8	6	
	2		6					
		9	8			3		7
1								
			2			4	8	9

457

4		5			3	8		
	1		8					4
3	7		9					
					2	5		8
				9				
1		2	5					
					5		1	2
7					9		8	
		1	4			7		6

458

6	8		1				4	
7					8			
				5			3	
	6				9	5	7	
				7				
	4	7	6				1	
	9			3				
			2					6
	7				5		9	4

459

	4			3	2			
	2					7		4
8		9						
3		2		7				
9	7		3		6		4	1
				5		3		8
						6		2
4		7					9	
			9	6			1	

460

				4	1		7	8
								5
			8			3	6	4
	7	4	3				8	
			2		6			
	6				7	1	2	
8	9	7			3			
5								
4	1		9	6				

461

	4	8	7				1	
				5	9			
6								4
				4	3		7	1
1								6
9	7		1	6				
8								3
			3	9				
	1				5	9	8	

462

			7		3			
				9		6		
		3			6	2		7
3		4	8			1		
9				2				3
		6			7	9		8
6		8	9			7		
		2		1				
			6		5			

463

3		5				9		7
9	7				1		8	
4				7				
		6	3				7	
			7		2			
	4				6	1		
				5				6
	3		2				1	4
6		1				2		8

464

			6					2
	9					1	7	
4			1		3	5		
6					8		3	
				4				
	1		7					5
		4	2		5			6
	5	3					1	
8					1			

465

				1	8		6	
		5	9		4		3	
		4	7					
4		2					5	1
				8				
9	5					6		3
					7	3		
	2		3		6	8		
	3		1	9				

466

8		9			2			1
				8			5	7
			4			3		
		6			4		9	
	8			7			4	
	2		9			7		
		8			3			
7	4			6				
6			8			2		9

467

1								
	8			5	1			
		3			7	4	1	
3					4		7	
8	5		7	1	2		9	4
	4		5					2
	6	5	1			7		
			2	3			5	
								9

468

8			3			7	9	
		6					8	1
5			9					
6				2		4		
		9				1		
		2		5				7
					7			3
9	7					6		
	3	8			1			4

469

	3				4			
	2	4		1				9
				3	5			6
		2			9			
8				7				3
			1			5		
2			9	5				
5				8		6	3	
			4				7	

470

		7				4	5	
3				1				
4			5	3			2	
	3	6		7				5
			1		6			
8				2		6	4	
	2			9	8			4
				5				8
	9	8				5		

471

		3		1			5	
		8			5		9	
			8			4		1
					6	5		9
	6						4	
2		9	4					
7		1			3			
	8		7			6		
	9			2		8		

472

				1	3			
4	3	9					1	
2						7		
9			2		7		5	
	4	3				2	9	
	2		9		4			3
		2						5
	6					1	4	2
			1	8				

473

	3					9		
			8					
2	1		4	3	9			
				5	8			2
4		5				7		6
3			1	6				
			6	1	2		8	4
					7			
		4					6	

474

			8		7		6	
		7		3				5
	6	2				9		
								9
	7	3		8		1	2	
2								
		5				3	4	
1				2		8		
	8		3		6			

475

					3			4
		8		6	4	9		
3				9			7	
	3							2
2				8				7
6							1	
	8			4				5
		6	1	5		7		
1			2					

476

		4		5		7		
	1		4					
3	5	9			8			
8	4	3	5				7	
	7				4	1	5	3
			8			6	2	1
					6		3	
		7		1		9		

477

	9							
		1	9		3			5
3	6				4			2
			3		6	7	4	
	5	6	2		1			
5			4				2	3
2			8		5	1		
							9	

478

	6	1			9	5		
			6	5		9		
	9					2		3
	4	6	9			1		
	1						2	
		8			3	6	5	
1		2					8	
		4		1	8			
		9	2			7	1	

479

	7				9	3		
								2
		6		2		9		7
4	6			9		1		
		9	8	7	1	6		
		8		3			2	9
6		4		8		2		
1								
		3	9				4	

480

		3						7
6				5		2		
	1		3		2		6	
3				1	6		9	
		1		2		7		
	8		5	7				2
	4		9		5		2	
		8		4				9
9						4		

481

2		6			1		4	
8	1		9					
	4	5						
				3	6	5		
	6		4		5		3	
		3	1	2				
						6	8	
					8		5	2
	7		2			9		4

482

			5			1	9	
			1	3		7		
	7	4	8					
5				8			1	
8								9
	4			9				2
					2	4	3	
		8		4	1			
	3	6			8			

483

9			4	2				
	4		1		5		9	
	2	3		9				1
8		1				6		
		2				4		8
2				8		5	3	
	9		6		7		8	
				4	2			6

484

5					7		3	4
		7	6			5		9
					3		6	
3					5	4		
				1				
		1	9					7
	8		5					
2		3			1	9		
1	5		7					3

485

								4
5				7	3			
8						2	5	
3	6		5			7		
	7			3			1	
		1			9		3	5
	5	8						3
			8	6				7
4								

486

9			1	6				
	3		4					8
		7			9			1
			3			5		2
			5		6			
4		6			8			
1			7			3		
3					2		9	
				3	4			6

487

			9		3			5
		7						
3	6				7		4	8
6		8			1		2	
				7				
	1		4			8		7
1	9		7				6	4
						2		
5			6		4			

488

8	6			9		4		
2	1		4					
	4		3		6			
4			8	5			7	
6								4
	3			2	4			1
			7		8		6	
					9		2	3
		5		6			4	7

489

2			3					
	1		6	4				5
4	9			8				3
9	7					4		
		4				5		
		8					7	9
8				1			9	7
5				3	7		1	
					4			8

490

						4		
6		2					8	
		7	1	6				3
			6		8			7
		5		4		3		
4			3		7			
7				3	6	1		
	3					9		2
		4						

491

		5	8	7	3			
				6				
2		1			9		3	
9			7			3		
	8						7	
		7			5			1
	9		3			4		7
				8				
			4	2	6	9		

492

	6		8			9		
		2					3	
1			2		9	5		
	4		7			3		
2		7		3		4		1
		1			8		7	
		8	4		2			5
	2					7		
		6			7		2	

493

				1			5	4
		3			5			
7			4		3	9		
			2		6	8	4	
		8				1		
	2	4	9		1			
		7	5		8			1
			1			6		
5	8			3				

494

		2	6			4		
6		5		9				7
	8			1				
1		6	5					
	5			7			2	
					9	6		1
				4			8	
2				5		7		3
		4			7	5		

495

	3		9	2	5			
		4		3			2	
8								
	9		3	5		8	6	
		1				2		
	6	2		8	7		9	
								6
	4			1		7		
			7	6	3		5	

496

4		2		9				
				6	1			
			3			4		5
9	6					5	4	3
5	8	4					1	2
8		5			7			
			8	4				
				1		8		6

497

		5	6					7
	7			4				3
8		3	1				5	
6					3			
	3						6	
			2					1
	5				1	9		2
4				6			1	
3					9	7		

498

5			8			3		
	7	9					4	8
					9	5		
	9			3	2	7		
				1				
		1	9	7			6	
		4	3					
2	1					6	3	
		3			4			7

499

		8	2	9	3			
					1	4		
	2		5		4	9		
5					2	7		
2				8				4
		6	9					8
		2	1		8		6	
		7	3					
			7	2	9	8		

500

					7	1		6
						8		
6	7			4			3	
		7		2	9			5
2			5		3			4
5			4	6		3		
	2			3			9	8
		3						
9		5	6					

501

2	3	9		7			4	
5		8						
	7							9
			7	8	5		1	
7				1				8
	1		2	4	6			
9							8	
						9		1
	4			9		3	6	2

502

	3				2		4	
6		2	3					
9						3		6
	2		5	3			9	
7								4
	6			9	8		7	
1		5						7
					9	4		3
	7		6				8	

503

		8					1	
		7	4	3	6			
5				1				6
6					7		5	2
				6				
7	3		5					1
4				8				5
			1	2	4	9		
	2					1		

504

		8	2		1			
		4		6		9		
2				5			6	
7					6			
8			1		4			7
			5					3
	8			2				1
		3		1		7		
			9		3	5		

505

	2				8	6	3	
6	1		5	2			4	
						7		
			7	4				
4	3		2		9		6	7
				6	5			
		2						
	7			5	2		8	4
	6	4	1				5	

506

				5		7	1	
		5						8
			3		1	9	2	
			5			8		3
	1			9			7	
5		6			8			
	8	3	9		2			
2						4		
	5	4		6				

507

		2	9		8			1
			2				3	5
						2	9	
4	3				5	8	2	
	6	8	3				1	4
	8	4						
2	7				6			
3			8		9	6		

508

			2					1
	6					4	7	
5	1	9				8		
			3		6			8
	7			8			4	
1			4		5			
		1				5	2	4
	8	4					1	
2					1			

509

9	3			2				
			8			9		
6		2			3			
4				3	2	8		
2			1		9			4
		5	7	4				1
			3			1		6
		7			1			
				8			7	2

510

	7					8		1
5								
		6	2		8		3	
7			6	8		2		
		9				4		
		2		5	1			7
	9		5		7	6		
								9
2		7					8	

511

7	4	2			1			
		1				6	4	
				3				1
			1				9	5
			3	9	2			
1	2				8			
5				6				
	9	7				1		
			9			7	5	8

512

		2		9				3
							4	
3					6	5		7
	7		8		5			6
				7				
6			3		1		9	
8		3	7					4
	9							
7				5		1		

513

		6	9		8	2		
	4				7			
5	9			6				
	6		3					
	7	1				4	2	
					1		7	
				2			8	4
			1				5	
		3	8		4	6		

514

7			3	8		5		6
	6				5			2
						3	9	
			1		4	2		3
2								1
6		1	2		8			
	5	3						
9			5				4	
8		2		9	1			5

515

7				8	3		9	
				2			1	5
9					5			8
4						5	7	
	5						6	
	7	9						3
1			9					7
5	2			6				
	9		5	3				2

516

	3					9	8	
				2				
		9			4			1
		2		4	3	5		
	9		2		1		7	
		6	7	9		2		
6			9			4		
				8				
	8	1					5	

517

			5	9			4	
	2		6		3			
5	1					3		
		1					9	
2			7		8			1
	6					5		
		3					5	9
			3		5		7	
	5			2	9			

518

		6					2	9
	1				4	3		
4				9	8		7	
			1			7	3	6
				4				
1	2	7			6			
	7		4	2				3
		1	5				9	
2	6					5		

519

					1	2	6	
			6	7		3		
9		5				1		
3					8		2	
2								8
	8		4					3
		3				7		1
		8		1	5			
	5	9	2					

520

					7	8		
3	7			1			2	
9	8				5			
	6		3					
	1	8		7		3	9	
					9		5	
			7				6	2
	4			8			1	9
		5	9					

521

					5			8
	4	7			9	1	3	
	9							6
9	5				6		8	
		4		1		2		
	3		5				4	9
2							9	
	6	5	2			8	1	
7			8					

522

	9	3						
6							3	8
			5	6		4		9
	3		4	9				
	1			2			8	
				7	8		4	
7		5		3	6			
3	8							6
						7	5	

523

8				1	3	2	5	
								8
			8		5		3	
2						8	1	
		6		3		5		
	1	9						3
	3		4		2			
6								
	5	4	9	8				2

524

7	9					8		
	2			5				
			1	3	7			
	7		9					2
	5		2	8	6		9	
2					3		8	
			3	4	1			
				9			3	
		1					7	9

525

	4	8	9					
7								8
5	2			8	4			
	3		4				1	
			3	7	6			
	9				1		3	
			5	3			4	6
6								2
					8	5	7	

526

					1	3		
			5	6		4		9
		6	4					
	2		7					4
1				5				6
9					6		2	
					4	1		
5		4		2	9			
		3	6					

527

			2	6		5	1	
	2		5				8	
					9			4
4	3					6	9	8
6	1	9					5	3
1			8					
	7				5		4	
	9	3		7	4			

528

				8				
3	8		1			7		
9		6		4			5	
					7		3	
	6			9			4	
	2		8					
	5			7		4		9
		1			9		6	7
				6				

529

		6						4
						1		3
			9	2		6	5	
8		3			9	4		
			2		1			
		1	3			2		6
	5	2		8	6			
7		4						
6						3		

530

	6			7				
	1		2		3	9		
2						3		
			3			2		4
8								5
4		2			5			
		1						2
		5	4		2		9	
				6			5	

531

3			4					
4	5		9	3		8	6	
			7			4		3
7	1	5						
				5				
						5	9	4
2		1			8			
	8	4		1	7		3	6
					4			8

532

3			2			9		7
	1			7			6	
	7		6	9				4
		4			9			
2								3
			4			6		
1				4	7		3	
	4			6			8	
6		7			8			5

533

					9		4	1
			8	2				
	8	9	6			3		
9	5					7		
8			2		7			9
		7					5	4
		8			2	5	1	
				4	5			
3	1		7					

534

			6				8	2
		4					5	
				4	2		9	
				8			2	5
		7		2		1		
5	2			6				
	1		9	7				
	4					3		
3	5				8			

535

	9	3	6				1	
			5					8
			3		7	4		
6		9						
7				4				5
						8		2
		8	4		5			
4					6			
	7				1	3	5	

536

	1				9		7	
				1				4
3			8				9	
	4	9		2	8		6	
				4				
	2		6	7		5	4	
	3				2			5
7				8				
	5		7				8	

537

		1		8			2	
					3	4	8	
4			7					6
								5
8	5			4			1	2
7								
3					7			1
	4	7	6					
	8			5		9		

538

			7	9				
5			2					
	4				6	2		9
	1	9		3				
		3	4		9	1		
				5		6	9	
8		5	9				7	
					8			6
				1	4			

539

				4			9	
4			6	5				2
3	8	5						
	7				5	8		
1				7				4
		4	3				5	
						9	4	1
5				6	1			8
	2			3				

540

	9		7					1
	5	2		4		9		
	7			9	2			
					4			2
5	6						9	8
2			6					
			2	7			4	
		7		1		3	5	
1					3		8	

541

3	4							
9			6				7	2
6					7		4	
1			4	2				
	3						8	
				3	5			9
	7		8					6
8	2				9			7
							5	8

542

5	7		4	9			1	
1			7				2	
		9						
	5		6	4				1
8				7				3
3				1	9		5	
						1		
	9				4			7
	8			5	6		3	2

543

	4	5					8	
	6		2					9
8		7		1				
				9		4		
	7		5		6		2	
		9		7				
				4		6		8
5					3		9	
	1					3	7	

544

		2				1		6
6	9				1	3	2	8
7								
8			1				4	
			7	9	4			
	4				8			5
								4
3	1	6	4				8	2
4		8				6		

545

	3		5	7				1
					8			5
8							4	9
	5				9	4	3	
	1	3	2				7	
5	8							7
7			4					
3				6	5		8	

546

			8					
4				6	3			
2			1	7			4	5
7	2						5	
5	3						6	9
	9						2	1
3	5			9	8			2
			5	1				7
					2			

547

			5	7			3	
						7		6
			3		1		9	
4		3			5			
1	6			4			2	5
			6			1		4
	8		1		2			
6		2						
	9			3	4			

548

		1			7	3		
					6		2	
6	2		5			4		
		8	7				3	
		2	4		5	1		
	3				8	9		
		5			2		1	6
	7		6					
		6	9			2		

549

			2		8			6
			3					1
		8	6		5	3	4	
7		9					3	
	6					7		2
	4	3	5		9	8		
9					1			
8			4		2			

550

						9		
		5	3		6			7
8	6		9			5		
		8			1		3	
2				3				4
	5		2			1		
		6			8		7	5
1			7		2	3		
		2						

551

	1			6				
	3				1	8		
			4		2			7
	8				7	9		
6				2				1
		2	3				4	
7			9		5			
		9	2				8	
				3			2	

552

4	8	2	5					
			2					
		3				8		7
3	5			4				1
1		8		6		3		4
7				3			8	6
8		7				4		
					1			
					7	1	9	8

553

							4	3
				3	4			8
4			8			7	1	
5				6		3		
9	7						6	4
		6		9				2
	3	8			6			7
7			2	8				
2	9							

554

				5	4			
	2	9	3			4		5
		1						6
		8			5	6		3
			8		6			
4		6	7			1		
9						2		
2		4			3	5	7	
			9	4				

555

1	4					5		9
		8		5	9			
			1				7	
7			4	3			1	
9		1				3		5
	2			9	1			7
	1				7			
			6	1		7		
6		7					9	8

556

		4	3	8	1			
7	6				4			
	3		2					
9		1				4		
	7						6	
		3				1		2
					6		5	
			1				3	9
			4	3	9	8		

557

		2	5	7	8			
		9	4				2	
	3			1				
		5					1	4
9	1						6	2
6	8					5		
				4			3	
	5				6	2		
			1	2	5	7		

558

			6			3		
1			7				5	
	3	4	2					
				2		9		3
		2	9		8	5		
4		8		1				
					9	2	7	
	8				2			6
		1			6			

559

	3			1				2
8					6			
5		1	4					6
1		8		9		6		
				4				
		2		5		7		8
7					8	3		4
			1					5
4				6			1	

560

	8			9	5	2		
	4			8		9	5	3
	7							4
1					9		4	
				1				
	5		2					9
8							1	
9	1	5		6			3	
		7	5	4			9	

561

		5		3				
			6	8			5	7
			1		7	2		
	3	7						8
8	9						2	5
5						7	9	
		3	8		9			
4	1			6	5			
				7		5		

562

			5			3		
9		2				1		
7				4			8	
			4		1			
	6			8			4	
			3		9			
	1			7				2
		5				6		3
		7			8			

563

9				7				
	4		3		6	8		9
5				9			6	
6		7			1			8
	2						7	
1			8			3		2
	7			1				5
8		9	6		2		1	
				8				3

564

	7	3					9	6
1		4		2				
					8			
			6	3		9		
4								3
		7		8	1			
			4					
				9		3		1
5	9					6	2	

565

	7	8	9	4		5		
								7
2	5					8		
		7	1	6				8
9				2				5
4				3	5	1		
		1					8	6
7								
		5		1	4	7	2	

566

		1			8			
						5		9
3		5	6					
9	3		5			8		
8	7			9			1	5
		4			3		2	7
					6	1		3
5		3						
			4			7		

567

		7		6				8
					5	3	9	
4				1		6	2	7
		4					8	
			2	3	7			
	2					7		
8	7	9		2				6
	6	2	3					
1				8		9		

568

5		6	4					
			5		1			4
	3	1						
9	4				2			6
		3		7		2		
7			9				8	5
						8	2	
1			2		9			
					3	9		1

569

		2			4	9		
	8		9	1				
5		9						
9	3				7	8		
	1						6	
		7	8				4	9
						4		2
				3	8		9	
		3	7			1		

570

	2			6		9		
			8		4			5
		4			2	7	8	
3			6			1		
	9						3	
		8			1			7
	3	6	4			5		
4			2		3			
		1		5			2	

571

						4		
2				6		8		
	3	8	4	5	2			
		5	3				2	
	1		2	4	5		9	
	7				6	3		
			6	1	4	2	7	
		4		3				6
		6						

572

	2		5			7	4	
	9			3		6	5	
8				6		9		
	4			5	3			
			6		9			
			4	7			6	
		2		4				3
	6	9		1			8	
	5	4			7		9	

573

5		3	6	8			2	
	8		3		2			4
					4			
		4					1	2
				7				
9	3					7		
			1					
2			7		3		6	
	6			2	5	4		9

574

	1		4	8				3
			5			6		
							4	7
5	9		7			3		6
		7				9		
3		1			9		7	8
9	4							
		6			2			
7				4	8		6	

575

	5				2			
							9	
1	8	7		6		3		
8			3	7				
6		5				2		3
				2	5			8
		3		5		8	6	7
	6							
			4				5	

576

				7				1
		1			8	3		9
				1	3	4	6	
						5	4	
	1		8		4		9	
	6	4						
	2	3	4	8				
4		7	2			9		
1				6				

577

5		6			9			
		1			8	2		4
	8						9	
				2		4		
	1		9		6		3	
		2		3				
	6						1	
3		5	2			6		
			5			7		8

578

2	3						5	
				5	6			7
9						6		8
					2		7	
		2	7	4	9	8		
	9		6					
8		3						4
6			1	2				
	1						2	6

579

		4						8
		7	3				2	
		1	8	9				
	1	3	7					
5			9		4			3
					3	5	6	
				6	9	8		
	7				2	1		
1						2		

580

2					9			5
		1					9	6
					5	1		
1		2	3				8	
	4		9		1		6	
	7				4	2		3
		4	8					
7	8					9		
9			4					8

581

2		3	4					
			1					8
	7				8	5		
		1	2				5	9
	9	6				7	2	
8	2				7	6		
		8	6				7	
3					9			
					2	3		5

582

			4			3		6
		8				4		
7	5			6				2
8		5		9				
4			8	2	7			3
				4		8		9
1				3			2	4
		2				6		
5		3			2			

583

2		6		9			4	7
1	3			4	5			
7								5
		8	9					3
9					7	6		
3								8
			8	2			3	9
8	6			5		7		4

584

	9	6				3		
		8		9		5		
		5	8	4				
8					9			2
	7						3	
1			7					9
				2	6	9		
		1		8		4		
		3				1	2	

585

	2		6	3				
	9		5					
6	3	8			4			
3		2				1		
	7			1			8	
		1				9		3
			9			5	3	4
					3		7	
				7	5		6	

586

	3		2	9			1	
	5				7	4		
		1			3			
		8		5		9	2	7
3	2	9		6		8		
			9			6		
		3	1				9	
	9			7	6		3	

587

	4			1			7	
		7				9	6	
	9	8				2		
			8	6			3	9
			7		3			
8	6			5	9			
		4				6	9	
	3	2				7		
	1			3			8	

588

2	9	5				6		
					4			
	3			5	9			2
						8		3
		9		8		4		
5		1						
6			1	2			4	
			4					
		3				5	6	1

589

	6		1					8
7				4		5		
			9				7	3
	8	6					9	
		5	2		4	1		
	3					4	5	
8	5				6			
		2		8				5
6					1		3	

590

		3	8		1			4
		7				9	1	2
				7				
		5	9					1
	4			6			7	
6					5	8		
				8				
2	3	6				1		
4			7		2	3		

591

			6			3		
		3			5			
6		5		9			1	8
7		1					3	
	5	6				8	4	
	4					1		9
1	8			7		5		6
			1			9		
		9			6			

592

	4				9			
5	2			8			4	1
1		6		2				
2	7	8						
	1						6	
						8	3	4
				1		7		6
7	6			3			2	8
			8				1	

593

								8
	8				2		9	4
		6		8			1	
	7		1					5
		8	7		9	1		
5					8		4	
	1			7		5		
9	2		3				7	
6								

594

1	5	8						
4					6			
			8	3			4	5
	6			8		1		
			7		3			
		5		4			2	
3	8			6	5			
			1					2
						8	6	9

595

	3				9		6	
				5				
2						5		7
9			3			8		
8				2				3
		1			7			2
1		8						5
				4				
	6		7				4	

596

	2		4					1
8	5			2		4		
1			8	6	7			
		5					9	4
9	1					6		
			6	3	5			7
		9		7			2	5
5					2		4	

597

			2				4	
						1	7	5
	7	4	5					8
	9				6		1	
		5	3		2	6		
	1		4				8	
5					4	9	2	
1	2	9						
	4				5			

598

	5		8					
7			1	4			5	
	9				5	4		3
	6	2			3			1
5			9			2	3	
2		6	3				7	
	3			2	1			6
					8		4	

599

		1		5			4	9
	3					5		
		4		9				
			2	4			7	
8			7		6			4
	6			1	8			
				6		3		
		3					8	
5	7			8		1		

600

8		5		7				
4					5			
	7					6		2
			3			4		8
6	3			4			1	5
1		8			7			
2		4					7	
			2					4
				6		8		3

601

			7	2				3
	8			3				
			5				2	4
3						4		
5	4		2		3		9	8
		7						2
4	2				7			
				8			6	
7				6	1			

602

	7	2				9		6
6					4			5
				9		2		
	1		4		7			
7			5		9			4
			3		1		2	
		6		3				
3			7					1
5		7				6	9	

603

	8							3
3		6			8		5	
7		5		2				
	5		4		3			6
	4	9				3	1	
8			5		1		4	
				5		2		8
	3		6			5		1
5							6	

604

	8			2			7	
			4			9		
7		2	5					8
	2	1						7
3		7				8		9
8						1	2	
2					3	4		1
		4			9			
	7			5			6	

605

					6	3	5	
1						6		
			5	8			7	
			7			4	3	
		5				2		
	3	6			2			
	9			2	3			
		8						7
	6	2	8					

606

	5	3			2	9		
9	2	4	8					
				3				
	9					6		8
7		8		6		4		5
6		5					9	
				5				
					7	1	5	2
		9	2			7	3	

607

8		1			3			
		9		6		3		
	3						6	
		7	3	8				6
		3		9		1		
1				5	2	4		
	9						4	
		8		4		2		
			6			8		7

608

				6			4	
		2	1					
				2	4	1	8	3
							3	5
1	7						2	8
3	9							
6	2	4	8	9				
					6	3		
	1			4				

609

				1	3			5
6		5				3		
	9				2			6
	8	1			6			
				2				
			3			1	9	
7			5				3	
		8				7		4
3			2	8				

610

6				8	4	9		
3	4			2	1	6		
			9			2		
2		8						4
	9						8	
7						1		2
		1			2			
		3	1	4			2	7
		2	8	3				9

611

		5					1	6
					5			7
8				7	9			
	6		2					8
9	4			8			5	3
5					4		6	
			9	4				2
3			6					
2	8					6		

612

					9	1	7	3
			8					
7	9		2	1				
			4	3				5
4	7			5			2	8
5				8	1			
				2	4		9	1
					8			
2	5	4	1					

613

						3		7
				5	1			2
9	4		7				5	
		4	9				6	
			4	1	5			
	7				8	5		
	3				9		2	5
1			5	8				
7		5						

614

			5				1	
5				8		3		
		1	7		4		8	
	2					7		6
		6				5		
8		9					2	
	5		3		8	6		
		2		5				1
	6				2			

615

2		9		5				
5		7	6				3	
	4		8					7
					8			2
	7	3				6	1	
6			1					
4					9		2	
	3				6	8		4
				8		9		3

616

2	3							7
				4	1	2		
		6		3			5	4
			3				6	
				5				
	5				7			
8	7			6		5		
		2	5	7				
5							8	9

617

	3			9				
	5					1		9
	9	4			1		6	
	6	1		8	2			
		5				8		
			9	4		6	7	
	1		2			7	3	
8		3					9	
				6			1	

618

	1						6	
					8	5	7	3
		5						2
3		1	2		5			
			8		1			
			4		6	3		5
6						9		
2	8	3	9					
	7						8	

619

1			5	2			7	
			7				5	
		5			1	6		
	9	4			6			
	8			4			6	
			3			4	1	
		8	6			1		
	2				5			
	1			9	4			8

620

							8	
	6	9	5	1				7
1					7			5
	7					5	6	
9				6				8
	8	3					7	
5			3					6
3				7	4	1	5	
	4							

621

			8	6				
4	7						6	
	2		1			5		
		2	5					4
3		6				9		5
1					3	6		
		9			2		5	
	6						8	2
				1	8			

622

5	7		3		8		1	
		6					3	
		8			2		6	5
	9							
3			5	1	4			9
							8	
7	6		4			1		
	1					8		
	2		1		3		5	6

623

6	4				7			
	1		8			4		3
		9				5		
			1	5	3			7
5			4	6	9			
		4				9		
8		1			5		3	
			3				5	8

624

5				4		9		
	6							
3	4	8			5			
		6	2					8
	9	5		8		6	7	
7					4	3		
			5			8	2	9
							5	
		7		6				1

625

7	8	3	1					
	1			6				9
		9			3			
	7			8	6			
	9						2	
			5	3			4	
			3			1		
2				1			7	
					7	3	6	4

626

					2			
		5	7				6	
7					8	2		4
	7					9		1
5				3				2
9		6					8	
8		3	1					9
	4				7	5		
			6					

627

	9			4	2			1
2	6			7			5	
		1					7	
5			9					
		6				7		
					4			8
	2					9		
	3			2			6	5
7			6	9			8	

628

7						4	8	
	4	8		5			7	
		5						
9	3		6			5		
			7		1			
		1			2		4	9
						3		
	1			4		7	2	
	9	7						4

629

							4	
9					3		8	2
		2		8		6		
4					5	2		1
			9		4			
2		6	8					9
		4		7		1		
5	2		1					8
	7							

630

	4		8				2	
	9	5						
				2	9			1
					2	3	6	
		2	6		8	9		
	1	6	7					
6			3	4				
						4	5	
	2				6		3	

631

				6		4	1	
		1	4	9		8		
	3							6
		8		2		1		
			9	3	5			
		4		1		5		
1							8	
		3		8	9	6		
	5	7		4				

632

		8	9	2		1	5	
4	9					8		
								9
				8		5	6	
6				1				8
	7	9		3				
9								
		2					4	1
	4	5		9	3	2		

633

			1			2		
	1	2		5			4	
3				9	4		7	
6			5			8		
		1				9		
		4			2			7
	5		4	6				2
	2			3		5	9	
		9			5			

634

4			5					
8	1			6			5	
		9		4				
9	8		3					
7	2						8	9
					2		6	1
				1		5		
	7			3			4	6
					6			2

635

							9	
	7			9		1		8
		9	4		8		6	
8	1			6				
3			8		4			9
				1			3	6
	8		5		7	9		
5		2		4			8	
	3							

636

7	9		1				8	
		8		3		7		9
		6						1
			6	1			4	2
9	4			8	3			
2						9		
6		9		7		8		
	1				8		6	7

637

		8				6		
4					1			
6	3	2		4				
2			7				3	8
8			5		3			6
9	6				8			5
				3		8	1	9
			2					4
		4				7		

638

				8			5	1
			1		7	3		
6						2	9	
			3			1		
	2	8				4	6	
		3			4			
	8	1						2
		5	7		3			
4	3			2				

639

8		7			2			
	3			9				
		4	8	7	1			
		8	2					3
7								5
6					7	9		
			7	8	9	2		
				1			3	
			4			8		9

640

		2		7				
			9			2		8
6	5	8			2			
4						8		2
	9		8		7		4	
2		6						7
			3			5	6	4
8		1			6			
				9		7		

641

			6	5			9	
						6		2
			1		7		8	
	5	9				4		
	8	7		9		2	3	
		2				9	7	
	2		5		1			
1		5						
	3			8	6			

642

4					8		3	
1				6				
	8	5	9	7				
		4	3				9	
		1	8		7	2		
	5				1	7		
				2	9	3	5	
				3				8
	6		1					4

643

9			3					
	7			4				
			5				7	3
	1					9	4	6
2			9		8			7
7	3	9					5	
3	6				7			
				3			1	
					2			8

644

			6					4
	8		7		2			
						5		8
2	7				8	3		
9	3		4		7		8	2
		6	3				7	1
5		8						
			8		4		1	
4					6			

645

6			3		5		4	1
			7			8	6	
	3							
			9					8
	6	2				4	7	
3					2			
							1	
	7	8			9			
9	4		2		3			5

646

	4			9				
1	5	7	6		4			
9						4	6	
2	7					1		
3								5
		5					2	7
	8	3						4
			4		1	3	8	9
				8			7	

647

	5	6	7			3		
2		1		4		7		
4							8	1
			5				3	
			9	6	2			
	4				3			
5	1							4
		3		1		2		5
		4			7	1	6	

648

			3				2	
		3			6			
			8	4		9	3	
	9	5					8	
	6	8		1		4	7	
	4					3	9	
	8	9		6	5			
			7			8		
	1				3			

649

5							6	
		3			8		5	
	4		5		3			1
	8	5						7
		1		7		5		
7						8	1	
3			7		4		8	
	5		2			9		
	7							6

650

			7	2				
							6	9
	3			8	4		7	
	2	3	1			9		
6	1						8	3
		8			5	6	2	
	5		9	4			3	
2	9							
				7	6			

651

			6			3		7
1				5		8		
		4			9			
		7					8	6
5			7		4			3
3	9					4		
			1			9		
		8		3				5
2		3			5			

652

4					3		6	
			7					4
			1	4			3	
1		6				2		
	4	5				6	1	
		8				3		9
	2			7	9			
9					8			
	1		3					5

653

6	5			3		8	9	4
			4			6		5
					6			
	7			6		5		3
5								1
1		4		7			8	
			2					
9		5			7			
4	2	1		8			5	7

654

		2					4	
	8		9		5	6		
	9			7				2
			4				6	1
2	1				9			
4				8			1	
		3	5		1		9	
	6					7		

655

3			8	6				5
					9	4	6	
					5			1
	1		9				5	6
				1				
7	9				4		1	
8			6					
	6	2	3					
1				9	2			8

656

	1			8				6
		4				9		
	6	8		7			5	
1			8	4			2	
			7		3			
	4			6	5			9
	3			5		4	9	
		1				3		
2				3			8	

657

1				6				
5			3		7			
2		7					6	
					2		1	
3			1		8			4
	4		9					
	1					7		8
			4		3			9
				2				3

658

2			4	8		7		5
		9			7		2	
4				3			9	
3				1				
	5	1				9	8	
				7				1
	8			9				2
	4		7			8		
5		7		2	3			9

659

	3					2	5	
		5			8			
8				7		9		
5			1			3		
	9	8	5		6	7	1	
		4			3			5
		7		3				9
			4			1		
	6	9					3	

660

7				1			4	
		4		7		6		
		6	8	5		9		7
	8				1			
5								2
			5				8	
8		1		4	9	3		
		9		6		8		
	7			8				9

661

	1		6			7		
4				3	9			
	2		5			4		
		4					3	
6	9						4	5
	5					1		
		7			4		5	
			8	9				2
		1			5		7	

662

			8				2	3
7	2					9		5
2		1	3	4				
	6		2		1		5	
				5	8	7		2
4		2					6	7
9	1				5			

663

					1	7		8
8				7				6
6		4					3	
					9			
3	8		4		6		2	7
			7					
	5					6		2
4				1				5
1		6	9					

664

	9			1		5	3	
		5	7	8				4
8						1		
			4	3	5	6		
		9	1	6	2			
		6						3
9				7	6	8		
	3	1		2			6	

665

		3	7				1	6
7			2	4				
	1				3			
			8			6	9	
3				6				1
	6	2			9			
			3				2	
				5	2			9
2	5				6	3		

666

3			4		1			
1				9		5		
2	6	9			8			
9							4	1
			2		7			
4	7							5
			7			2	1	3
		3		8				7
			6		3			8

667

		2	8		9			7
	8						6	
3	5				1			
			1			3		8
		7				6		
9		5			6			
			3				7	6
	9						8	
2			5		8	9		

668

6			2		7			
				3				
	9					1		3
	1					3		2
		3		8		9		
7		5					1	
2		9					5	
				9				
			1		8			6

669

				7				
4			9		3			1
		5		2	6	8		4
8		2	7		9	3		
		3	6		2	5		7
2		8	3	6		7		
1			5		7			2
				9				

670

		1						
		4		8	2	3		
9			4			7		8
		5			8			6
			5	2	3			
1			9			2		
4		3			1			2
		7	8	5		4		
						5		

671

	2				8			
3	5		2					7
7			5	6		3		
					2		7	
			4	9	7			
	4		8					
		8		4	1			2
6					5		3	1
			7				5	

672

		7		5	3			8
					9			
4		2				5		
						1	7	
2			7		1			3
	7	9						
		6				2		5
			1					
5			8	9		6		

673

	8		9		1			
					3			2
		6	4			5		
2	7							
	3	8				6	2	
							5	8
		2			6	4		
7			8					
			3		4		1	

674

						5		1
	4	2			1			
		7	2	3				
3				8		1	6	4
8	1	6		2				7
				9	8	6		
			7			9	1	
2		8						

675

		8	3		5			9
5			6				2	8
								1
	5					8		2
			9		2			
4		3					1	
3								
7	6				3			4
9			8		6	3		

676

		8		2		4		
			8	4	1	7		
			7			3		
7						9	5	1
9								7
6	1	5						2
		4			7			
		9	5	6	4			
		7		1		2		

677

4			5				2	
	1		7					9
9			1				8	
					5	4		8
		1				3		
6		7	4					
	2				7			3
7					2		5	
	3				1			2

678

	4							8
7		3			2	4		
		8		6			7	
4	6		5			1		
			9	2	1			
		1			7		8	9
	5			1		6		
		4	3			7		1
1							9	

679

	1	8				6		
			1	2				
		5	8	9			7	
	2						6	8
5		9		7		1		3
7	8						4	
	7			8	3	2		
				5	1			
		3				4	1	

680

	9				3	8		4
2				9			3	
					1			
7		4		8		1		
	8						5	
		3		2		4		6
			6					
	3			4				5
1		9	3				4	

681

				3				
	4				7		1	
3		7	5	8			4	
						8	7	
2		1				6		4
	6	3						
	8			1	6	4		7
	1		9				5	
				4				

682

				8			6	
	4		6					3
		8		4		5		
		9	2	1				6
	2		7		4		1	
4				3	6	7		
		6		9		4		
2					5		9	
	1			2				

683

			9		3			
					6		9	2
2	3				4			8
4							5	
		3		7		9		
	5							1
3			2				4	7
6	1		4					
			5		7			

684

				6	4	1		
	9			8				3
			1	7				9
		9				2	3	
6		2				9		4
	4	3				5		
5				4	6			
3				9			6	
		4	7	5				

685

		1		2			7	
6		3		8				
	9		1			3		
					2		9	7
3								6
7	8		5					
		5			8		3	
				9		1		4
	3			4		6		

686

			2		1			
	3	9				8		
2				3				
9			3		6			7
	5		1		9		4	
7			4		8			9
				9				4
		7				1	6	
			6		5			

687

8		3	7	2		5		
						8		
7	6					1		
1			5					
2		8		6		4		3
					9			1
		5					1	8
		2						
		7		9	5	2		6

688

				6		5		
			2			4	8	
		2	9		4			
	9	4		7		8		
	5						1	
		6		1		7	5	
			1		2	9		
	7	5			3			
		9		4				

689

4				7				
				6		1	8	
		6	4		5			
3						6	2	7
	9	4				5	1	
2	7	1						8
			8		7	4		
	2	3		4				
				5				6

690

		6			3	9		
	5				8	4		
8			4			3		
4			7		1		5	9
9	3		8		6			2
		8			7			1
		4	2				6	
		1	6			2		

691

7								6
		4	2		8			
8	1					5		
		6	9		3		4	5
			8		5			
9	5		4		6	7		
		1					9	2
			6		2	8		
4								3

692

			7					1
6	8				1			
9				6	8			
				3		2	5	
3	1						9	7
	2	5		7				
			4	8				2
			2				3	6
5					3			

693

							6	
		1		4		9	3	
5	4	2			3			
3		5		6	1			
			9	5		3		8
			7			6	8	2
	9	6		8		5		
	3							

694

				9			1	
6					2			
	5	1					8	6
7			5					
8	1						9	4
					4			3
1	6					2	7	
			2					5
	3			6				

695

		3		1				6
	7							
	2		6	8	7			
3			8			5	1	
5				4				9
	1	7			5			8
			4	3	1		5	
							4	
2				9		6		

696

6		9						
1	7		6	8				
		3	9					6
	5				6			4
	1		5		2		7	
4			7				5	
9					7	2		
				1	5		6	8
						4		7

697

3		9				7		
	8				1		2	
		6		7				9
					2			
	5	7		3		2	6	
			9					
1				5		4		
	6		4				7	
		2				5		3

698

3	6			1	7			
1				2	5			
	4							3
8			2			9		
		5				8		
		3			8			6
4							9	
			5	3				7
			1	9			2	8

699

							8	
				3	8	7	2	5
			1		2	4		
				2		5		
8	6						7	9
		9		7				
		2	9		4			
1	9	3	7	6				
	7							

700

5	9		2					7
		4					9	8
		7				1		
2	8		3		6			
			9		5			
			7		8		6	5
		8				9		
4	5					3		
9					1		2	4

701

9								
5					2	3	6	
	7	3		5		2		1
6					1		7	
			5	2	6			
	9		8					6
2		9		8		1	4	
	8	5	1					7
								5

702

					3		6	
			2	5				9
1							5	4
		2	6	3				1
3								5
7				8	9	3		
5	7							6
2				1	7			
	8		9					

703

	8			3		2		
	3						1	
					8	4		
	7		6			1		9
		1	4		7	6		
2		5			9		7	
		9	8					
	2						9	
		6		9			2	

704

4	7				2			
				6				5
		1			3			
	2		9			5	1	
		5	3	1	8	2		
	9	4			5		8	
			6			1		
3				2				
			1				4	9

705

		1						2
	3			1		4		
2			9	4			5	1
8	9	2						
			1		5			
						2	7	3
3	6			5	8			7
		9		3			2	
1						6		

706

		6						2
8								
2					7	6		1
			7	5		2		9
	9			6			1	
3		1		2	8			
5		9	8					7
								5
6						4		

707

6								
	5				1	3	2	
9	2		3		5			
	6		4				5	3
		9				4		
1	3				7		9	
			5		2		8	4
	4	2	9				1	
								7

708

			1	8		5		
	1				5			
					4		6	7
		1				6	3	9
5				9				8
2	9	3				4		
6	8		7					
			5				2	
		5		4	6			

709

7	1							
	4	2			7	8		
			1	9				
5	3	7			8	2		
		8				1		
		1	5			7	8	9
				8	2			
		6	7			9	4	
							2	7

710

5						2		
	8	3		2	9	4		
	2	4		1	3		7	
								1
			8	3	2			
7								
	4		2	7		5	6	
		2	4	6		1	3	
		5						4

711

					5	8	6	
			4			1	9	
				7	8			4
		3					7	
6			5	8	1			9
	8					6		
9			8	4				
	4	5			2			
	7	1	3					

712

					4			1
		2			9		6	
6			7	3		8		
	4		5			3		
				7				
		5			8		7	
		8		2	7			6
	9		3			2		
5			9					

713

			8	7	6		3	4
	4	6			9	1		
			5				8	
	2	3	6		4	9	7	
	9				2			
		5	2			8	9	
1	6		9	5	8			

714

			2				1	5
6								
				3	6	7		
		9			3	4		7
	6			9			5	
5		8	4			1		
		6	8	1				
								1
3	4				2			

715

4					3	5		
		6	9					
7	3	8					9	
	8	7			1			6
5			2			8	3	
	6					7	4	8
					2	6		
		4	6					9

716

	1	3	4			9		
		4	8	2	9			
							6	
3			5	9				
9		1				8		5
				3	8			6
	4							
			3	8	6	7		
		9			4	6	1	

717

						8	9	
		8		3				2
5							3	
		7	5	2	8	3		
	2						5	
		6	3	7	1	2		
	9							5
7				8		1		
	8	3						

718

2	5			7			1	8
		6		5				9
			6			2		
						7	9	
1								4
	7	8						
		9			5			
7				9		3		
3	8			6			2	7

719

		6	8	4		5		
9	7					6		
								2
		4	2					6
	3	2	5		7	4	1	
1					4	3		
4								
		3					6	8
		9		6	5	1		

720

	8	2			5			
		6	8					
3		9		2			4	
1					8		6	
		7	5		2	9		
	6		3					7
	7			8		4		9
					4	1		
			6			3	8	

721

	1		5					
6						1		
		9	2		8			7
		4	3			2		
2		1	4		5	7		8
		6			7	5		
3			8		1	4		
		5						6
					2		5	

722

	3	6						
	4	7		2	3		9	
8							6	
3			8	6				
			3	9	2			
				1	5			2
	5							1
	2		1	3		7	8	
						6	3	

723

							7	
					8	1	2	6
			7		9			4
	6		8			7	9	2
	5						6	
8	9	7			2		3	
6			9		4			
7	2	9	6					
	3							

724

5	9	1			8			
6	8					4		
			3					
		2		7				3
7		9	8		6	1		2
8				2		9		
					9			
		5					9	6
			6			7	1	8

725

				3	7			
	6		5		8			7
8		5	6	4				
					3		2	
	1			6			7	
	8		4					
				7	4	8		9
9			8		6		4	
			3	5				

726

5								
9					3	1		
	1		4	9		7	3	
	9				4			
6				2				9
			9				2	
	5	7		6	1		9	
		3	8					1
								7

727

					9		2	8
					8		4	
			2	4		9		
9		2	8			7		
	7		9		5		8	
		3			6	2		9
		6		9	4			
	8		3					
7	4		6					

728

4	3	6			8			
						8		
				9				5
1			9				2	4
6			7	8	2			9
9	5				3			8
2				3				
		5						
			1			5	7	2

729

	6		9				3	
	8				7			
		7		5				9
		2		9	1			3
		3				4		
5			3	7		2		
2				6		3		
			8				4	
	3				9		8	

730

	2	1	4					
	3				9		2	
8					2	4	7	
			2				6	
9								4
	8				7			
	6	3	5					2
	5		1				8	
					6	3	4	

731

4				6			5	
7	3							
8					9			1
1				8		4		
5		6		4		9		2
		3		1				6
6			1					7
							6	4
	1			5				3

732

4	6			1			5	
		5					7	1
	9	7		6	2			
7						8		
			9	2	1			
		9						2
			7	9		5	8	
9	7					3		
	3			4			2	7

733

				9			6	
2	8		1			5		
	5		6			7		8
					4	1		6
5								7
6		3	7					
1		5			8		7	
		8			6		1	5
	7			1				

734

9							4	7
		8	1			6		
	2							
3			4	7				1
	7		5		2		9	
8				3	1			4
							5	
		7			5	8		
4	1							2

735

9		5		4		7		
	3						4	
8			1	3				
	6	7			1	4		
		3	4			6	2	
				5	6			2
	7						9	
		9		7		3		4

736

6						2		5
			8			6	9	
				6	4			
		1			3			2
	3		7		5		8	
2			6			7		
			4	1				
	6	9			8			
3		2						8

737

			9		1	4		5
	3		2			8		
7					8			
		6						7
	9	2		4		5	8	
4						9		
			4					3
		3			2		5	
5		9	1		3			

738

				8				3
8	3		1	7		4		9
9		6	3			7		
	5						2	
		1			6	9		4
1		9		5	4		3	2
2				1				

739

		8		7				9
1			2					5
			6		1	4	8	
		6	9					
		5		1		9		
					6	2		
	2	7	8		9			
5					3			2
4				6		5		

740

9	2		4	6			1	
	5							
7		6			5			
		3			7			
		4	9		2	3		
			5			4		
			3			2		1
							9	
	6			2	1		4	5

741

4				8		7		1
	8			2		9		
	2	1					8	
			2		5	3		6
				3				
2		3	6		7			
	9					5	4	
		4		5			3	
3		2		6				8

742

					6	3		4
3						2	7	
				4			5	
			4	5			9	
7			9		1			2
	6			7	2			
	3			9				
	9	5						1
1		7	2					

743

						1	5	6
				8	5		2	
		2	3					
	6	3			8			1
9				1				2
8			5			9	6	
					9	6		
	4		8	2				
1	9	5						

744

			1	4	2			
	2				8	6		
		1	7				4	
							6	3
	4	7		1		8	5	
9	3							
	9				3	4		
		5	4				2	
			2	9	1			

745

	7			8	2	4		
9		5		6				
1	4					5		
	5							8
		7		3		9		
4							7	
		4					1	9
				4		2		7
		6	9	7			4	

746

	6					4		
8		3			4		2	
			1	6				
	5	2				1		
4				3				8
		7				2	6	
				9	5			
	7		4			8		9
		8					1	

747

6			9			4		
					7			
			3		1	6	2	9
4		7				2		8
		6				5		
9		8				7		6
7	4	1	6		9			
			5					
		2			4			7

748

		9			3			
	7	1			5			
	6		1					
9	3							6
7			3	9	2			1
2							8	3
					8		2	
			7			4	6	
			4			1		

749

8					2			5
	3							8
				4		9	7	
		4		2	8			
		6	4	9	7	1		
			3	6		7		
	1	8		7				
4							6	
6			2					4

750

9							8	
	1					9		
		2		6	4			
	7	1	8					5
		9	6		1	7		
2					9	1	4	
			2	1		5		
		5					3	
	6							2

751

5	8						4	
		3	4					
9			2	8				
8	5					6		
	1			5			8	
		7					3	5
				7	3			4
					1	2		
	6						5	9

752

				7	9	2	5	8
			3					
	9		8			6		
8	6	7						
9								5
						7	3	2
		9			1		7	
					5			
4	3	1	7	6				

753

8								2
	1	6			5			
	3					1		
1			2		6			9
		3	8		9	2		
2			5		4			8
		8					4	
			3			8	7	
4								6

754

3	5			7	6		4	
2			3			6		
			9				1	
		4	6					7
		2				5		
7					9	8		
	2				1			
		8			3			5
	3		7	6			8	1

755

	7	1	9					
	6	3		7				4
					6		7	
		6	4			3	1	
	9	7			2	8		
	5		6					
8				2		6	3	
					1	5	8	

756

	4		2			8		
	2			8			5	
						3		9
				3	8			5
5			9		1			7
9			4	2				
4		5						
	6			1			8	
		8			2		6	

757

	1						8	5
		3		7	5	4	2	
				1				
					6	9		2
		2				8		
6		5	3					
				3				
	5	4	7	2		1		
1	3						4	

758

			2			7		1
				3			9	
6			9				3	
2					3	8		7
		8				1		
7		1	6					4
	4				1			5
	2			8				
8		6			2			

759

2								8
6			7		1	2	5	
			5					6
		2	8	5			9	
	5						1	
	9			2	6	3		
3					9			
	2	1	6		5			7
5								9

760

		8				2		3
1						8	7	
	4		3		8			
			6	9				
	2	4		8		5	9	
				4	3			
			1		7		8	
	8	9						2
4		3				6		

761

		6		9			7	1
2		9	6	1				
		3				2		
		5						4
				8				
7						3		
		2				1		
				4	5	8		3
9	8			6		7		

762

7		6			5			
			7		8	6		
	8	1				2		
	9	5			6		8	
	1		3			5	9	
		4				3	5	
		7	5		4			
			2			1		8

763

		9		1	3			
1	2			5		6	8	
5								
		8			1	7		6
		5		9		8		
2		6	7			9		
								2
	3	2		8			7	4
			1	4		3		

764

6					5			
		1		8			9	
				3		1	2	
2					1	3		4
		9				2		
1		7	5					9
	5	8		1				
	1			7		8		
			3					7

765

	4				1	3	6	
					6		9	8
6			4					
8	2				3		1	
			8		7			
	1		5				8	3
					9			1
3	9		6					
	6	2	1				4	

766

	6		1			8		
	2							
9		1			2			3
						4	8	
	3		8	7	4		6	
	4	7						
4			7			5		1
							2	
		2			1		7	

767

	3	1	8					5
				4		7		
8			9			4		3
	2				5			
		8		1		5		
			4				6	
6		3			1			4
		7		9				
5					8	3	7	

768

2		3		9	5	8		1
	8							9
		4						
		9	8		1			5
		2				7		
8			5		7	1		
						9		
3							2	
5		1	2	3		6		7

769

	8						1	
1		2	3			6		
6		4			1		9	8
				2		1		
		9	8		3	7		
		6		4				
9	5		7			4		3
		7			2	5		1
	6						7	

770

8				2			5	
			9	3				
6					8			4
	8			9			3	
1	4						9	2
	5			7			4	
9			5					3
				6	3			
	2			1				8

771

	6		1					
		8	6		3		5	
9		5						
		6	5				1	8
		2				5		
7	5				2	6		
						4		5
	3		2		6	1		
					1		8	

772

		4	3	6				
	6		2		4	8		
					8		2	4
9								
7	4		9		6		8	1
								9
5	1		6					
		3	7		2		5	
				8	5	1		

773

				4	5		1	
1					2		3	5
6		4			1			
8			7	1				
				3	4			7
			1			7		8
3	2		4					9
	7		5	2				

774

	1				7			
		7		9				
		9		2	5	3		4
						6	2	
	2	6		1		5	8	
	9	1						
3		8	5	7		2		
				8		4		
			9				3	

775

			2	3	4	7	6	
						9		
	1				9			4
4	7							8
			6		5			
8							9	2
5			1				3	
		3						
	4	2	3	5	7			

776

					5			7
		2	4	8	3	5		
5				1			8	
	3				9	4		
9		1				2		8
		8	1				6	
	2			4				6
		5	3	6	8	7		
3			2					

777

	9		6		1	3		
					3	2	4	
	8		5					
1		6	8					
	5						9	
					5	4		2
					6		2	
	6	5	2					
		2	3		8		7	

778

	3	1	9	4				
			8					
4		9	7					
		2				4		1
	9			3			7	
6		5				3		
					9	1		8
					2			
				8	4	9	3	

779

							1	6
1	9		8					
	7		4		1			8
2			3				4	
	5						2	
	8				2			5
4			9		8		6	
					7		9	1
6	3							

780

5						8		9
	9	3	2	8		6		7
	1	7			6			
		5	7			2		
		1			8	3		
			4			7	8	
3		8		9	2	1	4	
1		4						3

781

	7		9					
4					2	5	7	
5	6				8	3		
	1							
7			5	8	6			1
							2	
		6	3				4	8
	9	4	8					3
					4		5	

782

	6			8		7		
	5				1			
			3		5			6
	7	2			4			
		9				2		
			5			3	8	
4			8		6			
			4				2	
		8		2			6	

783

		2	5				9	
5	7				4			
			8			1		
9							7	4
			7		6			
6	5							8
		4			7			
			1				8	3
	8				2	9		

784

8		1				4		3
			5	7			6	
			8					9
		8	7	1			4	
		4				8		
	1			8	4	9		
1					7			
	3			6	9			
2		9				6		5

785

			6					
2					4	5	6	3
		4		1		8		
	5					1		2
			7	4	3			
7		9					3	
		6		9		3		
8	3	7	1					6
					6			

786

				9	6	3		
5	2	3					8	
	6							2
	8	1	3					
			8	6	9			
					2	8	3	
4							6	
	3					1	9	5
		5	9	7				

787

				7	9	5		
			4					6
	4	7			2	9		
6		4			5		8	
	5		2			6		1
		2	7			4	9	
5					4			
		1	8	9				

788

	4		3					8
					2			
5		6		4			1	
7	5						6	
		1		9		4		
	8						3	2
	6			8		5		4
			2					
1					7		8	

789

		7		4		3	9	
					9	7		
	1	9					5	
6				5	2		7	
			9		4			
	9		8	1				6
	8					5	4	
		6	4					
	7	5		8		6		

790

					9			
9	8			2			1	4
2			7			6		
1	4	2		5				
				8				
				7		4	9	5
		5			7			3
8	1			3			5	2
			5					

791

			9		5		4	
				1	8		5	6
8		5		6				
7		9						
6				9				7
						3		2
				3		6		4
3	8		4	7				
	4		1		9			

792

		4				1	8	6
		3	5					4
1		6			4			9
		7			5			
	1			3			9	
			4			7		
2			9			8		1
8					2	6		
6	3	1				9		

793

		9	4				1	
			5	2			7	
		1		7			5	4
						3		9
	3						2	
4		2						
5	4			9		7		
	9			8	5			
	7				4	6		

794

		5		3				1
	8			1	9			
3		1	5			9	7	
			6				2	7
		8				1		
6	7				3			
	6	3			5	7		4
			7	9			3	
5				4		8		

795

		3	6		8			
8							9	
		6	7		1			
6		5	3			2	4	
				4				
	9	7			2	8		5
			2		3	5		
	8							2
			8		6	4		

796

	8			6				
		4						9
5		3		1			7	
	4	7	1					
		8	5		2	3		
					6	8	1	
	9			4		1		8
8						7		
				2			9	

797

		7	9			6	1	
	1							3
		8	1					
4	6		8					
2			4		1			8
					5		6	9
					6	3		
3							2	
	7	4			3	8		

798

		5			3			4
		9		5				
	8				7		3	6
				4	9	6	8	2
5	6	2	3	7				
8	2		7				6	
				1		2		
7			2			1		

799

	3			6	2		8	7
			3			2		
	7	5						
9						4		
			2	1	3			
		8						5
						8	6	
		3			9			
5	1		6	7			3	

800

					2	4		6
			7	6			3	9
7			8					
1		8						7
	5						6	
6						5		4
					8			2
5	4			1	6			
8		7	3					

801

	7		4					3
4			6	3				5
	3			5			9	
1						4	7	
	8	6						9
	5			4			2	
3				7	2			1
2					8		6	

802

4	7			6			1	5
3								7
	1			8	7			
				2	8			
		5		3		2		
			1	5				
			8	1			4	
7								9
9	4			7			6	3

803

9		3	8					
	8				5			
	1	2		3			6	
			3	5			4	
1				4				3
	7			9	8			
	4			6		9	1	
			2				3	
					7	5		6

804

8					9		6	
			1			8		
	9	7				1	2	4
	8						7	2
			3		4			
7	4						5	
2	5	9				6	4	
		8			5			
	6		7					8

805

		4		6	8		7	
						9		2
1		3	7					
		8		7			4	
			2		6			
	7			5		8		
					4	1		8
4		5						
	9		6	3		7		

806

1						6		3
					1		7	
			7	6	2	9		
	4			5				1
		7				4		
6				9			8	
		2	3	7	4			
	9		6					
4		3						7

807

	8			6		3		4
2			5		4			1
	9	1	8					
	3	2		4		5	9	
					3	2	1	
8			9		7			5
9		7		8			3	

808

		6						7
8				6		2		
	9	3	7		2			
9	1				5			
	3	4				1	7	
			3				4	8
			5		7	6	8	
		5		8				1
4						7		

809

	1	4	8					
6		8				5		
2				9	1			
	5	9			6		7	
				7				
	8		5			6	9	
			7	4				8
		7				4		1
					9	7	6	

810

					4		8	
			1		7		3	9
						1		
				7			2	4
7	5	2		9		3	1	6
6	8			2				
		5						
3	2		9		5			
	4		8					

811

	1		8				2	9
		8		2		4		7
		4			5		6	
					6	7		
		1				5		
		9	4					
	7		5			9		
8		5		9		6		
4	9				7		1	

812

				8		9		
5		4	2				7	
6			1				8	
	3	5					1	
			4		8			
	7					5	6	
	1				2			8
	5				1	6		3
		3		6				

813

			2	5			3	7
				3		1		
	6						2	
		4				3	1	9
9	3	6				2		
	2						7	
		5		9				
6	7			4	5			

814

5		7	8		2			4
8		9			6	2		
		4		5				
		8	3				1	
9								3
	5				7	4		
				4		5		
		6	5			8		1
3			6		8	9		2

815

	2	4			5		9	
			9		7	8		
		7						
	5			6			7	
	6	2	7		4	5	1	
	7			2			4	
						4		
		6	1		9			
	8		4			6	5	

816

4	9			8				7
	8					6	5	
3		6						
					6	1	7	
			8		4			
	7	2	1					
						5		9
	2	9					8	
8				5			1	3

817

7						8		
		9		3			7	
	8		6	1		2		
			9				6	
		2	7	5	3	1		
	5				6			
		3		7	2		9	
	7			6		5		
		4						7

818

	7	3			2			
4			1					
	5	6		7		8		
5					6			
6			4	9	3			5
			5					6
		2		4		6	7	
					1			4
			8			3	2	

819

			1			6	4	
1								
2	7			8				9
3					1	9		
	8			4			5	
		9	8					2
8				3			2	4
								1
	3	5			7			

820

					1		9	
7					5	3		1
	8		3	9				7
	1				2			
6	5						1	4
			5				3	
1				8	3		6	
2		8	1					3
	6		9					

821

5					4			
			5		9		8	7
		3	1			5		
	9	5	3			6		
		6	2		8	7		
		7			5	1	9	
		2			3	4		
6	5		9		2			
			8					5

822

			5	6				
8	1			3				2
					2	6	7	
5		8						9
		9		2		5		
1						2		6
	8	1	6					
7				8			3	4
				7	1			

823

5	4							8
			4	9				6
			8				4	
					8	5		7
		8	5		3	1		
6		9	7					
	8				2			
3				7	9			
1							2	5

824

							9	
			8		4		7	6
3		5		7				
1	7					8	5	
				4				
	5	6					1	4
				9		2		7
7	1		4		2			
	6							

825

1		6		8		3		
		3			1			6
			2					7
	8				9			
7	5						2	9
			1				3	
4					7			
5			6			9		
		7		3		5		1

826

					6	8		
			5	2				
					9	6		
8	6		4		5	9		7
	4						8	
5		3	7		2		6	1
		7	3					
				7	4			
		5	9					

827

	9	7		2		4		
			3				1	
2			5				7	9
7		1	4					
				6				
					1	8		7
6	7				5			8
	5				2			
		3		7		5	9	

828

6			1	3			7	
		7		4				
	2				5	4	8	
1	8			6				
		5				6		
				8			5	7
	9	6	4				3	
				9		5		
	3			1	6			2

829

9			1		6			
2		7			5			
			3			6		
1						5		9
4	9	2				7	3	6
7		3						1
		8			4			
			6			3		2
			9		3			8

830

	3							
	1		2			8	5	
						2	9	3
5			7		6	9		
6			5		8			7
		3	4		1			5
3	8	7						
	5	9			2		6	
							8	

831

					8			7
			5	1		2		3
							4	9
	6				1		5	2
		7		2		6		
8	2		3				9	
9	1							
6		5		9	4			
4			1					

832

	8			1				
		2		8	9			
5	1	9	4					
6					3		2	
7			2		8			6
	9		7					5
					5	8	6	7
			6	7		3		
				3			4	

833

7			8	2				
			3			4		
1	3	8	4					6
						8		5
	8			1			9	
2		3						
6					4	7	1	8
		7			2			
				6	9			4

834

3	7			4				
	6	9		5	7		3	4
			8	3				
9		3				5		
		1				2		8
				7	6			
6	3		5	2		7	1	
				1			6	5

835

			1				8	
								6
6	2	3	5					
7		2				8		
	4	8				3	6	
		5				2		1
					8	1	4	9
2								
	7				4			

836

	6		8					
	3					8		
9				1	6			4
3				4	1	9		
	9			2			4	
		7	6	5				8
5			1	6				9
		3					2	
					7		5	

837

		5	4				6	
1				3	6			
							3	5
	7	4			3	8		
			9		5			
		1	6			3	7	
8	1							
			1	6				8
	6				9	2		

838

				9		2	5	
			8				6	9
			2			8		4
			7				4	6
		2				1		
7	1				8			
3		8			2			
2	4				3			
	6	9		5				

839

1		5			2		8	
	3		1	7				
7		2		9				
8			5					4
	7						6	
5					1			9
				5		6		3
				1	9		4	
	9		8			1		5

840

			6		9			
	1	2					3	7
				2		5		
4	6	5						
	7						6	
						2	9	4
		3		9				
1	9					3	8	
			1		4			

841

		3		2				1
	5			7	1			
2						7		
	4	2			9			
8								6
			6			9	3	
		7						3
			8	9			5	
9				6		2		

842

					4			9
		2	9	1	3			
		9		2		4		3
3	1	5		4				
2								4
				8		3	2	7
5		3		7		6		
			6	3	8	7		
8			4					

843

2	1		8	6	4			
				2				8
		8	3			1		
8			5		3		9	
1								6
	3		4		6			5
		7			2	3		
3				8				
			9	3	7		4	2

844

	7							
	9			1		8		
8		5	3					4
			6	4		1		5
		2				7		
5		1		3	8			
4					3	9		8
		9		6			2	
							7	

845

		1				3	2	
3	7			8				
				4	6	7		
				2		1		7
	8						4	
1		6		3				
		3	2	5				
				6			5	2
	9	5				4		

846

	4			1				7
					6			4
		2	4			8	3	
		6			3			
	3	4	8		5	7	2	
			2			3		
	7	8			4	5		
4			5					
5				3			9	

847

3	6					8		
1			5	2				7
4								
	1				5		4	
		4		3		1		
	9		1				6	
								4
2				6	7			8
		1					7	2

848

7	9		1					8
2				3		6	7	
1		6			5			
					4			
3		2		1		4		7
			3					
			6			1		4
	6	8		4				3
4					7		6	9

849

					1			
5	3							
		4	3	2			6	9
		3	1			6		2
		1		8		4		
7		8			2	5		
3	7			4	6	2		
							3	6
			2					

850

	6	4		2	8			1
					9			
	3	2				4		
5		6	1					
1				9				5
					3	1		8
		5				3	7	
			2					
4			5	3		9	1	

851

3	8		5		1	4		2
4						8	6	
				8				
			2	7			5	6
5	2			4	8			
				9				
	3	6						1
9		4	1		7		8	3

852

			2					6
		5		3			7	
		9	5		6			
4	5			1	3	6		
				9				
		6	8	5			3	1
			9		1	2		
	3			6		7		
6					7			

853

			5	6		2		8
9		1	4					3
	2							
		5			3		8	6
	8						3	
1	9		6			7		
							9	
2					6	3		5
3		9		5	7			

854

1	4			9			2	
9				6			8	5
						9	3	
	2		6	3			7	
			2		4			
	9			5	7		6	
	1	2						
3	7			2				9
	8			7			1	2

855

4					6		2	
			3		7			
		6	5				4	
5	6							7
2	3						9	5
8							6	2
	9				8	1		
			2		3			
	1		7					4

856

			5			8		3
	1			7	3			
		5	2		4	7		
					7	2		6
	5						7	
1		7	4					
		1	7		6	9		
			8	5			4	
9		8			2			

857

					2	9		
	6				3		4	
4		3			1		8	
	7		5			2		
		8				3		
		5			7		9	
	3		9			4		1
	4		3				5	
		6	2					

858

7	6	4		5				
			1			8		
					2		7	
	7		2			5		
		5		9		3		
		8			5		1	
	2		3					
		7			1			
				4		9	2	6

859

		3				5		
			2		4			3
4		5		8		2		
	5			3		6		
	9	6				1	2	
		2		6			5	
		8		2		4		5
5			1		6			
		1				7		

860

			6		8		1	
						4	5	9
				5				8
			5					1
9		1		4		2		5
3					6			
4				1				
6	1	3						
	2		8		9			

861

	3							
	8			1	4		3	
		7	3	9	6			5
		9	8					4
	1						9	
7					9	2		
6			1	5	7	3		
	7		9	6			5	
							8	

862

				1			2	
	8					7	3	
7	4	2			6			
	3	1	2	6				
				3	5	2	9	
			5			4	6	1
	1	3					8	
	9			4				

863

		9			8	7		1
5	2				7		9	
			1					3
	5	8		9		6	1	
7					2			
	8		5				2	9
2		3	6			1		

864

1					8		5	
					2			1
5		4		6				
		3					1	
	2	9		4		3	8	
	6					2		
				2		5		4
6			9					
	4		6					7

865

					9			
3		1		2				
	2	4			5	1		
	3				6	5	9	7
		7		5		4		
6	4	5	2				1	
		3	9			7	8	
				6		2		3
			3					

866

	4	3						8
1				8	9		4	
				2				5
	7				8			
		2	3		4	5		
			2				1	
6				9				
	3		6	4				9
5						2	6	

867

	5			6		3	4	
	2	8						
4		3						5
					7	1		3
		4		8		2		
1		5	9					
8						9		4
						8	6	
	1	6		4			3	

868

		3			2	8		
							3	
8	7			1	9	6		
9				7		2		
6	5			8			9	1
		8		9				6
		6	1	5			8	3
	8							
		5	8			9		

869

				3	2		7	
	5	4					8	2
							1	9
			6				2	5
			3		1			
8	1				7			
3	6							
1	2					9	4	
	9		1	8				

870

		5	4					9
			5	7			8	
	1	6			2			3
3						9		6
		8				4		
6		1						8
5			2			3	9	
	2			4	3			
8					5	6		

871

8		3	2					7
				1	8			
					3		1	8
	9	4				5		3
				9				
2		8				9	6	
7	3		8					
			3	6				
9					4	2		5

872

			7	9		1	8	
	3	7						9
1								4
					4		5	1
	8			2			3	
3	7		1					
8								5
7						3	2	
	6	3		4	5			

873

7				4		5		
5				1			9	
4			3				6	
	6	1				9		
	5		1		7		3	
		2				8	1	
	9				2			7
	4			7				9
		7		8				6

874

5		4	2				7	3
9	6			5				1
		3						
			1		6	9		
	7			3			8	
		9	7		8			
						3		
4				7			6	8
1	9				3	7		5

875

1					6	3		
	2					5	6	
		7			2			
				8				4
	5	6	9		4	2	1	
4				1				
			7			9		
	9	3					5	
		8	1					3

876

7		8	2					
	3				4	6		
		6	8	3		4		
	2	3						4
1						2	8	
		5		1	2	3		
		9	5				2	
					6	7		5

877

					6			4
2		8					7	
	4	9				3	1	
4			7	1		8		
				3				
		5		6	8			9
	9	1				6	2	
	2					1		3
5			6					

878

	4					3		
1					6			2
			2	4		8		
7					4		2	
2	1		6		7		5	8
	3		9					7
		1		9	2			
3			7					9
		5					1	

879

	1	7					5	
				4		6		
3			8				1	
	3		7					9
	4		6		2		8	
9					1		7	
	9				8			1
		6		1				
	8					2	6	

880

								5
			3		4			
8	3	6		5		1		
		5			9	6		7
				7				
7		2	5			9		
		1		9		3	8	2
			8		3			
9								

881

6				7	5			
	7					4		5
	8		2	3				
5								7
		3	7	5	8	9		
8								4
				4	7		8	
7		8					1	
			8	2				3

882

9						5	4	3
							8	
			4	1			9	2
3					1	4	5	
5				6				8
	2	7	8					6
1	4			8	9			
	8							
7	3	9						4

883

		5			6		1	
8		1			7			
			8	1		3		
		7			5			4
6								9
2			4			8		
		4		3	8			
			7			6		3
	8		6			9		

884

	8			4	1			
4	7							6
			3				5	4
		8	5					
	1	5		3		7	9	
					6	5		
1	5				2			
2							6	7
			9	7			2	

885

	9	8						
			8	7		9		5
			4					3
7		3			9		4	
1		5				3		9
	2		5			7		1
4					8			
9		7		4	2			
						4	3	

886

3				4	7			
7		6	8				2	
	1							8
		7	5	6	4			
			7	3	1	5		
5							3	
	9				6	8		1
			4	8				5

887

		3	7			8		
	9		1	3	2	6		
		5		4				
3	1						6	2
5	7						9	1
				5		9		
		2	4	1	9		7	
		7			3	2		

888

						3		5
		7			6	4		1
				9	5		6	
4		5	9			7		
				6				
		6			2	9		8
	3		2	8				
6		9	4			1		
8		4						

889

			3	7				1
6		2	9		8			
		4				3		
					9	4		2
8				2				5
2		6	1					
		1				2		
			4		1	5		7
4				3	7			

890

	4				6			8
	2					3		
7		9	1		5			
	7		5			9		
6				1				2
		1			4		8	
			4		9	6		3
		3					5	
5			3				2	

891

	8		3		7		1	
				6		4		
							8	2
		9		8	4	3		
		6				1		
		3	6	7		8		
2	5							
		1		9				
	3		1		2		4	

892

		3			5			6
		5		4	8		9	3
	8			2	3		7	
				8				
	1		4	5			6	
3	5		2	9		1		
7			5			2		

893

4					9		2	
	1		5	8		6		
							8	9
	8		4	9		2		6
				2				
6		2		1	8		9	
8	3							
		9		5	7		6	
	2		9					4

894

			9					7
		4		5	7			
	7					3		1
	6		7			5	3	
4			2		5			9
	5	7			8		6	
6		2					1	
			6	2		4		
8					9			

895

4	3					5	6	
	6			5	3	8	4	
		6		2		4	8	1
			5		1			
1	7	8		4		2		
	5	4	6	1			9	
	1	3					5	4

896

1					3			7
	6				7		9	
		9				4		2
	5	1		3	8			
				2				
			4	1		8	2	
6		8				2		
	3		1				5	
9			8					1

897

			1		8			
9	2				6	7		
		8		3		5		6
4		7						
3	5						9	1
						4		5
8		4		5		3		
		6	3				4	7
			4		7			

898

	2				4	6		
3	6				8			9
						5		7
		6		7		9		
1			5		2			6
		3		9		4		
6		4						
8			4				6	5
		1	2				3	

899

		4			6	5		
					2		8	6
8			7			9	2	
							9	4
			3	8	4			
1	4							
	6	5			1			9
3	8		4					
		9	5			7		

900

6			2		3			4
	4	3						
5						9		
4					2		7	
	6		8		9		2	
	1		3					6
		7						2
						7	4	
9			5		7			3

901

2	1			3			6	
				9			4	3
			6					2
	8		4	2		6		
			9		3			
		7		6	5		3	
5					9			
3	9			1				
	6			5			1	4

902

		9			4			1
	1					9		
5		3	1				4	
	5		7	9		4		
	9	2				1	6	
		7		2	1		9	
	3				5	6		4
		5					8	
6			9			7		

903

7			6				5	
						3	9	
	1	6					8	
8			5	1				
	4		7		6		1	
				9	4			3
	6					2	4	
	3	5						
	7				8			9

904

2					3		8	
			1		2		9	
3			5	8		1		
		9					5	7
1			3		9			6
5	4					9		
		2		6	5			1
	1		2		8			
	5		7					8

905

	8		5					7
	3	7					6	1
				1		4		
			7			2		4
	1		4		3		8	
2		8			5			
		9		7				
1	2					7	3	
8					4		9	

906

						6	9	
		5			4			7
4			7					
	2				8		3	6
		7		2		8		
5	6		1				2	
					5			3
7			4			1		
	9	3						

907

	5							
4		3		8	6			
6			4		5	9	3	
8					7	1		
5	6						7	8
		7	1					4
	8	5	2		3			1
			5	6		7		3
							5	

908

		9						
		7			3		6	
			4		2			3
1					9	6		4
	7	3				8	9	
4		6	3					2
3			2		7			
	5		1			3		
						5		

909

					2		9	
	8		1		9			
	2	1				6	7	
			9	7		5		
7								8
		8		5	1			
	4	3				9	2	
			8		4		5	
	9		2					

910

		8	1				4	3
		5	8					1
7	3				5			
				7		9		
			6	5	8			
		6		1				
			4				5	9
5					1	8		
1	8				2	3		

911

			2				4	
	5		6			8		9
2		7				6		1
9			8			1		5
				1				
6		2			5			4
5		1				3		6
7		9			3		1	
	3				2			

912

				5	4	3	9	
					9	4		2
	9		8				5	
	4		5		1			
6								1
			2		7		8	
	1				5		7	
7		4	9					
	3	9	7	2				

913

		9				1		8
		6			1		3	
			6		3			
	2					8	1	7
				1				
4	6	1					5	
			9		8			
	5		7			6		
6		8				2		

914

8		6				7		
2		9			4	1		8
	4				5			
					1			
	3		9	8	7		4	
			3					
			7				8	
9		5	1			4		2
		8				5		6

915

	4	5	7					
		1			4	2	6	
	2		8		9			
3	9	2						
		7				1		
						9	7	2
			5		3		1	
	5	4	2			8		
					6	7	2	

916

	2							9
	5			4				6
	9		6		3	8		
5			9	8		7		
		3		6	4			2
		5	4		7		3	
9				3			8	
1							6	

917

1		4			9			
	5		1		3	2		
			7		5	6	1	
						7	3	
	2	7						
	3	6	5		2			
		1	3		8		9	
			9			3		2

918

8		6					3	
	5			1		6		
	1			8	3	2		
			3			8	7	
				2				
	2	5			9			
		4	2	6			5	
		8		3			2	
	3					1		4

919

2			3		9			
	8			7				3
4						6		
		5			4			1
		2	1		7	9		
1			5			3		
		7						6
3				6			5	
			4		3			8

920

5					9		2	
4				7				
9	3					6		
	9	5	3	6				
1				2				6
				5	7	3	8	
		4					6	8
				1				2
	2		5					4

921

8			3	1				
7	1		9	2				
					6			
1	8					7		
5		7		9		6		2
		4					9	1
			6					
				3	1		2	8
				5	2			4

922

9				4				
7					3		8	
		4	1			6		5
	9		3		4	7		
		8	6		1		2	
1		9			6	2		
	2		8					3
				9				8

923

			5	7		4		
	4				8			9
		7			1		3	
	2		1					
4	1		2	3	9		5	6
					5		1	
	6		8			3		
1			6				4	
		4		1	3			

924

				7	8	3	5	4
		4					6	
			6					
				9		6	3	
	3		8		1		4	
	7	8		6				
					2			
	2					7		
8	4	6	5	1				

925

	3		1	2	5			
7	1							
		4	7				1	
		2	9			7		5
			3		2			
9		1			7	4		
	8				9	1		
							6	2
			5	1	6		4	

926

7	2		3	8				
		6				7		
				7		3	4	
					8	4	9	
		3		4		5		
	9	7	1					
	5	2		1				
		9				6		
				2	7		5	1

927

								1
6	7				3			5
	5	2		6	4			
2						6	1	
	6		4		7		3	
	9	3						2
			8	4		2	5	
9			2				7	6
8								

928

	8		5				2	
		6	2					
7						4		6
	7			2			8	
6	5	8		9		2	7	3
	2			3			1	
4		5						2
					2	5		
	3				1		6	

929

			7		3			2
					8	1		
		4		6		7	3	
	5	6						1
3								8
4						5	9	
	4	5		7		9		
		1	4					
2			9		1			

930

8		5	2					
	3				9	2		
		4		3			6	5
9				1				
	4		6		8		2	
				2				6
7	2			5		4		
		8	4				1	
					2	6		7

931

			5					4
9	1	7						
			3			2	7	
		6		3				
3	4		9		2		6	8
				7		9		
	8	4			3			
						1	8	2
5					1			

932

	1			6				
4			2	3		8		
	6		7		5	4		
	4	1						3
3								9
8						5	4	
		4	6		8		3	
		6		7	2			8
				5			2	

933

	7			5				
					3	6		8
8	5							4
6			4	9			3	
		9				5		
	3			2	8			6
7							8	5
5		2	9					
				1			9	

934

				1				
	2	8	7					6
							7	5
5		6	4			1		2
		9				7		
1		7			8	5		4
8	1							
3					5	8	4	
				2				

935

1			9	2				
						3		
7		3		6				
					2	5	8	
2			8		1			9
	4	9	3					
				3		6		2
		5						
				1	4			7

936

6			9			8		
	3					4		
1			5				6	2
			7	4			1	
		1				2		
	5			1	6			
2	6				7			4
		9					2	
		5			3			8

937

			3				7	
			7			2		6
2	3				1			5
		6		8				
5		2				7		3
				3		4		
8			1				5	2
4		3			6			
	1				3			

938

		2		4				
9				5			4	2
			1			6	7	
			2					5
		7	4		5	1		
4					8			
	3	5			2			
7	4			9				6
				8		3		

939

	3				9			
1		2	3			5	8	
		5						
2			9				7	
		4	8	6	7	2		
	7				3			5
						6		
	4	7			6	8		9
			7				3	

940

3					1	2		5
6	2							
	5			8		1		
			6		2	8		
	6			9			3	
		3	7		8			
		6		1			2	
							8	4
7		4	5					9

941

9		6	5					
		3		9			2	
		1		4	6			
			9			1		
2								5
		7			3			
			4	8		2		
	1			5		9		
					9	3		7

942

	9	2						5
	5				4	2	6	
	4				2	9		1
6		1	9	8				
				1	3	7		6
5		3	1				2	
	1	9	2				7	
2						6	1	

943

			2	1				6
		9		6				4
			9		5	7		
	3					1		7
		2	1		6	8		
7		1					4	
		7	4		2			
8				5		9		
6				9	8			

944

7	2	5		1				
	9				6			
6				5			3	
8			5					3
2			1		7			8
9					2			7
	8			2				5
			8				2	
				7		3	8	6

945

	7				8	2		
			4	1				3
1	6			3				
6								1
	9	1		2		8	3	
3								5
				5			7	6
7				4	9			
		5	2				9	

946

		5	9			1		4
	3						9	5
	4				6	3		
	1		6					8
				2				
6					5		3	
		7	4				1	
8	2						7	
3		4			7	5		

947

2						9		
	6				3		1	7
	3		9			2		
3				7				
4		2		6		1		5
				1				2
		3			8		4	
9	8		7				2	
		4						1

948

4			9			7		8
			2		7			
	8			5			6	
5	4					8	7	
				7				
	9	6					5	2
	7			1			9	
			3		6			
9		3			5			6

949

	7			1				
		2			6		5	9
9			5					1
	2			4	8			
		7				2		
			6	9			7	
7					1			5
1	6		3			4		
				5			6	

950

	7	1	6					9
		9	2			3		
5			9	3			7	
2	3							
							8	6
	4			1	8			7
		6			2	4		
7					6	9	1	

951

3	5		8			4		
					3	9		1
9		7			5			
				8		5	6	
			9		7			
	1	5		2				
			5			6		8
8		9	4					
		2			8		9	4

952

7				5		1		
						2		
	3	1			7		9	
8				2	3			5
	5			6			2	
2			7	8				9
	9		6			7	4	
		2						
		4		3				2

9 5 3

1					4			3
	4	7						
			2		8		7	
		6	1				2	
3		5				1		4
	1				2	3		
	5		9		7			
						5	9	
8			3					6

9 5 4

		5					4	
			4		2			
4		2		9	1			
5	8		2			6		
1								7
		7			5		8	1
			7	2		9		8
			5		6			
	3					5		

9 5 5

5	7				6	8		
					1	3		
			5	2		1		
	5			7				8
4								7
2				6			1	
		4		1	9			
		5	2					
		2	6				9	4

9 5 6

		4		2		1		
		7			1	4	3	
	1				8			
	7					8	4	
		1	5		4	7		
	8	2					6	
			2				5	
	5	8	9			2		
		6		4		3		

957

		3	4		7		9	
				2	9	1		
		4				3	2	
			7				8	
	8		1		2		3	
	6				3			
	3	1				9		
		5	2	9				
	2		5		1	4		

958

		2			1	9		
	7			9			8	
3			4		7			
		6		5			2	8
8								5
9	1			2		6		
			2		6			9
	5			7			3	
		9	8			2		

959

5	6		1					2
1		3						
8			3				5	
			6	1		8		
		1				9		
		4		8	3			
	1				7			8
						2		3
3					5		9	7

960

8				4				
	3		5	7	6			
6			1			5		
	1			2			7	
		2	9		7	1		
	5			1			8	
		1			4			8
			8	6	1		5	
				5				4

961

9							6	
	7	5			6			
6					3		2	
7			9		4	1	5	
				2				
	5	3	7		1			9
	1		3					5
			4			9	7	
	2							3

962

						3	1	
6	7					5	2	
			2	4				7
		6	4	8	2			
		5				6		
			5	6	9	4		
1				5	7			
	9	7					3	5
	3	4						

963

		9		2				5
	7	2			8			
1				4		3		
3			4					1
	1	5		7		2	9	
2					1			3
		3		1				9
			2			1	5	
9				8		4		

964

8	9			4		6		
					7		4	
		3	8			1	2	
					4	9	1	
				5				
	5	8	7					
	3	1			8	2		
	2		9					
		7		2			9	1

965

4			3			7	2	
			8				9	
	1		4					5
2				8				3
		7				6		
1				7				2
8					2		5	
	6				8			
	2	3			5			1

966

			3			9		2
3	1					7	5	
					7			
9				2		5	8	
7		1		9		4		6
	2	5		4				9
			1					
	7	2					4	5
8		6			2			

967

	5							
		4	2	1		5		
	6	9			7	2		
		3	8	7				
4	7						2	9
				2	9	3		
		6	1			9	3	
		7		9	8	1		
							6	

968

				7		2	3	
				5	3	8		
	8						9	5
		8	5	6				2
9								1
5				4	2	3		
6	2						5	
		9	2	1				
	7	5		8				

969

	4		7					5
	2		4					
7		1			2			9
				5			9	6
		4		9		8		
6	9			7				
5			9			7		1
					7		6	
1					3		4	

970

9				2		1		
	2		5					9
	6	4			9		2	
6	1	3						
		2	1		3	5		
						3	1	4
	8		3			2	5	
1					8		4	
		5		4				1

971

3	5				2			
9			8	6			3	
		7						
	9				5	2	8	
4				1				7
	2	6	7				5	
						8		
	7			2	3			4
			9				7	5

972

				2	9			
	3					7		
				8	7		6	1
		6			8			
5		1		4		9		8
			9			4		
9	5		7	6				
		4					9	
			1	9				

973

4					9			
				3	5	2		9
				2			4	7
		6		5	3			8
8	5						9	3
3			9	8		5		
7	1			9				
5		3	2	6				
			5					1

974

		7						8
				4	8			
	1	3	7				4	
		4			7	3	5	
			9		4			
	8	6	3			9		
	7				5	2	9	
			6	2				
5						4		

975

					4	8		
	8	3			2			
				8	7		9	5
						5	1	
1	7			9			3	6
	3	9						
4	9		2	7				
			1			4	5	
		7	8					

976

	4			1	6	7		
								8
7	9					4		
		2		6	9			
6				8				5
			2	7		3		
		3					1	7
8								
		7	9	2			3	

977

		7	1				6	
		4					2	8
6	3				2			
				9		4		
	6	1				9	8	
		8		1				
			4				1	2
4	8					6		
	9				3	8		

978

4			9		6			2
				7		9	5	
	8				3	2	9	
3	1			9			6	5
	9	6	7				3	
	4	8		1				
6			2		8			3

979

6						1		2
			8			4		9
			4	7	1		3	
	3			9			2	
			1		8			
	1			2			4	
	4		5	8	9			
3		1			7			
5		9						4

980

4						9	8	
	9				8			
6	8				9		7	1
1		7			6			
			1		3			
			9			4		3
8	1		5				4	9
			8				5	
	5	9						2

981

7		8		1				
	2				8		4	
9	5			2	7	6		
		7						5
			7		3			
1						9		
		2	8	7			9	3
	8		1				2	
				3		5		1

982

	6			7			9	
7					4	1		
5	1		9				3	
			4			5		2
		6		5		3		
2		5			6			
	2				3		4	1
		1	2					3
	4			8			2	

983

			8		9			1
		7	4			5		
	1	4		5	3			7
	2	9		8				
				3		9	7	
9			7	1		3	8	
		1			4	2		
6			5		8			

984

				5				
1	8			7	2			9
		7					6	
3					4			6
9	2						7	1
8			1					3
	6					7		
7			8	1			3	2
				2				

985

	4	2					1	
8			6	2		3		
					8			5
		8	2	9		4		
	6						5	
		4		3	5	8		
9			7					
		3		6	9			7
	7					5	8	

986

	7				2		8	5
			3	8			6	
		8					3	4
					3	6		
			2		5			
		2	9					
1	6					3		
	5			2	6			
7	2		8				5	

987

							1	
	8	1	5		9		6	
9						2		
2				8			5	
3				4				6
	7			9				2
		6						8
	4		3		2	1	7	
	3							

988

2			6		5		7	
					1	9		2
		7			4			
9	4						8	
		1				4		
	7						3	5
			5			8		
6		9	1					
	3		7		8			6

989

	2	9						
	1			3			4	
8		3	6			1	9	
2	4		8					
		5				7		
					7		2	3
	7	2			6	9		4
	3			4			7	
						2	5	

990

		8		9			1	
			8		2			9
9		4						
1		3			7		8	
				6				
	8		9			3		7
						4		5
5			4		6			
	9			5		1		

991

		6		7				9
		3	4		5			
		2	1					4
7						5	2	
				8				
	3	1						7
9					6	4		
			7		9	1		
2				4		6		

992

9					2		5	
	2	3	1					7
		1	9	5				
			3			1		
1								6
		7			9			
				3	1	5		
7					4	6	3	
	6		8					2

993

		9			7	4	2	
1					4			7
						8		5
9	6				2	1		
3				8				2
		2	7				6	4
2		1						
7			1					3
	9	5	4			2		

994

8			4	9			6	3
			3		2			4
				7				
		5	9			1	3	
3								9
	1	9			8	2		
				5				
6			7		3			
7	4			2	9			1

995

5						9		
				1	3			2
	6			2			4	1
	5		7		8	6		
		9	1		2		8	
4	2			3			7	
6			2	7				
		8						6

996

		7	4			2		
		9		6				4
4							6	9
	4	1		8				
5								8
				2		1	7	
8	1							6
9				3		8		
		4			5	9		

997

	6			2				7
5				1			3	
	7	3			8		9	
			7			8		3
		1		8		4		
3		9			2			
	1		2			9	7	
	3			7				5
9				5			8	

998

5	1				2	6		
				5		1	8	
2			9					
9	5			2				
			1		7			
				4			1	3
					1			7
	7	9		6				
		2	3				5	8

999

		9						7
	1				7	6		3
7			4				2	
				7	2		6	4
2	6		5	3				
	4				1			8
3		7	9				5	
6						3		

1000

3				8	2		1	
5	4					8		
			6					7
		1				3		6
	2		8		6		9	
6		3				7		
8					4			
		9					7	5
	6		7	1				3

1001

					3		1	9
	5			4	6			
		3			1			
8						7	2	
		5				9		
	4	7						3
			1			4		
			7	6			5	
3	8		5					

1002

		1				2	5	
			4		7			
8								9
	2				1	3		
		3	7		6	5		
		9	5				6	
7								5
			3		9			
	6	8				9		

1003

6			5		1	2		
		8			6			1
		4						
	7				2		3	
3			9		8			4
	4		1				6	
						5		
1			6			9		
		3	2		5			8

1004

	4	5		8				
7			1					
						9	5	7
			6		8		9	
1		8		3		7		2
	3		7		1			
3	8	6						
					4			9
				1		5	3	

1005

		8	3				1	
7	3			6	5			
2	5							
5		7				2		8
	8						3	
4		3				1		6
							5	7
			5	8			9	4
	7				4	8		

1006

	2			4	8			
9		5		6				
6					1			
	6	7	4			8		3
		2				5		
3		8			5	2	6	
			5					6
				8		1		7
			6	1			3	

1007

8		9	5	2		6		
		5						
	2		9	6	7			
		3				1	8	5
4	5	6				9		
			1	9	3		6	
						4		
		8		7	6	2		3

1008

					6			
	5			8			4	1
4		1			9			
	1	4		9				2
	2						7	
5				3		4	1	
			9			2		4
7	3			1			6	
			6					

1009

	1			2	4			
	4			9		1		2
9							6	
	5							1
	7		8	1	5		2	
6							8	
	2							3
3		7		8			1	
			3	7			4	

1010

9		2				8		
				2	7			
6	1		8				9	
						9	8	
3								6
	2	7						
	9				3		5	8
			6	1				
		4				7		3

1011

8							7	5
	7				9	3		
	3					2		
4			3		1		6	
	5		4		8			1
		9					2	
		1	7				4	
3	2							9

1012

			2			3		4
		9			7	6		
	8							
				8			9	3
2				6				7
5	7			4				
							1	
		5	9			4		
3		4			5			

1013

		9			2		6	
	4					2		
			3			5	4	
					4		8	
		1	6		8	9		
	6		2					
	3	5			9			
		8					1	
	2		7			6		

1014

3		9			4			
	1			7				
	4		9			6		
		2		1			4	
			8		3			
	3			6		9		
		7			9		5	
				4			8	
			6			4		7

1015

4			3	6				8
	8		9		4			
		5			8			
8							7	
3	5			7			1	6
	7							3
			8			3		
			7		2		6	
9				4	6			5

1016

					1			
3	7		5		2		9	8
	6	1						2
	4		3		8	7		
6								4
		2	7		6		1	
9						2	8	
4	5		2		7		6	9
			8					

1017

	6		2				3	9
		4	7					2
					9	7		
			8	7				
	8	2	3		6	1	9	
				5	1			
		8	5					
4					7	9		
3	9				8		4	

1018

			3		4		1	
6		1		5				
		3		9		7		
5	6	9		1				8
			5		2			
1				7		6	4	5
		4		2		8		
				4		1		7
	1		7		9			

1019

	8	9	4					1
5		6						
			1	3	5		8	
			5			7		3
		7				5		
1		8			3			
	7		8	9	4			
						4		9
4					1	8	7	

1020

	7				3			
		4	9	5		1		
1							8	5
3	1		5			9		
			1		6			
		2			4		1	6
5	6							9
		7		6	5	3		
			3				6	

1021

	6							4
		1		5			9	
		9	6	7		1	2	
3					2			
		4				6		
			5					8
	5	7		1	4	2		
	1			2		5		
4							8	

1022

9		6			8			
	4			3			1	
	7	3					6	9
	9				1			
			3	9	7			
			5				4	
3	5					8	2	
	8			2			3	
			8			5		6

1023

		2	3					8
	8			6		7		
					8	1	3	
	4		6			2		
		7		1		4		
		5			7		9	
	2	9	7					
		1		5			6	
7					4	3		

1024

				4			2	
		7			3		9	
2		5						1
				1	4			5
		9	2		6	1		
8			5	3				
9						2		3
	7		6			4		
	8			9				

1025

		4						
						8	9	
			6		5	7		
6		3		2			7	
1				4				5
	4			8		3		2
		1	7		9			
	5	8						
						6		

1026

	8				6			
	2		9					
5		7				3		1
		6		9				5
			3		8			
2				1		4		
4		5				2		8
					4		1	
			8				3	

1027

	1	3						8
		8		2				
7	6					1		
	9		2	1				3
			7		6			
4				3	5		6	
		5					3	1
				7		6		
1						8	5	

1028

	8			5	6	1		
		5	7	2				
7							9	6
5	1	4		7				3
6				3		4	5	2
2	4							5
				9	7	2		
		7	2	1			4	

1029

	4	6			1		8	
			2	7	9			
1		9						
		7	8			6	5	
				9				
	9	8			5	1		
						3		6
			5	3	7			
	8		6			5	1	

1030

				6	9			1
					2		7	
		7	8	3			2	
4		1						2
	8	6				5	3	
9						1		7
	2			1	5	3		
	5		2					
1			3	7				

1031

			3			6		
	6		4		5		8	9
	5			6		2		
	9							8
		5	2		1	4		
4							9	
		1		7			2	
5	4		6		8		3	
		6			9			

1032

	9			2				
	8		5				9	1
		2		1	8		7	
		3						9
		5				6		
9						5		
	6		4	5		9		
4	3				7		5	
				6			8	

1033

3	5							
	9		3	6	7			
				4	5			2
5		2					8	
7	3						4	1
	4					2		3
1			4	9				
			6	5	1		7	
							9	4

1034

3	4				2			1
			5					2
				9			6	
	7			4		6		
		8	2		6	7		
		4		3			1	
	9			7				
5					1			
8			9				7	6

1035

	8				2	3	5	
9			6		5			
6				7		2		
		6			1		7	
5								4
	7		5			1		
		4		3				9
			2		9			7
	6	9	7				3	

1036

		7		8				
	9					7		2
			6		5	3		
5							1	
	1	2	4		7	5	8	
	7							3
		4	5		9			
1		6					3	
				1		2		

1

4	7	9	6	3	5	8	1	2
2	3	6	1	9	8	7	4	5
5	8	1	7	2	4	3	9	6
6	9	4	8	1	3	2	5	7
3	1	5	4	7	2	6	8	9
8	2	7	5	6	9	1	3	4
7	4	8	3	5	6	9	2	1
9	6	3	2	4	1	5	7	8
1	5	2	9	8	7	4	6	3

2

1	9	3	8	2	5	7	4	6
8	4	2	9	7	6	3	1	5
7	5	6	3	4	1	2	8	9
5	3	7	2	9	4	8	6	1
9	2	4	6	1	8	5	3	7
6	1	8	5	3	7	4	9	2
4	8	5	1	6	2	9	7	3
3	7	1	4	5	9	6	2	8
2	6	9	7	8	3	1	5	4

3

4	5	2	6	1	8	7	9	3
8	1	3	9	2	7	4	5	6
9	6	7	4	3	5	8	2	1
2	8	5	7	6	1	3	4	9
6	4	1	3	8	9	2	7	5
3	7	9	2	5	4	1	6	8
7	9	6	8	4	3	5	1	2
1	2	8	5	7	6	9	3	4
5	3	4	1	9	2	6	8	7

4

7	8	5	3	1	9	2	4	6
1	3	4	2	5	6	9	8	7
9	6	2	4	7	8	3	1	5
4	5	8	1	3	7	6	9	2
3	1	9	5	6	2	8	7	4
6	2	7	9	8	4	5	3	1
5	9	6	8	4	1	7	2	3
2	7	1	6	9	3	4	5	8
8	4	3	7	2	5	1	6	9

5

7	5	4	8	1	6	3	2	9
3	9	6	5	7	2	4	8	1
8	1	2	3	9	4	5	7	6
9	8	7	2	3	5	6	1	4
6	4	5	7	8	1	9	3	2
1	2	3	4	6	9	7	5	8
2	3	9	1	4	7	8	6	5
4	7	1	6	5	8	2	9	3
5	6	8	9	2	3	1	4	7

6

2	3	4	5	9	8	6	1	7
6	7	9	1	2	4	8	3	5
8	5	1	3	7	6	9	4	2
4	2	8	9	1	3	5	7	6
7	9	6	8	4	5	1	2	3
3	1	5	2	6	7	4	8	9
5	6	2	4	3	1	7	9	8
9	4	7	6	8	2	3	5	1
1	8	3	7	5	9	2	6	4

7

1	6	4	5	9	8	3	7	2
5	9	8	2	3	7	1	4	6
7	3	2	1	4	6	9	5	8
6	4	9	7	8	1	2	3	5
3	2	7	9	5	4	8	6	1
8	1	5	6	2	3	7	9	4
9	7	1	8	6	5	4	2	3
4	8	6	3	7	2	5	1	9
2	5	3	4	1	9	6	8	7

8

8	6	5	9	1	4	3	2	7
1	3	9	7	2	5	8	6	4
7	4	2	3	6	8	1	5	9
4	5	8	1	7	2	9	3	6
3	1	6	8	5	9	4	7	2
9	2	7	4	3	6	5	8	1
6	7	3	5	4	1	2	9	8
5	9	4	2	8	7	6	1	3
2	8	1	6	9	3	7	4	5

9

8	1	4	7	2	6	5	9	3
2	3	7	1	9	5	6	8	4
9	5	6	4	3	8	1	2	7
4	6	3	5	1	2	8	7	9
7	8	9	6	4	3	2	5	1
1	2	5	8	7	9	4	3	6
5	7	8	3	6	4	9	1	2
3	4	2	9	5	1	7	6	8
6	9	1	2	8	7	3	4	5

10

7	2	9	5	8	1	3	4	6
1	6	5	7	4	3	9	8	2
8	3	4	6	2	9	1	7	5
3	4	2	1	7	8	6	5	9
9	1	8	3	5	6	4	2	7
5	7	6	2	9	4	8	1	3
6	5	3	8	1	7	2	9	4
2	9	1	4	6	5	7	3	8
4	8	7	9	3	2	5	6	1

11

4	8	1	6	2	5	9	7	3
5	7	3	9	1	8	2	4	6
6	9	2	7	3	4	1	5	8
9	2	7	3	4	1	6	8	5
8	1	5	2	6	7	3	9	4
3	4	6	8	5	9	7	2	1
2	5	4	1	9	3	8	6	7
7	3	9	5	8	6	4	1	2
1	6	8	4	7	2	5	3	9

12

8	4	1	9	7	6	2	5	3
7	6	3	1	2	5	9	4	8
9	5	2	8	3	4	6	7	1
3	8	6	4	9	7	1	2	5
4	2	9	6	5	1	3	8	7
5	1	7	2	8	3	4	6	9
1	3	8	5	6	2	7	9	4
6	9	4	7	1	8	5	3	2
2	7	5	3	4	9	8	1	6

13

7	2	1	4	5	3	8	9	6
3	6	4	8	2	9	5	7	1
5	9	8	7	6	1	4	2	3
1	5	6	3	9	7	2	8	4
2	8	3	5	1	4	9	6	7
4	7	9	6	8	2	3	1	5
8	3	5	2	7	6	1	4	9
6	1	2	9	4	5	7	3	8
9	4	7	1	3	8	6	5	2

14

1	7	9	8	6	3	4	5	2
3	4	5	2	7	1	6	9	8
8	2	6	5	9	4	1	7	3
4	6	2	7	5	8	3	1	9
7	1	3	9	4	2	5	8	6
5	9	8	1	3	6	2	4	7
2	8	7	6	1	5	9	3	4
6	3	1	4	8	9	7	2	5
9	5	4	3	2	7	8	6	1

15

5	8	9	3	1	7	2	6	4
1	2	3	6	4	9	5	7	8
6	7	4	5	2	8	1	9	3
2	6	8	9	5	3	4	1	7
7	4	5	8	6	1	3	2	9
3	9	1	4	7	2	8	5	6
9	3	7	1	8	5	6	4	2
8	5	6	2	9	4	7	3	1
4	1	2	7	3	6	9	8	5

16

1	6	8	9	3	4	2	7	5
3	4	9	2	7	5	6	1	8
2	5	7	1	8	6	4	3	9
7	3	5	4	1	8	9	6	2
9	8	2	5	6	3	7	4	1
6	1	4	7	2	9	5	8	3
8	7	6	3	5	2	1	9	4
5	9	1	8	4	7	3	2	6
4	2	3	6	9	1	8	5	7

17

5	9	4	3	6	7	1	2	8
8	1	2	5	9	4	3	6	7
7	3	6	8	2	1	5	9	4
1	2	8	4	3	9	7	5	6
3	6	7	2	8	5	9	4	1
4	5	9	1	7	6	8	3	2
9	8	3	6	1	2	4	7	5
2	4	1	7	5	3	6	8	9
6	7	5	9	4	8	2	1	3

18

9	2	3	5	4	6	8	1	7
5	8	4	1	7	2	3	9	6
7	6	1	9	8	3	4	2	5
4	3	8	7	6	9	2	5	1
2	5	6	8	3	1	7	4	9
1	9	7	2	5	4	6	8	3
8	1	5	6	2	7	9	3	4
6	4	9	3	1	8	5	7	2
3	7	2	4	9	5	1	6	8

19

8	7	4	9	2	3	6	5	1
2	6	9	5	8	1	4	7	3
5	1	3	7	6	4	9	8	2
7	2	5	8	4	6	1	3	9
6	4	8	1	3	9	5	2	7
3	9	1	2	7	5	8	6	4
4	8	7	6	1	2	3	9	5
1	5	6	3	9	7	2	4	8
9	3	2	4	5	8	7	1	6

20

7	3	1	8	2	5	6	4	9
2	4	5	3	9	6	8	7	1
9	6	8	7	4	1	3	5	2
1	9	7	4	8	3	5	2	6
4	5	2	6	7	9	1	8	3
3	8	6	5	1	2	4	9	7
6	7	4	9	3	8	2	1	5
5	1	9	2	6	4	7	3	8
8	2	3	1	5	7	9	6	4

21

1	6	5	8	7	3	2	9	4
2	4	3	1	9	6	8	5	7
8	7	9	2	5	4	6	1	3
6	2	8	5	1	7	3	4	9
7	5	4	6	3	9	1	8	2
9	3	1	4	2	8	7	6	5
4	1	7	9	6	2	5	3	8
5	9	2	3	8	1	4	7	6
3	8	6	7	4	5	9	2	1

22

9	4	3	5	2	7	6	8	1
2	5	7	8	1	6	9	4	3
1	6	8	3	4	9	2	7	5
4	8	9	1	3	5	7	2	6
7	3	1	4	6	2	8	5	9
5	2	6	9	7	8	1	3	4
8	1	4	7	9	3	5	6	2
3	7	2	6	5	1	4	9	8
6	9	5	2	8	4	3	1	7

23

1	7	9	6	5	8	4	3	2
2	8	4	9	3	7	1	6	5
3	6	5	4	2	1	8	9	7
5	1	2	3	7	9	6	4	8
9	4	6	2	8	5	3	7	1
7	3	8	1	6	4	2	5	9
6	2	7	5	1	3	9	8	4
8	9	3	7	4	2	5	1	6
4	5	1	8	9	6	7	2	3

24

6	1	2	8	9	4	3	7	5
7	4	3	2	5	6	8	9	1
9	8	5	7	3	1	2	4	6
2	5	7	3	1	9	6	8	4
1	6	4	5	7	8	9	2	3
8	3	9	4	6	2	5	1	7
4	2	1	6	8	5	7	3	9
3	9	6	1	2	7	4	5	8
5	7	8	9	4	3	1	6	2

25

3	7	4	6	5	2	8	9	1
6	5	2	1	8	9	4	7	3
9	8	1	4	3	7	2	5	6
1	6	7	3	9	8	5	2	4
2	3	5	7	4	1	9	6	8
4	9	8	5	2	6	3	1	7
5	2	6	8	1	4	7	3	9
7	4	9	2	6	3	1	8	5
8	1	3	9	7	5	6	4	2

26

9	7	4	5	3	1	6	8	2
6	5	3	8	9	2	7	1	4
8	2	1	7	4	6	3	5	9
3	4	5	1	6	9	8	2	7
1	6	9	2	7	8	5	4	3
7	8	2	4	5	3	9	6	1
2	1	7	3	8	5	4	9	6
5	3	6	9	1	4	2	7	8
4	9	8	6	2	7	1	3	5

27

3	2	6	8	9	5	4	7	1
8	5	1	3	7	4	6	2	9
4	7	9	1	6	2	8	3	5
7	1	3	4	2	6	5	9	8
2	9	5	7	8	1	3	6	4
6	4	8	5	3	9	2	1	7
5	3	4	6	1	7	9	8	2
1	8	2	9	4	3	7	5	6
9	6	7	2	5	8	1	4	3

28

2	5	1	4	7	3	6	8	9
7	3	9	8	2	6	4	1	5
8	6	4	5	9	1	3	2	7
5	8	6	7	3	9	2	4	1
1	7	2	6	5	4	8	9	3
9	4	3	1	8	2	5	7	6
6	2	7	3	1	8	9	5	4
4	1	8	9	6	5	7	3	2
3	9	5	2	4	7	1	6	8

29

6	3	8	7	4	1	2	5	9
4	1	5	9	8	2	7	3	6
7	9	2	6	3	5	8	1	4
5	4	7	3	6	8	1	9	2
3	2	9	1	5	7	6	4	8
8	6	1	2	9	4	3	7	5
1	8	6	4	7	9	5	2	3
2	5	4	8	1	3	9	6	7
9	7	3	5	2	6	4	8	1

30

9	5	4	8	6	3	1	2	7
6	3	7	9	1	2	4	5	8
8	2	1	7	5	4	6	9	3
4	1	3	2	8	9	7	6	5
7	6	9	3	4	5	8	1	2
5	8	2	6	7	1	3	4	9
2	7	6	4	9	8	5	3	1
1	9	8	5	3	6	2	7	4
3	4	5	1	2	7	9	8	6

31

3	4	8	1	6	2	7	9	5
7	1	6	5	4	9	2	3	8
2	5	9	7	3	8	6	4	1
8	6	2	4	7	3	5	1	9
4	9	1	2	8	5	3	7	6
5	7	3	6	9	1	4	8	2
9	8	5	3	2	7	1	6	4
1	3	4	9	5	6	8	2	7
6	2	7	8	1	4	9	5	3

32

4	3	7	2	1	5	9	8	6
9	2	5	7	8	6	1	3	4
6	1	8	9	4	3	2	5	7
1	9	6	5	2	4	3	7	8
3	8	4	6	9	7	5	2	1
7	5	2	1	3	8	4	6	9
2	7	3	4	6	1	8	9	5
8	6	1	3	5	9	7	4	2
5	4	9	8	7	2	6	1	3

33

6	5	4	8	2	9	3	1	7
8	3	9	1	5	7	4	2	6
7	1	2	6	4	3	9	8	5
1	8	5	7	3	2	6	4	9
4	9	6	5	1	8	7	3	2
2	7	3	4	9	6	8	5	1
3	2	8	9	6	1	5	7	4
5	6	1	3	7	4	2	9	8
9	4	7	2	8	5	1	6	3

34

7	2	6	3	5	9	8	4	1
9	1	3	8	4	6	5	7	2
8	4	5	1	7	2	3	6	9
6	7	9	2	3	8	4	1	5
4	5	8	7	9	1	6	2	3
2	3	1	4	6	5	9	8	7
1	9	7	5	8	4	2	3	6
3	6	4	9	2	7	1	5	8
5	8	2	6	1	3	7	9	4

35

5	7	6	1	8	3	9	4	2
8	3	4	9	2	6	5	7	1
1	9	2	4	7	5	3	8	6
4	6	8	3	1	9	2	5	7
9	5	7	6	4	2	1	3	8
3	2	1	7	5	8	6	9	4
7	1	9	2	3	4	8	6	5
6	4	5	8	9	1	7	2	3
2	8	3	5	6	7	4	1	9

36

9	4	8	1	2	5	7	6	3
2	1	6	9	7	3	8	4	5
5	3	7	4	6	8	2	9	1
8	7	9	2	3	1	6	5	4
1	2	5	7	4	6	3	8	9
3	6	4	5	8	9	1	7	2
7	5	2	6	1	4	9	3	8
6	9	3	8	5	2	4	1	7
4	8	1	3	9	7	5	2	6

37

3	4	6	7	9	2	1	8	5
7	1	2	6	8	5	9	3	4
5	8	9	4	3	1	7	2	6
4	5	1	8	2	6	3	7	9
2	3	8	5	7	9	4	6	1
6	9	7	1	4	3	2	5	8
8	6	4	2	1	7	5	9	3
9	7	5	3	6	4	8	1	2
1	2	3	9	5	8	6	4	7

38

4	6	1	2	5	8	9	7	3
7	3	5	6	4	9	2	8	1
8	9	2	1	7	3	6	5	4
9	7	8	5	6	1	4	3	2
1	4	3	9	2	7	5	6	8
5	2	6	8	3	4	1	9	7
6	5	7	3	1	2	8	4	9
3	1	9	4	8	6	7	2	5
2	8	4	7	9	5	3	1	6

39

9	4	1	7	5	2	6	3	8
5	6	7	4	8	3	1	2	9
3	8	2	6	1	9	5	4	7
4	9	3	1	6	8	7	5	2
2	1	8	3	7	5	9	6	4
7	5	6	2	9	4	8	1	3
6	3	5	8	4	7	2	9	1
8	2	9	5	3	1	4	7	6
1	7	4	9	2	6	3	8	5

40

4	2	3	1	8	7	9	6	5
5	7	9	4	2	6	3	1	8
1	6	8	5	9	3	7	2	4
8	9	2	3	5	4	1	7	6
6	1	5	9	7	8	4	3	2
7	3	4	2	6	1	8	5	9
9	8	7	6	1	5	2	4	3
3	5	1	8	4	2	6	9	7
2	4	6	7	3	9	5	8	1

41

8	7	3	5	9	4	1	6	2
6	2	1	8	3	7	9	4	5
5	4	9	6	2	1	3	8	7
4	3	8	1	5	9	2	7	6
1	9	7	4	6	2	8	5	3
2	6	5	7	8	3	4	9	1
7	8	4	3	1	5	6	2	9
9	1	6	2	7	8	5	3	4
3	5	2	9	4	6	7	1	8

42

6	8	1	3	4	7	9	2	5
9	3	2	1	6	5	8	7	4
7	4	5	9	8	2	1	3	6
8	7	4	6	5	9	3	1	2
2	9	6	7	1	3	5	4	8
5	1	3	4	2	8	7	6	9
4	6	7	5	9	1	2	8	3
3	2	9	8	7	4	6	5	1
1	5	8	2	3	6	4	9	7

43

7	2	4	9	5	3	8	1	6
3	5	6	7	1	8	2	4	9
1	8	9	2	4	6	5	3	7
2	7	3	6	8	9	4	5	1
8	6	5	1	3	4	7	9	2
4	9	1	5	7	2	6	8	3
9	4	8	3	2	7	1	6	5
5	3	2	8	6	1	9	7	4
6	1	7	4	9	5	3	2	8

44

7	4	8	5	1	3	2	6	9
3	6	1	8	2	9	4	7	5
2	9	5	4	6	7	3	1	8
9	7	6	3	5	2	1	8	4
5	8	4	7	9	1	6	2	3
1	3	2	6	8	4	9	5	7
8	5	9	1	4	6	7	3	2
4	1	7	2	3	8	5	9	6
6	2	3	9	7	5	8	4	1

45

5	6	1	2	3	9	8	7	4
9	2	7	6	8	4	3	5	1
3	4	8	7	5	1	6	2	9
6	9	4	1	7	2	5	8	3
1	8	3	5	9	6	2	4	7
2	7	5	8	4	3	9	1	6
7	5	9	4	6	8	1	3	2
8	3	2	9	1	7	4	6	5
4	1	6	3	2	5	7	9	8

46

3	1	7	4	5	6	8	9	2
9	5	4	3	8	2	7	1	6
2	6	8	9	1	7	5	3	4
4	2	6	5	7	1	3	8	9
1	9	3	2	4	8	6	7	5
7	8	5	6	9	3	2	4	1
5	7	9	8	6	4	1	2	3
8	4	2	1	3	5	9	6	7
6	3	1	7	2	9	4	5	8

47

9	3	8	7	1	2	6	4	5
6	5	1	9	8	4	7	3	2
4	2	7	3	6	5	1	9	8
2	6	3	8	4	7	9	5	1
8	7	5	1	3	9	4	2	6
1	9	4	5	2	6	8	7	3
7	1	9	2	5	8	3	6	4
5	8	6	4	7	3	2	1	9
3	4	2	6	9	1	5	8	7

48

2	9	3	8	1	7	5	4	6
5	4	7	6	3	2	8	9	1
8	6	1	9	5	4	7	3	2
9	8	2	7	4	5	6	1	3
6	3	4	2	8	1	9	7	5
7	1	5	3	6	9	4	2	8
1	7	6	5	9	3	2	8	4
3	2	8	4	7	6	1	5	9
4	5	9	1	2	8	3	6	7

49

6	8	9	7	3	2	4	1	5
2	4	7	1	9	5	8	3	6
5	3	1	6	4	8	9	2	7
8	1	3	5	7	4	2	6	9
7	9	6	3	2	1	5	4	8
4	5	2	9	8	6	3	7	1
9	2	4	8	1	7	6	5	3
3	7	5	2	6	9	1	8	4
1	6	8	4	5	3	7	9	2

50

5	2	1	9	8	7	3	6	4
9	3	7	1	4	6	2	8	5
6	4	8	5	3	2	1	9	7
3	5	2	7	9	8	6	4	1
4	7	9	2	6	1	8	5	3
1	8	6	3	5	4	7	2	9
2	1	4	8	7	5	9	3	6
8	9	5	6	1	3	4	7	2
7	6	3	4	2	9	5	1	8

51

1	4	2	6	5	9	7	8	3
6	7	5	4	8	3	1	9	2
3	8	9	2	1	7	4	6	5
5	2	8	3	9	1	6	4	7
9	6	3	8	7	4	5	2	1
4	1	7	5	2	6	8	3	9
8	9	1	7	6	2	3	5	4
2	3	6	1	4	5	9	7	8
7	5	4	9	3	8	2	1	6

52

5	4	6	2	8	7	1	9	3
1	8	2	9	5	3	7	6	4
3	7	9	6	1	4	5	8	2
7	3	5	8	4	6	9	2	1
2	1	4	3	9	5	8	7	6
9	6	8	1	7	2	4	3	5
4	2	1	7	6	8	3	5	9
8	5	3	4	2	9	6	1	7
6	9	7	5	3	1	2	4	8

53

4	7	8	6	9	1	2	5	3
2	6	1	7	3	5	4	9	8
3	5	9	2	8	4	7	1	6
1	4	6	9	7	8	3	2	5
5	9	7	4	2	3	6	8	1
8	2	3	5	1	6	9	7	4
7	8	5	3	6	2	1	4	9
6	1	2	8	4	9	5	3	7
9	3	4	1	5	7	8	6	2

54

2	4	7	3	8	5	1	9	6
9	5	3	2	1	6	7	8	4
6	1	8	4	7	9	2	3	5
5	6	9	8	3	7	4	2	1
4	8	1	6	5	2	3	7	9
3	7	2	1	9	4	5	6	8
7	2	6	5	4	8	9	1	3
8	3	5	9	2	1	6	4	7
1	9	4	7	6	3	8	5	2

55

4	6	9	3	2	7	8	1	5
1	3	5	6	8	9	2	7	4
7	2	8	4	5	1	3	6	9
3	9	6	5	4	8	1	2	7
5	1	2	9	7	3	4	8	6
8	4	7	1	6	2	9	5	3
2	8	4	7	9	6	5	3	1
6	5	3	2	1	4	7	9	8
9	7	1	8	3	5	6	4	2

56

6	3	7	2	9	1	4	5	8
4	5	1	3	8	6	9	2	7
2	8	9	7	4	5	6	1	3
5	7	6	8	2	4	3	9	1
3	4	2	5	1	9	8	7	6
1	9	8	6	3	7	2	4	5
7	6	4	9	5	3	1	8	2
8	1	3	4	7	2	5	6	9
9	2	5	1	6	8	7	3	4

57

1	6	4	7	3	8	5	2	9
7	8	5	6	2	9	3	1	4
9	3	2	4	5	1	8	6	7
4	7	8	5	1	6	2	9	3
6	9	3	8	4	2	7	5	1
2	5	1	9	7	3	4	8	6
3	2	9	1	8	4	6	7	5
5	4	6	2	9	7	1	3	8
8	1	7	3	6	5	9	4	2

58

6	2	5	1	9	7	3	4	8
3	9	4	2	8	5	7	6	1
7	8	1	4	6	3	2	5	9
4	1	2	3	5	6	8	9	7
9	3	7	8	4	2	5	1	6
5	6	8	9	7	1	4	2	3
1	7	9	5	3	4	6	8	2
2	4	3	6	1	8	9	7	5
8	5	6	7	2	9	1	3	4

59

5	9	3	7	4	1	6	8	2
6	1	7	2	5	8	3	4	9
8	2	4	9	3	6	5	1	7
3	5	8	4	7	9	1	2	6
4	6	2	5	1	3	9	7	8
1	7	9	8	6	2	4	5	3
7	3	1	6	2	4	8	9	5
2	8	6	1	9	5	7	3	4
9	4	5	3	8	7	2	6	1

60

5	1	3	9	4	6	7	8	2
6	8	7	1	3	2	9	4	5
2	9	4	8	5	7	3	1	6
9	5	6	2	1	4	8	3	7
8	3	1	7	9	5	2	6	4
4	7	2	3	6	8	5	9	1
1	6	9	5	7	3	4	2	8
7	4	8	6	2	9	1	5	3
3	2	5	4	8	1	6	7	9

61

2	4	1	8	9	6	3	7	5
6	5	9	7	2	3	4	8	1
3	7	8	1	4	5	2	6	9
8	2	5	9	7	4	1	3	6
9	3	6	2	5	1	8	4	7
7	1	4	6	3	8	5	9	2
4	9	3	5	6	2	7	1	8
1	6	2	3	8	7	9	5	4
5	8	7	4	1	9	6	2	3

62

8	2	3	7	6	4	5	1	9
9	5	1	2	3	8	6	7	4
4	6	7	5	9	1	3	8	2
2	8	4	6	7	5	9	3	1
3	7	5	8	1	9	4	2	6
6	1	9	3	4	2	8	5	7
1	9	2	4	5	3	7	6	8
5	4	6	1	8	7	2	9	3
7	3	8	9	2	6	1	4	5

63

9	5	6	4	1	8	7	3	2
1	3	7	6	5	2	4	8	9
4	8	2	9	7	3	1	6	5
2	6	9	7	8	4	3	5	1
8	7	1	2	3	5	9	4	6
3	4	5	1	9	6	2	7	8
5	9	3	8	2	7	6	1	4
7	1	4	5	6	9	8	2	3
6	2	8	3	4	1	5	9	7

64

9	3	5	4	6	1	2	8	7
8	2	7	3	9	5	6	4	1
6	1	4	7	8	2	5	9	3
5	8	3	9	2	6	1	7	4
1	4	2	5	7	8	3	6	9
7	6	9	1	3	4	8	5	2
3	5	6	2	4	7	9	1	8
2	7	1	8	5	9	4	3	6
4	9	8	6	1	3	7	2	5

65

4	7	9	2	5	1	8	3	6
5	1	3	9	8	6	7	2	4
8	2	6	3	7	4	5	1	9
3	8	4	6	1	2	9	7	5
7	6	2	8	9	5	1	4	3
9	5	1	7	4	3	6	8	2
6	4	5	1	2	7	3	9	8
1	3	8	4	6	9	2	5	7
2	9	7	5	3	8	4	6	1

66

3	4	1	7	8	2	9	6	5
9	6	7	3	1	5	8	2	4
5	8	2	6	4	9	1	7	3
1	3	9	5	7	4	6	8	2
8	2	4	9	3	6	5	1	7
7	5	6	8	2	1	3	4	9
4	1	3	2	5	8	7	9	6
6	7	8	4	9	3	2	5	1
2	9	5	1	6	7	4	3	8

67

8	5	4	3	1	2	9	7	6
7	6	3	8	5	9	1	2	4
2	9	1	6	7	4	5	3	8
5	2	8	7	4	1	6	9	3
4	1	9	2	6	3	8	5	7
6	3	7	9	8	5	2	4	1
1	7	5	4	2	6	3	8	9
9	8	6	5	3	7	4	1	2
3	4	2	1	9	8	7	6	5

68

6	8	5	9	7	3	1	4	2
4	1	2	8	6	5	3	7	9
9	3	7	1	2	4	5	8	6
7	9	8	5	4	1	2	6	3
1	4	6	2	3	9	8	5	7
5	2	3	7	8	6	9	1	4
2	6	9	4	5	8	7	3	1
8	7	4	3	1	2	6	9	5
3	5	1	6	9	7	4	2	8

69

6	8	3	2	4	5	7	9	1
9	2	4	7	3	1	6	5	8
5	1	7	6	9	8	3	2	4
1	9	6	3	8	7	5	4	2
8	4	5	1	6	2	9	7	3
3	7	2	4	5	9	8	1	6
2	3	1	5	7	6	4	8	9
4	5	9	8	2	3	1	6	7
7	6	8	9	1	4	2	3	5

70

7	2	5	9	4	8	1	3	6
1	4	9	6	3	2	7	8	5
6	8	3	7	1	5	4	2	9
3	9	1	2	8	4	5	6	7
5	7	8	1	9	6	2	4	3
4	6	2	3	5	7	9	1	8
8	1	6	4	7	9	3	5	2
9	5	4	8	2	3	6	7	1
2	3	7	5	6	1	8	9	4

71

3	6	2	5	7	1	9	8	4
8	5	4	3	6	9	7	2	1
1	7	9	8	4	2	3	5	6
4	9	6	1	8	3	2	7	5
7	2	8	6	5	4	1	9	3
5	1	3	2	9	7	4	6	8
6	4	7	9	3	8	5	1	2
2	3	5	7	1	6	8	4	9
9	8	1	4	2	5	6	3	7

72

3	4	7	1	5	2	9	6	8
6	9	2	3	4	8	7	1	5
5	8	1	7	9	6	2	4	3
8	6	3	5	1	7	4	2	9
2	1	4	9	8	3	5	7	6
9	7	5	6	2	4	3	8	1
1	3	6	4	7	9	8	5	2
4	5	8	2	3	1	6	9	7
7	2	9	8	6	5	1	3	4

73

8	4	6	2	9	7	3	1	5
9	5	1	4	3	8	2	6	7
7	2	3	5	1	6	4	9	8
3	1	2	9	5	4	7	8	6
6	9	5	8	7	2	1	3	4
4	7	8	3	6	1	9	5	2
5	8	9	7	2	3	6	4	1
2	6	4	1	8	9	5	7	3
1	3	7	6	4	5	8	2	9

74

5	1	9	6	2	7	3	8	4
2	6	4	8	9	3	5	1	7
8	7	3	1	5	4	6	9	2
3	8	7	9	6	2	1	4	5
9	2	6	5	4	1	7	3	8
1	4	5	3	7	8	2	6	9
6	5	8	2	3	9	4	7	1
4	9	2	7	1	6	8	5	3
7	3	1	4	8	5	9	2	6

75

4	5	6	2	9	3	8	7	1
3	2	9	8	1	7	5	6	4
7	8	1	4	5	6	3	9	2
9	1	5	6	7	8	2	4	3
6	7	3	1	2	4	9	8	5
8	4	2	9	3	5	7	1	6
2	6	4	5	8	9	1	3	7
1	9	7	3	4	2	6	5	8
5	3	8	7	6	1	4	2	9

76

5	4	8	2	7	1	9	6	3
2	9	6	8	5	3	7	4	1
1	3	7	9	4	6	2	8	5
4	5	3	7	8	2	6	1	9
8	2	9	6	1	5	3	7	4
6	7	1	3	9	4	8	5	2
7	6	5	1	2	9	4	3	8
9	8	4	5	3	7	1	2	6
3	1	2	4	6	8	5	9	7

77

3	4	1	8	5	9	7	2	6
8	9	5	7	6	2	4	3	1
6	2	7	4	3	1	5	9	8
4	3	2	6	1	5	8	7	9
7	8	9	3	2	4	6	1	5
5	1	6	9	7	8	3	4	2
2	5	4	1	8	7	9	6	3
9	6	8	2	4	3	1	5	7
1	7	3	5	9	6	2	8	4

78

1	5	2	6	8	9	7	3	4
9	6	3	4	7	1	8	2	5
7	4	8	5	3	2	1	6	9
4	7	9	1	5	3	2	8	6
8	1	6	2	9	7	4	5	3
3	2	5	8	6	4	9	1	7
5	8	7	9	2	6	3	4	1
2	9	4	3	1	5	6	7	8
6	3	1	7	4	8	5	9	2

79

1	2	6	9	7	8	5	3	4
7	9	8	5	4	3	1	2	6
5	3	4	1	2	6	7	8	9
3	6	9	4	1	2	8	7	5
8	4	1	6	5	7	2	9	3
2	5	7	8	3	9	4	6	1
9	8	5	7	6	1	3	4	2
6	1	2	3	8	4	9	5	7
4	7	3	2	9	5	6	1	8

80

8	2	1	9	4	5	3	7	6
6	3	4	7	8	2	1	5	9
5	7	9	3	6	1	2	8	4
1	6	3	8	5	7	4	9	2
2	8	5	4	1	9	7	6	3
9	4	7	6	2	3	5	1	8
4	1	8	5	3	6	9	2	7
3	9	2	1	7	8	6	4	5
7	5	6	2	9	4	8	3	1

81

9	2	7	1	8	5	6	3	4
1	5	6	9	4	3	8	7	2
3	8	4	6	2	7	9	1	5
6	1	5	2	3	8	4	9	7
2	9	3	7	1	4	5	6	8
7	4	8	5	6	9	1	2	3
5	7	2	8	9	1	3	4	6
4	6	9	3	5	2	7	8	1
8	3	1	4	7	6	2	5	9

82

3	9	5	1	7	2	8	4	6
2	4	8	5	6	3	1	7	9
7	1	6	9	4	8	5	2	3
9	8	4	7	3	5	2	6	1
5	2	1	4	8	6	9	3	7
6	7	3	2	9	1	4	5	8
1	3	9	6	5	4	7	8	2
8	5	7	3	2	9	6	1	4
4	6	2	8	1	7	3	9	5

83

7	2	9	6	5	3	4	8	1
3	5	1	8	4	7	9	6	2
6	4	8	2	9	1	7	5	3
5	9	2	7	6	4	1	3	8
8	3	7	9	1	5	2	4	6
1	6	4	3	2	8	5	7	9
2	7	3	5	8	9	6	1	4
4	8	6	1	7	2	3	9	5
9	1	5	4	3	6	8	2	7

84

3	8	6	9	2	4	7	5	1
4	7	9	3	1	5	8	6	2
5	2	1	8	7	6	9	3	4
6	9	7	1	4	3	5	2	8
2	1	5	7	6	8	3	4	9
8	4	3	5	9	2	6	1	7
1	3	2	6	8	7	4	9	5
7	6	4	2	5	9	1	8	3
9	5	8	4	3	1	2	7	6

85

6	7	1	9	2	8	3	4	5
3	9	4	6	7	5	1	2	8
2	5	8	3	1	4	7	6	9
9	8	2	7	4	1	6	5	3
7	3	6	8	5	9	4	1	2
4	1	5	2	6	3	8	9	7
8	4	3	5	9	6	2	7	1
5	6	7	1	8	2	9	3	4
1	2	9	4	3	7	5	8	6

86

5	3	7	8	6	4	1	2	9
1	8	2	9	7	3	5	6	4
4	9	6	2	5	1	3	7	8
3	6	1	7	9	8	4	5	2
2	4	9	6	1	5	8	3	7
8	7	5	3	4	2	6	9	1
7	5	3	1	8	9	2	4	6
6	2	8	4	3	7	9	1	5
9	1	4	5	2	6	7	8	3

87

5	6	7	2	8	3	4	1	9
8	3	1	9	7	4	5	2	6
2	4	9	6	1	5	7	3	8
3	8	4	5	9	7	2	6	1
7	5	6	1	3	2	8	9	4
1	9	2	4	6	8	3	5	7
6	7	8	3	5	1	9	4	2
9	2	5	8	4	6	1	7	3
4	1	3	7	2	9	6	8	5

88

5	2	1	7	6	4	3	9	8
4	3	8	2	1	9	6	5	7
9	6	7	3	5	8	1	4	2
6	7	4	9	8	2	5	3	1
1	5	3	6	4	7	2	8	9
8	9	2	1	3	5	4	7	6
2	1	5	8	7	3	9	6	4
3	8	9	4	2	6	7	1	5
7	4	6	5	9	1	8	2	3

89

1	5	9	2	3	7	6	4	8
4	7	3	6	9	8	1	2	5
2	8	6	5	4	1	3	9	7
7	6	1	9	2	4	8	5	3
3	9	8	7	1	5	2	6	4
5	2	4	8	6	3	7	1	9
9	1	7	4	8	6	5	3	2
6	4	5	3	7	2	9	8	1
8	3	2	1	5	9	4	7	6

90

1	9	6	5	3	7	2	4	8
7	8	3	4	2	9	6	1	5
4	2	5	8	1	6	9	7	3
8	3	9	7	6	2	1	5	4
5	7	1	9	8	4	3	6	2
6	4	2	1	5	3	8	9	7
9	1	4	3	7	8	5	2	6
3	6	7	2	9	5	4	8	1
2	5	8	6	4	1	7	3	9

91

5	2	4	3	6	8	1	7	9
8	1	6	2	7	9	5	3	4
9	3	7	4	5	1	6	8	2
7	9	1	5	2	4	3	6	8
6	5	3	9	8	7	2	4	1
4	8	2	1	3	6	9	5	7
1	7	9	6	4	5	8	2	3
3	4	5	8	9	2	7	1	6
2	6	8	7	1	3	4	9	5

92

2	9	7	4	8	5	3	1	6
5	4	3	7	1	6	8	9	2
8	6	1	3	2	9	5	4	7
6	3	2	8	9	7	4	5	1
9	5	8	2	4	1	6	7	3
1	7	4	5	6	3	9	2	8
3	8	5	9	7	2	1	6	4
7	1	9	6	3	4	2	8	5
4	2	6	1	5	8	7	3	9

93

3	8	4	6	7	5	9	1	2
9	2	6	3	8	1	5	4	7
7	1	5	9	4	2	6	8	3
6	3	9	5	2	4	8	7	1
5	7	1	8	3	9	4	2	6
8	4	2	7	1	6	3	5	9
2	9	3	1	5	8	7	6	4
4	6	8	2	9	7	1	3	5
1	5	7	4	6	3	2	9	8

94

1	3	9	7	4	2	5	6	8
5	2	6	3	8	9	7	4	1
4	7	8	6	1	5	9	3	2
9	1	7	5	6	8	3	2	4
3	4	5	2	9	1	6	8	7
8	6	2	4	3	7	1	5	9
2	8	1	9	5	3	4	7	6
7	5	4	1	2	6	8	9	3
6	9	3	8	7	4	2	1	5

95

6	9	7	4	1	3	5	8	2
2	8	3	7	5	9	1	4	6
5	1	4	6	2	8	9	3	7
8	2	5	9	7	4	3	6	1
1	7	9	3	6	5	8	2	4
3	4	6	2	8	1	7	5	9
7	5	1	8	4	6	2	9	3
4	3	8	1	9	2	6	7	5
9	6	2	5	3	7	4	1	8

96

4	1	3	9	7	2	5	6	8
6	9	8	1	4	5	3	7	2
5	2	7	6	3	8	9	1	4
3	4	9	5	6	7	8	2	1
1	5	2	3	8	4	7	9	6
8	7	6	2	9	1	4	5	3
9	6	4	7	2	3	1	8	5
7	8	1	4	5	6	2	3	9
2	3	5	8	1	9	6	4	7

97

2	9	1	5	4	3	8	6	7
6	4	8	7	1	9	3	5	2
7	3	5	6	8	2	4	1	9
5	1	2	8	7	4	9	3	6
4	6	3	1	9	5	2	7	8
9	8	7	3	2	6	1	4	5
3	5	9	4	6	8	7	2	1
8	7	4	2	5	1	6	9	3
1	2	6	9	3	7	5	8	4

98

1	3	9	5	2	4	8	7	6
8	6	4	7	3	1	5	2	9
7	5	2	9	6	8	1	3	4
9	2	5	4	7	6	3	8	1
6	1	7	8	5	3	9	4	2
4	8	3	1	9	2	7	6	5
3	9	1	2	4	7	6	5	8
5	4	6	3	8	9	2	1	7
2	7	8	6	1	5	4	9	3

99

3	4	7	6	1	5	8	9	2
9	8	1	4	7	2	3	6	5
5	2	6	9	3	8	4	7	1
1	9	2	3	6	7	5	4	8
4	7	8	2	5	9	1	3	6
6	5	3	8	4	1	9	2	7
2	3	5	7	8	4	6	1	9
8	6	9	1	2	3	7	5	4
7	1	4	5	9	6	2	8	3

100

3	4	1	2	9	7	5	6	8
6	7	2	8	1	5	4	9	3
9	8	5	4	6	3	2	7	1
4	9	3	5	8	6	1	2	7
2	6	8	7	4	1	3	5	9
1	5	7	3	2	9	8	4	6
8	3	4	9	7	2	6	1	5
7	2	6	1	5	8	9	3	4
5	1	9	6	3	4	7	8	2

101

1	7	6	4	3	5	8	9	2
5	4	8	1	2	9	7	6	3
9	2	3	7	6	8	1	4	5
7	8	4	5	1	2	6	3	9
3	5	1	6	9	4	2	8	7
2	6	9	3	8	7	4	5	1
8	9	5	2	7	6	3	1	4
6	1	2	9	4	3	5	7	8
4	3	7	8	5	1	9	2	6

102

9	5	2	1	4	7	6	8	3
7	8	3	2	9	6	4	1	5
1	4	6	5	3	8	7	2	9
8	6	1	7	5	4	3	9	2
4	2	7	9	1	3	5	6	8
3	9	5	8	6	2	1	7	4
6	7	8	3	2	5	9	4	1
5	1	4	6	8	9	2	3	7
2	3	9	4	7	1	8	5	6

103

1	4	2	5	8	9	7	6	3
6	9	3	2	4	7	8	5	1
8	5	7	1	6	3	4	9	2
5	6	8	4	3	1	2	7	9
2	7	1	8	9	5	6	3	4
9	3	4	6	7	2	5	1	8
3	8	5	9	2	6	1	4	7
4	1	9	7	5	8	3	2	6
7	2	6	3	1	4	9	8	5

104

6	4	9	5	3	1	2	7	8
8	1	2	6	4	7	9	3	5
3	5	7	2	9	8	4	6	1
5	6	1	8	2	4	3	9	7
2	3	8	1	7	9	6	5	4
9	7	4	3	6	5	8	1	2
4	9	3	7	5	2	1	8	6
7	8	6	4	1	3	5	2	9
1	2	5	9	8	6	7	4	3

105

1	6	9	8	7	5	3	4	2
3	2	4	6	1	9	7	5	8
8	7	5	3	4	2	1	6	9
5	3	6	9	8	4	2	7	1
4	9	8	1	2	7	6	3	5
2	1	7	5	3	6	9	8	4
7	5	3	2	9	8	4	1	6
6	4	2	7	5	1	8	9	3
9	8	1	4	6	3	5	2	7

106

1	9	5	3	6	7	8	4	2
6	2	4	8	5	1	3	7	9
8	3	7	4	9	2	1	6	5
7	5	2	1	8	3	4	9	6
9	4	8	7	2	6	5	1	3
3	1	6	5	4	9	2	8	7
2	6	3	9	1	4	7	5	8
5	7	1	6	3	8	9	2	4
4	8	9	2	7	5	6	3	1

107

3	4	7	1	2	8	6	9	5
1	5	2	7	6	9	8	4	3
9	6	8	5	4	3	7	1	2
2	8	6	4	1	7	3	5	9
7	1	5	9	3	2	4	6	8
4	3	9	6	8	5	2	7	1
5	2	1	3	7	6	9	8	4
8	7	4	2	9	1	5	3	6
6	9	3	8	5	4	1	2	7

108

7	3	8	6	1	5	9	2	4
6	2	9	4	3	8	5	7	1
5	4	1	7	9	2	6	8	3
2	1	7	8	4	9	3	6	5
4	9	6	3	5	7	8	1	2
8	5	3	1	2	6	4	9	7
9	7	2	5	8	3	1	4	6
1	6	5	9	7	4	2	3	8
3	8	4	2	6	1	7	5	9

109

1	4	3	7	8	2	6	9	5
9	2	6	5	1	4	3	8	7
5	7	8	6	3	9	1	2	4
3	5	9	8	4	1	7	6	2
7	8	1	2	5	6	4	3	9
4	6	2	9	7	3	8	5	1
8	3	4	1	2	5	9	7	6
2	9	7	4	6	8	5	1	3
6	1	5	3	9	7	2	4	8

110

8	5	1	3	2	7	9	4	6
4	6	9	5	8	1	3	7	2
7	3	2	6	9	4	1	5	8
1	4	6	7	3	9	2	8	5
3	7	5	8	6	2	4	1	9
2	9	8	1	4	5	6	3	7
5	2	3	9	1	8	7	6	4
9	1	7	4	5	6	8	2	3
6	8	4	2	7	3	5	9	1

111

3	8	9	6	7	2	1	5	4
4	2	6	5	3	1	9	7	8
1	5	7	9	8	4	2	6	3
9	3	5	7	6	8	4	1	2
6	1	2	3	4	9	5	8	7
7	4	8	1	2	5	6	3	9
8	7	4	2	5	6	3	9	1
2	6	1	8	9	3	7	4	5
5	9	3	4	1	7	8	2	6

112

3	4	2	6	8	7	9	5	1
6	8	1	4	9	5	7	2	3
5	9	7	2	3	1	6	4	8
2	1	5	7	6	3	8	9	4
7	6	8	1	4	9	5	3	2
4	3	9	8	5	2	1	6	7
9	5	4	3	1	8	2	7	6
1	2	6	5	7	4	3	8	9
8	7	3	9	2	6	4	1	5

113

3	5	4	1	2	8	7	9	6
2	6	7	9	3	4	8	5	1
9	1	8	7	5	6	3	2	4
6	4	1	3	7	9	2	8	5
7	9	2	8	6	5	4	1	3
8	3	5	4	1	2	6	7	9
4	7	6	2	9	1	5	3	8
1	8	3	5	4	7	9	6	2
5	2	9	6	8	3	1	4	7

114

6	5	4	8	2	9	1	7	3
7	2	1	4	6	3	9	8	5
9	3	8	7	5	1	6	2	4
3	4	5	1	8	6	2	9	7
1	6	2	9	4	7	5	3	8
8	7	9	2	3	5	4	6	1
4	9	3	6	1	8	7	5	2
5	1	7	3	9	2	8	4	6
2	8	6	5	7	4	3	1	9

115

2	5	3	7	6	4	1	8	9
1	6	8	5	9	3	7	4	2
7	4	9	8	2	1	5	3	6
8	7	5	1	3	6	9	2	4
3	1	4	2	5	9	6	7	8
9	2	6	4	7	8	3	5	1
4	8	7	9	1	5	2	6	3
5	3	1	6	4	2	8	9	7
6	9	2	3	8	7	4	1	5

116

5	6	2	9	1	7	4	8	3
3	1	9	4	8	6	5	7	2
4	8	7	5	2	3	1	9	6
7	2	8	6	5	1	3	4	9
6	4	5	2	3	9	8	1	7
9	3	1	8	7	4	2	6	5
2	5	6	1	9	8	7	3	4
8	7	4	3	6	5	9	2	1
1	9	3	7	4	2	6	5	8

117

2	3	1	7	6	5	8	9	4
9	6	7	8	4	1	3	5	2
4	5	8	2	3	9	7	6	1
5	9	4	6	7	3	1	2	8
6	1	2	4	9	8	5	7	3
8	7	3	1	5	2	6	4	9
3	4	6	9	8	7	2	1	5
1	8	9	5	2	6	4	3	7
7	2	5	3	1	4	9	8	6

118

5	1	8	9	2	7	6	3	4
4	3	2	1	8	6	5	9	7
6	9	7	3	4	5	2	1	8
9	2	4	7	1	3	8	5	6
3	5	1	2	6	8	7	4	9
8	7	6	4	5	9	3	2	1
7	4	3	8	9	2	1	6	5
1	8	5	6	3	4	9	7	2
2	6	9	5	7	1	4	8	3

119

1	7	3	6	8	4	9	5	2
6	5	8	2	9	3	7	1	4
2	9	4	7	1	5	3	6	8
5	1	2	3	7	8	6	4	9
7	3	6	9	4	2	1	8	5
8	4	9	5	6	1	2	3	7
9	2	1	4	5	6	8	7	3
3	6	5	8	2	7	4	9	1
4	8	7	1	3	9	5	2	6

120

4	3	7	6	5	9	8	1	2
2	6	1	4	7	8	9	3	5
9	8	5	3	1	2	6	7	4
8	5	3	9	6	7	2	4	1
7	1	4	8	2	3	5	9	6
6	9	2	5	4	1	3	8	7
3	4	6	1	8	5	7	2	9
5	7	8	2	9	4	1	6	3
1	2	9	7	3	6	4	5	8

121

3	7	2	1	5	9	8	6	4
1	4	5	2	6	8	9	7	3
8	6	9	7	4	3	2	1	5
2	9	8	4	7	1	5	3	6
4	1	6	5	3	2	7	8	9
7	5	3	9	8	6	4	2	1
9	3	1	8	2	4	6	5	7
5	8	4	6	1	7	3	9	2
6	2	7	3	9	5	1	4	8

122

8	5	2	6	4	1	3	9	7
7	9	4	5	8	3	2	6	1
6	1	3	9	7	2	5	4	8
1	2	8	4	9	6	7	3	5
9	7	6	3	5	8	1	2	4
4	3	5	2	1	7	9	8	6
5	6	9	7	2	4	8	1	3
3	8	7	1	6	9	4	5	2
2	4	1	8	3	5	6	7	9

123

9	5	1	4	6	2	3	8	7
7	8	2	5	9	3	1	6	4
6	3	4	1	7	8	2	9	5
4	6	5	3	8	9	7	2	1
1	7	8	6	2	5	4	3	9
3	2	9	7	4	1	6	5	8
5	9	7	2	1	6	8	4	3
8	4	6	9	3	7	5	1	2
2	1	3	8	5	4	9	7	6

124

2	5	1	6	9	3	7	4	8
8	4	3	5	2	7	9	6	1
6	7	9	8	1	4	2	3	5
7	6	4	3	5	8	1	9	2
5	3	2	9	7	1	4	8	6
1	9	8	2	4	6	5	7	3
4	8	5	7	3	2	6	1	9
9	1	6	4	8	5	3	2	7
3	2	7	1	6	9	8	5	4

125

5	2	1	6	8	3	7	4	9
7	4	8	9	5	2	6	1	3
9	3	6	4	1	7	5	8	2
1	7	3	8	9	6	4	2	5
4	5	2	7	3	1	9	6	8
6	8	9	5	2	4	3	7	1
2	9	4	1	7	5	8	3	6
3	6	5	2	4	8	1	9	7
8	1	7	3	6	9	2	5	4

126

9	3	6	7	2	1	4	8	5
7	1	8	3	4	5	9	6	2
5	2	4	6	8	9	7	1	3
1	7	2	5	6	3	8	9	4
8	5	3	9	7	4	6	2	1
4	6	9	2	1	8	5	3	7
6	4	7	1	9	2	3	5	8
3	8	1	4	5	6	2	7	9
2	9	5	8	3	7	1	4	6

127

4	7	2	1	6	8	9	3	5
9	5	3	2	7	4	8	1	6
1	8	6	3	9	5	7	4	2
2	4	9	5	3	1	6	8	7
8	6	5	9	4	7	1	2	3
7	3	1	8	2	6	4	5	9
5	9	4	7	8	3	2	6	1
3	2	8	6	1	9	5	7	4
6	1	7	4	5	2	3	9	8

128

2	5	1	3	9	7	6	4	8
9	8	3	1	6	4	7	5	2
7	6	4	2	5	8	3	9	1
5	4	6	7	8	2	9	1	3
1	7	2	6	3	9	5	8	4
3	9	8	4	1	5	2	6	7
6	3	5	8	7	1	4	2	9
4	1	9	5	2	3	8	7	6
8	2	7	9	4	6	1	3	5

129

7	9	8	6	4	3	5	2	1
5	6	3	2	7	1	4	8	9
4	1	2	5	9	8	7	6	3
9	4	7	1	6	5	8	3	2
1	3	5	4	8	2	6	9	7
2	8	6	7	3	9	1	4	5
8	5	4	9	2	7	3	1	6
6	7	9	3	1	4	2	5	8
3	2	1	8	5	6	9	7	4

130

3	6	5	2	4	8	7	1	9
9	8	1	5	6	7	4	3	2
7	4	2	1	9	3	5	6	8
5	9	3	6	2	4	1	8	7
2	7	8	3	1	9	6	4	5
4	1	6	7	8	5	9	2	3
8	3	7	4	5	1	2	9	6
1	2	9	8	7	6	3	5	4
6	5	4	9	3	2	8	7	1

131

4	5	9	3	8	7	1	2	6
1	8	3	9	6	2	4	7	5
2	7	6	5	4	1	3	9	8
5	9	1	4	3	8	2	6	7
7	6	4	2	5	9	8	1	3
8	3	2	1	7	6	5	4	9
6	1	5	7	2	3	9	8	4
9	4	8	6	1	5	7	3	2
3	2	7	8	9	4	6	5	1

132

2	6	8	1	3	4	9	5	7
5	4	7	2	9	6	8	1	3
1	3	9	5	8	7	4	6	2
4	2	5	7	6	3	1	9	8
8	1	6	4	2	9	3	7	5
9	7	3	8	1	5	2	4	6
6	8	2	9	5	1	7	3	4
7	5	1	3	4	2	6	8	9
3	9	4	6	7	8	5	2	1

133

5	8	6	9	7	4	3	1	2
7	3	2	6	8	1	4	9	5
4	9	1	3	2	5	8	7	6
2	6	5	8	3	9	7	4	1
1	4	8	7	5	6	2	3	9
9	7	3	4	1	2	6	5	8
8	2	9	1	4	3	5	6	7
3	1	7	5	6	8	9	2	4
6	5	4	2	9	7	1	8	3

134

6	2	4	8	9	5	7	3	1
7	5	9	6	3	1	4	8	2
8	3	1	2	7	4	9	5	6
4	9	3	1	5	8	6	2	7
1	8	2	9	6	7	5	4	3
5	7	6	4	2	3	8	1	9
3	4	8	7	1	6	2	9	5
9	6	5	3	4	2	1	7	8
2	1	7	5	8	9	3	6	4

135

7	1	2	3	5	8	9	4	6
9	8	3	4	7	6	1	2	5
4	6	5	1	2	9	7	8	3
2	3	6	9	8	5	4	7	1
1	4	7	6	3	2	5	9	8
5	9	8	7	4	1	3	6	2
3	7	1	8	6	4	2	5	9
6	2	9	5	1	7	8	3	4
8	5	4	2	9	3	6	1	7

136

7	3	6	5	2	9	1	8	4
8	9	5	4	7	1	2	3	6
1	4	2	3	6	8	7	5	9
4	2	8	1	3	7	9	6	5
5	1	9	6	8	2	4	7	3
3	6	7	9	5	4	8	2	1
9	8	3	2	1	6	5	4	7
2	5	4	7	9	3	6	1	8
6	7	1	8	4	5	3	9	2

137

1	4	3	2	8	9	5	6	7
7	2	9	4	6	5	3	1	8
8	5	6	1	7	3	9	2	4
4	9	1	7	5	8	6	3	2
6	7	8	9	3	2	1	4	5
2	3	5	6	1	4	7	8	9
3	8	2	5	9	6	4	7	1
9	6	7	8	4	1	2	5	3
5	1	4	3	2	7	8	9	6

138

5	8	2	1	9	6	3	7	4
7	6	9	4	5	3	1	8	2
1	3	4	2	8	7	6	9	5
8	1	6	3	4	5	7	2	9
3	2	7	9	6	8	5	4	1
4	9	5	7	2	1	8	6	3
9	5	8	6	3	4	2	1	7
2	7	3	8	1	9	4	5	6
6	4	1	5	7	2	9	3	8

139

3	6	9	5	2	1	7	4	8
4	5	8	3	7	6	2	1	9
1	2	7	8	4	9	5	3	6
6	4	3	7	9	8	1	5	2
9	8	2	1	3	5	6	7	4
7	1	5	4	6	2	9	8	3
2	7	4	9	1	3	8	6	5
8	3	6	2	5	7	4	9	1
5	9	1	6	8	4	3	2	7

140

2	4	1	3	9	7	6	8	5
7	8	9	4	5	6	2	3	1
3	5	6	8	2	1	9	4	7
4	7	2	9	3	8	5	1	6
9	3	8	1	6	5	7	2	4
6	1	5	7	4	2	8	9	3
1	9	7	5	8	4	3	6	2
5	2	3	6	1	9	4	7	8
8	6	4	2	7	3	1	5	9

141

3	4	6	7	2	9	8	5	1
9	5	1	6	4	8	7	2	3
8	2	7	1	5	3	9	6	4
2	1	4	5	9	6	3	7	8
6	7	8	2	3	4	5	1	9
5	9	3	8	1	7	2	4	6
7	3	9	4	6	5	1	8	2
4	8	2	3	7	1	6	9	5
1	6	5	9	8	2	4	3	7

142

4	6	1	2	9	8	3	5	7
2	7	3	4	1	5	6	9	8
8	5	9	6	7	3	1	2	4
5	2	4	9	3	7	8	6	1
3	1	6	8	2	4	5	7	9
7	9	8	1	5	6	2	4	3
1	3	7	5	6	9	4	8	2
6	4	2	7	8	1	9	3	5
9	8	5	3	4	2	7	1	6

143

6	1	8	7	2	4	9	3	5
7	5	2	8	3	9	1	4	6
3	4	9	1	6	5	7	8	2
5	9	6	3	7	1	8	2	4
1	7	4	5	8	2	6	9	3
2	8	3	9	4	6	5	7	1
8	6	5	4	9	3	2	1	7
4	2	7	6	1	8	3	5	9
9	3	1	2	5	7	4	6	8

144

9	6	5	3	4	2	8	1	7
7	3	8	1	5	9	4	6	2
2	1	4	6	8	7	9	3	5
5	7	3	4	9	8	1	2	6
6	4	1	2	7	3	5	9	8
8	2	9	5	6	1	7	4	3
1	9	2	8	3	5	6	7	4
3	5	6	7	1	4	2	8	9
4	8	7	9	2	6	3	5	1

145

2	3	7	1	4	6	9	8	5
5	1	8	2	9	3	6	7	4
6	9	4	5	8	7	2	3	1
7	2	5	4	1	9	3	6	8
1	4	6	3	7	8	5	9	2
9	8	3	6	5	2	4	1	7
3	6	1	7	2	5	8	4	9
8	7	2	9	3	4	1	5	6
4	5	9	8	6	1	7	2	3

146

3	9	2	6	7	1	8	4	5
7	8	6	4	3	5	9	1	2
4	1	5	8	9	2	7	6	3
2	6	1	3	8	4	5	7	9
8	5	4	7	1	9	2	3	6
9	7	3	2	5	6	1	8	4
6	2	7	5	4	8	3	9	1
5	3	9	1	6	7	4	2	8
1	4	8	9	2	3	6	5	7

147

4	7	3	2	9	8	1	6	5
2	8	6	7	5	1	3	4	9
9	1	5	3	4	6	2	7	8
7	5	8	9	1	4	6	3	2
1	9	2	5	6	3	4	8	7
3	6	4	8	2	7	9	5	1
6	3	7	1	8	9	5	2	4
8	2	9	4	3	5	7	1	6
5	4	1	6	7	2	8	9	3

148

1	3	6	9	2	7	8	4	5
7	4	5	8	6	3	1	9	2
9	2	8	5	4	1	3	6	7
8	6	7	4	9	5	2	3	1
2	5	9	1	3	8	6	7	4
4	1	3	2	7	6	9	5	8
6	8	4	7	1	9	5	2	3
5	9	2	3	8	4	7	1	6
3	7	1	6	5	2	4	8	9

149

8	5	1	7	6	4	9	2	3
4	3	6	1	9	2	5	7	8
2	7	9	3	8	5	1	4	6
7	2	4	9	3	6	8	5	1
5	1	3	4	2	8	7	6	9
6	9	8	5	1	7	4	3	2
3	4	2	8	5	9	6	1	7
1	8	5	6	7	3	2	9	4
9	6	7	2	4	1	3	8	5

150

9	3	4	8	7	5	2	1	6
7	8	2	1	6	4	3	5	9
6	5	1	9	3	2	8	7	4
5	1	3	4	9	6	7	8	2
4	9	7	5	2	8	1	6	3
2	6	8	3	1	7	9	4	5
3	2	6	7	4	1	5	9	8
8	7	9	6	5	3	4	2	1
1	4	5	2	8	9	6	3	7

151

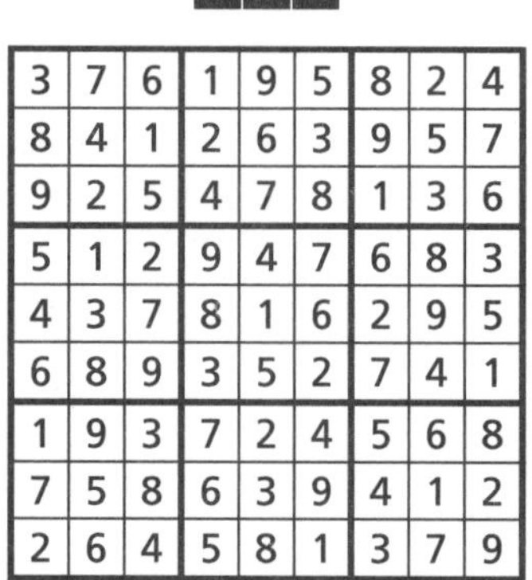

3	7	6	1	9	5	8	2	4
8	4	1	2	6	3	9	5	7
9	2	5	4	7	8	1	3	6
5	1	2	9	4	7	6	8	3
4	3	7	8	1	6	2	9	5
6	8	9	3	5	2	7	4	1
1	9	3	7	2	4	5	6	8
7	5	8	6	3	9	4	1	2
2	6	4	5	8	1	3	7	9

152

1	8	6	3	2	9	7	4	5
5	9	2	7	6	4	8	3	1
3	7	4	5	8	1	6	9	2
6	5	9	8	7	3	2	1	4
7	1	8	2	4	5	3	6	9
2	4	3	1	9	6	5	8	7
9	3	7	4	5	8	1	2	6
4	2	1	6	3	7	9	5	8
8	6	5	9	1	2	4	7	3

153

7	1	3	4	2	5	6	9	8
8	4	2	1	6	9	3	5	7
5	6	9	7	3	8	2	4	1
3	8	5	2	9	4	1	7	6
6	9	1	3	8	7	5	2	4
4	2	7	5	1	6	8	3	9
2	3	6	9	4	1	7	8	5
1	7	4	8	5	2	9	6	3
9	5	8	6	7	3	4	1	2

154

3	1	2	7	8	4	6	5	9
4	9	6	1	5	3	8	7	2
8	7	5	6	2	9	3	1	4
1	8	4	2	9	5	7	3	6
9	6	3	4	1	7	5	2	8
2	5	7	8	3	6	4	9	1
6	4	1	5	7	2	9	8	3
7	2	9	3	6	8	1	4	5
5	3	8	9	4	1	2	6	7

155

8	3	7	1	6	4	2	5	9
2	9	1	3	7	5	4	8	6
6	4	5	9	2	8	1	3	7
9	8	6	4	1	7	5	2	3
7	5	3	8	9	2	6	4	1
4	1	2	6	5	3	9	7	8
1	7	4	5	3	9	8	6	2
3	6	8	2	4	1	7	9	5
5	2	9	7	8	6	3	1	4

156

1	9	2	5	4	7	3	6	8
3	7	6	1	8	9	5	2	4
5	4	8	2	6	3	9	7	1
8	5	1	9	7	2	4	3	6
6	2	9	3	1	4	8	5	7
4	3	7	6	5	8	1	9	2
7	6	3	8	9	1	2	4	5
2	1	5	4	3	6	7	8	9
9	8	4	7	2	5	6	1	3

157

3	7	9	8	4	1	2	5	6
4	5	1	2	6	9	8	3	7
2	6	8	3	7	5	1	4	9
8	9	7	1	3	2	5	6	4
5	1	4	7	8	6	9	2	3
6	3	2	9	5	4	7	8	1
9	2	6	5	1	3	4	7	8
1	8	3	4	2	7	6	9	5
7	4	5	6	9	8	3	1	2

158

4	6	7	9	1	2	8	5	3
3	9	1	5	8	4	7	6	2
5	2	8	3	6	7	4	1	9
2	7	3	8	5	1	6	9	4
9	4	5	7	3	6	2	8	1
1	8	6	4	2	9	5	3	7
6	1	4	2	9	5	3	7	8
8	5	2	1	7	3	9	4	6
7	3	9	6	4	8	1	2	5

159

6	1	8	3	7	4	2	5	9
3	7	9	6	5	2	8	4	1
2	4	5	1	9	8	7	6	3
9	3	1	8	2	6	4	7	5
7	2	4	5	1	9	6	3	8
8	5	6	7	4	3	9	1	2
1	9	7	2	6	5	3	8	4
4	6	3	9	8	1	5	2	7
5	8	2	4	3	7	1	9	6

160

8	5	7	3	9	1	2	6	4
6	3	4	5	2	7	8	9	1
2	9	1	4	6	8	5	7	3
1	2	6	9	5	4	3	8	7
9	7	8	2	1	3	4	5	6
5	4	3	8	7	6	1	2	9
3	6	9	1	8	2	7	4	5
4	8	5	7	3	9	6	1	2
7	1	2	6	4	5	9	3	8

161

2	5	4	8	7	1	9	6	3
8	6	7	3	4	9	5	2	1
3	1	9	2	5	6	4	8	7
4	8	3	1	6	5	7	9	2
7	9	5	4	8	2	1	3	6
6	2	1	7	9	3	8	4	5
5	4	6	9	3	7	2	1	8
9	7	2	6	1	8	3	5	4
1	3	8	5	2	4	6	7	9

162

6	7	5	4	2	9	3	8	1
9	8	3	7	1	6	5	4	2
4	2	1	5	3	8	7	9	6
7	9	6	2	4	5	8	1	3
1	3	2	9	8	7	6	5	4
5	4	8	3	6	1	9	2	7
3	1	9	6	5	2	4	7	8
8	5	4	1	7	3	2	6	9
2	6	7	8	9	4	1	3	5

163

4	6	2	5	9	8	3	7	1
7	5	8	1	3	6	2	4	9
1	9	3	4	7	2	6	5	8
9	4	7	2	6	1	5	8	3
3	8	1	9	4	5	7	2	6
6	2	5	3	8	7	9	1	4
2	7	6	8	1	9	4	3	5
5	1	4	6	2	3	8	9	7
8	3	9	7	5	4	1	6	2

164

8	3	7	2	5	6	1	4	9
4	1	2	7	8	9	3	5	6
5	9	6	1	4	3	7	2	8
1	4	9	6	3	2	5	8	7
2	5	8	9	7	4	6	1	3
6	7	3	5	1	8	2	9	4
3	6	1	4	9	5	8	7	2
7	2	4	8	6	1	9	3	5
9	8	5	3	2	7	4	6	1

165

1	6	5	4	2	3	9	8	7
8	7	3	1	5	9	4	6	2
9	4	2	7	8	6	3	1	5
5	1	8	2	6	4	7	3	9
4	9	6	3	1	7	5	2	8
3	2	7	8	9	5	1	4	6
7	8	1	9	3	2	6	5	4
6	3	9	5	4	8	2	7	1
2	5	4	6	7	1	8	9	3

166

9	3	5	1	7	6	2	8	4
2	8	6	4	9	3	1	7	5
1	4	7	5	2	8	9	3	6
4	2	9	8	1	5	3	6	7
7	5	8	3	6	9	4	2	1
6	1	3	7	4	2	8	5	9
8	6	4	9	3	7	5	1	2
5	7	1	2	8	4	6	9	3
3	9	2	6	5	1	7	4	8

167

6	1	2	4	7	3	5	9	8
7	3	8	9	1	5	2	4	6
4	5	9	8	6	2	3	7	1
5	7	4	3	9	1	8	6	2
3	2	1	7	8	6	9	5	4
9	8	6	5	2	4	7	1	3
1	9	5	6	3	8	4	2	7
2	4	3	1	5	7	6	8	9
8	6	7	2	4	9	1	3	5

168

3	2	6	4	7	1	9	8	5
9	5	1	6	8	3	7	4	2
7	4	8	9	5	2	1	3	6
6	7	3	8	9	5	2	1	4
1	9	2	3	6	4	5	7	8
4	8	5	1	2	7	6	9	3
5	3	9	2	1	8	4	6	7
8	6	7	5	4	9	3	2	1
2	1	4	7	3	6	8	5	9

169

2	7	8	4	3	6	5	9	1
9	5	3	7	8	1	4	2	6
1	4	6	2	9	5	3	8	7
3	8	7	1	5	2	6	4	9
4	9	1	8	6	3	2	7	5
5	6	2	9	4	7	8	1	3
8	3	4	6	7	9	1	5	2
6	1	9	5	2	4	7	3	8
7	2	5	3	1	8	9	6	4

170

7	5	9	6	3	1	4	8	2
1	8	3	5	4	2	7	9	6
6	2	4	8	7	9	3	5	1
4	1	2	7	8	3	5	6	9
8	9	7	2	6	5	1	3	4
3	6	5	1	9	4	2	7	8
2	7	8	3	1	6	9	4	5
5	4	6	9	2	7	8	1	3
9	3	1	4	5	8	6	2	7

171

6	9	4	2	8	5	1	3	7
5	8	2	1	7	3	6	4	9
7	3	1	4	6	9	2	5	8
3	1	6	5	2	8	7	9	4
2	5	7	6	9	4	8	1	3
9	4	8	3	1	7	5	6	2
1	6	3	8	4	2	9	7	5
4	2	9	7	5	6	3	8	1
8	7	5	9	3	1	4	2	6

172

5	4	3	8	1	7	6	9	2
6	8	7	2	9	4	3	1	5
1	9	2	6	5	3	7	8	4
2	5	4	7	6	9	8	3	1
3	1	6	4	8	2	5	7	9
8	7	9	1	3	5	4	2	6
7	6	8	9	4	1	2	5	3
9	2	5	3	7	6	1	4	8
4	3	1	5	2	8	9	6	7

173

4	6	7	1	8	3	5	9	2
9	2	3	5	4	6	1	8	7
5	1	8	2	7	9	3	4	6
6	4	2	7	1	5	8	3	9
1	7	5	3	9	8	6	2	4
3	8	9	6	2	4	7	5	1
2	3	1	9	5	7	4	6	8
7	5	4	8	6	2	9	1	3
8	9	6	4	3	1	2	7	5

174

1	7	3	9	8	6	5	4	2
5	6	2	3	4	1	7	9	8
4	8	9	2	7	5	1	6	3
9	5	8	1	3	4	2	7	6
6	2	4	7	9	8	3	5	1
7	3	1	6	5	2	4	8	9
8	1	6	5	2	7	9	3	4
2	9	7	4	6	3	8	1	5
3	4	5	8	1	9	6	2	7

175

1	8	2	4	5	3	9	7	6
4	3	6	2	9	7	5	1	8
7	9	5	6	1	8	4	2	3
6	5	9	7	2	1	3	8	4
3	2	7	8	4	6	1	9	5
8	1	4	9	3	5	7	6	2
5	6	1	3	7	2	8	4	9
9	7	8	5	6	4	2	3	1
2	4	3	1	8	9	6	5	7

176

3	8	6	4	1	7	2	9	5
2	5	1	8	9	3	7	4	6
4	7	9	6	2	5	3	1	8
9	6	3	1	8	2	5	7	4
8	1	5	9	7	4	6	3	2
7	2	4	5	3	6	9	8	1
5	9	8	3	6	1	4	2	7
1	4	2	7	5	9	8	6	3
6	3	7	2	4	8	1	5	9

177

8	6	2	9	4	1	5	7	3
4	7	5	2	6	3	1	8	9
1	9	3	7	8	5	4	6	2
7	1	9	5	2	4	8	3	6
6	5	4	8	3	7	9	2	1
2	3	8	1	9	6	7	5	4
3	2	1	4	5	8	6	9	7
9	8	7	6	1	2	3	4	5
5	4	6	3	7	9	2	1	8

178

4	3	7	1	6	9	2	8	5
2	8	9	5	3	7	4	6	1
6	1	5	8	4	2	9	7	3
3	2	6	4	5	8	7	1	9
7	5	8	2	9	1	3	4	6
1	9	4	6	7	3	8	5	2
9	6	3	7	1	4	5	2	8
5	7	2	3	8	6	1	9	4
8	4	1	9	2	5	6	3	7

179

5	8	4	1	9	2	6	7	3
9	2	7	3	8	6	4	1	5
6	1	3	7	5	4	9	2	8
1	9	5	6	2	8	3	4	7
8	4	6	5	3	7	2	9	1
3	7	2	9	4	1	8	5	6
2	6	8	4	1	5	7	3	9
7	5	9	2	6	3	1	8	4
4	3	1	8	7	9	5	6	2

180

4	3	1	5	2	6	7	9	8
9	7	2	8	1	4	6	3	5
8	6	5	7	3	9	2	4	1
7	8	3	6	9	1	5	2	4
1	4	9	3	5	2	8	6	7
2	5	6	4	8	7	9	1	3
3	9	7	1	6	5	4	8	2
5	2	8	9	4	3	1	7	6
6	1	4	2	7	8	3	5	9

181

7	2	1	8	4	9	6	5	3
9	5	3	6	2	7	8	1	4
6	4	8	1	5	3	9	2	7
8	7	5	9	1	2	3	4	6
3	9	2	4	8	6	1	7	5
4	1	6	7	3	5	2	8	9
2	8	7	3	6	4	5	9	1
1	3	9	5	7	8	4	6	2
5	6	4	2	9	1	7	3	8

182

3	6	4	2	7	9	8	1	5
9	7	1	3	8	5	4	2	6
5	8	2	6	1	4	3	9	7
6	2	3	7	9	8	5	4	1
1	4	9	5	3	2	6	7	8
7	5	8	4	6	1	9	3	2
4	9	6	8	2	7	1	5	3
2	3	5	1	4	6	7	8	9
8	1	7	9	5	3	2	6	4

183

2	4	3	8	9	5	7	1	6
8	9	1	7	2	6	4	3	5
7	6	5	4	1	3	2	8	9
9	5	7	1	6	8	3	4	2
1	3	2	5	7	4	9	6	8
4	8	6	2	3	9	5	7	1
5	1	8	3	4	2	6	9	7
3	7	9	6	5	1	8	2	4
6	2	4	9	8	7	1	5	3

184

2	8	4	9	3	1	5	6	7
1	3	7	8	6	5	9	2	4
6	9	5	7	4	2	3	8	1
5	4	6	1	9	8	7	3	2
3	7	1	5	2	6	4	9	8
8	2	9	3	7	4	1	5	6
7	5	8	6	1	3	2	4	9
9	6	2	4	5	7	8	1	3
4	1	3	2	8	9	6	7	5

185

8	9	3	6	4	7	2	5	1
1	4	6	8	5	2	7	9	3
5	7	2	3	9	1	4	8	6
2	3	4	1	8	9	6	7	5
9	1	8	5	7	6	3	2	4
7	6	5	4	2	3	9	1	8
3	2	1	7	6	5	8	4	9
6	8	9	2	1	4	5	3	7
4	5	7	9	3	8	1	6	2

186

9	6	7	2	5	1	4	8	3
8	4	5	6	7	3	2	1	9
1	2	3	4	9	8	7	5	6
4	5	9	8	2	7	6	3	1
6	8	1	3	4	5	9	7	2
7	3	2	1	6	9	5	4	8
2	1	6	7	3	4	8	9	5
5	7	8	9	1	2	3	6	4
3	9	4	5	8	6	1	2	7

187

3	2	5	9	6	8	4	1	7
4	7	1	2	5	3	8	6	9
6	9	8	7	1	4	2	5	3
7	5	4	8	3	9	1	2	6
8	1	2	6	4	7	9	3	5
9	6	3	1	2	5	7	4	8
5	8	6	4	9	1	3	7	2
2	4	9	3	7	6	5	8	1
1	3	7	5	8	2	6	9	4

188

1	3	7	8	2	6	9	4	5
8	6	4	1	5	9	3	7	2
9	2	5	3	7	4	6	8	1
4	1	2	9	8	7	5	6	3
3	9	8	5	6	1	7	2	4
5	7	6	4	3	2	1	9	8
2	5	1	7	9	8	4	3	6
6	4	9	2	1	3	8	5	7
7	8	3	6	4	5	2	1	9

189

2	1	7	6	4	8	9	3	5
6	5	3	9	7	2	8	1	4
8	4	9	1	3	5	6	7	2
3	2	5	8	6	4	7	9	1
4	6	1	3	9	7	2	5	8
7	9	8	2	5	1	4	6	3
1	7	4	5	8	9	3	2	6
5	8	6	7	2	3	1	4	9
9	3	2	4	1	6	5	8	7

190

9	5	8	2	1	4	3	6	7
7	4	6	8	5	3	9	1	2
3	1	2	6	7	9	5	8	4
4	6	9	3	8	5	2	7	1
8	2	3	7	4	1	6	9	5
5	7	1	9	6	2	8	4	3
6	9	4	5	3	7	1	2	8
1	8	5	4	2	6	7	3	9
2	3	7	1	9	8	4	5	6

191

2	3	5	9	7	8	6	4	1
9	6	4	1	2	5	7	8	3
8	7	1	6	4	3	9	5	2
1	9	2	5	3	6	4	7	8
5	8	3	4	9	7	2	1	6
6	4	7	2	8	1	5	3	9
3	2	9	8	5	4	1	6	7
4	1	8	7	6	9	3	2	5
7	5	6	3	1	2	8	9	4

192

6	2	4	9	1	7	5	3	8
5	7	3	6	8	4	1	9	2
9	1	8	2	3	5	7	6	4
1	8	5	4	6	9	3	2	7
2	9	6	3	7	1	4	8	5
3	4	7	5	2	8	6	1	9
4	5	1	8	9	6	2	7	3
7	3	9	1	5	2	8	4	6
8	6	2	7	4	3	9	5	1

193

6	1	5	2	3	7	8	9	4
8	4	2	1	9	6	5	7	3
9	7	3	8	5	4	2	6	1
3	8	1	7	2	5	9	4	6
4	6	9	3	8	1	7	2	5
2	5	7	6	4	9	1	3	8
1	3	4	9	7	8	6	5	2
5	9	8	4	6	2	3	1	7
7	2	6	5	1	3	4	8	9

194

3	8	2	6	7	1	5	4	9
6	9	5	2	4	8	1	7	3
7	4	1	5	3	9	6	2	8
8	7	3	9	6	2	4	5	1
1	2	6	3	5	4	8	9	7
4	5	9	8	1	7	2	3	6
9	6	4	7	8	5	3	1	2
5	3	7	1	2	6	9	8	4
2	1	8	4	9	3	7	6	5

195

6	2	1	3	7	8	5	9	4
9	7	5	1	6	4	3	2	8
4	3	8	2	9	5	1	7	6
3	9	7	6	4	1	2	8	5
5	8	4	7	2	3	9	6	1
1	6	2	5	8	9	7	4	3
2	4	3	8	1	7	6	5	9
8	1	6	9	5	2	4	3	7
7	5	9	4	3	6	8	1	2

196

8	2	6	1	3	4	7	5	9
3	5	7	9	2	8	1	4	6
1	9	4	6	5	7	3	8	2
5	8	9	4	1	2	6	3	7
6	3	1	7	9	5	8	2	4
4	7	2	8	6	3	5	9	1
9	1	3	5	4	6	2	7	8
2	6	8	3	7	9	4	1	5
7	4	5	2	8	1	9	6	3

197

5	9	6	7	3	2	8	1	4
7	2	4	9	8	1	6	5	3
1	3	8	5	4	6	2	9	7
9	1	7	6	2	5	3	4	8
8	6	5	4	1	3	9	7	2
3	4	2	8	7	9	5	6	1
2	8	9	1	6	7	4	3	5
4	5	1	3	9	8	7	2	6
6	7	3	2	5	4	1	8	9

198

7	1	5	3	6	2	4	8	9
3	2	9	8	7	4	5	1	6
6	4	8	9	5	1	3	2	7
4	7	6	5	3	8	1	9	2
2	8	1	6	4	9	7	3	5
9	5	3	2	1	7	8	6	4
8	3	4	7	9	6	2	5	1
5	6	7	1	2	3	9	4	8
1	9	2	4	8	5	6	7	3

199

7	5	2	3	9	1	4	8	6
8	3	9	5	6	4	7	2	1
6	1	4	7	8	2	3	9	5
4	2	7	9	5	6	8	1	3
1	8	5	2	4	3	9	6	7
3	9	6	8	1	7	2	5	4
9	6	8	4	7	5	1	3	2
2	7	1	6	3	8	5	4	9
5	4	3	1	2	9	6	7	8

200

3	9	8	4	6	1	5	7	2
2	5	1	9	3	7	6	8	4
4	7	6	5	2	8	9	3	1
7	3	9	1	8	4	2	6	5
8	6	5	3	9	2	4	1	7
1	2	4	6	7	5	3	9	8
9	8	2	7	4	3	1	5	6
6	1	7	2	5	9	8	4	3
5	4	3	8	1	6	7	2	9

201

6	2	8	5	7	3	1	9	4
9	1	7	2	8	4	6	5	3
3	5	4	9	6	1	2	8	7
4	6	5	8	2	9	7	3	1
2	7	3	4	1	5	9	6	8
1	8	9	7	3	6	5	4	2
8	4	2	6	9	7	3	1	5
5	9	1	3	4	2	8	7	6
7	3	6	1	5	8	4	2	9

202

1	2	8	5	6	9	7	3	4
4	5	9	8	3	7	6	2	1
3	7	6	2	4	1	8	5	9
6	3	7	1	8	4	2	9	5
2	8	4	9	7	5	3	1	6
5	9	1	6	2	3	4	7	8
7	1	3	4	5	8	9	6	2
8	6	5	3	9	2	1	4	7
9	4	2	7	1	6	5	8	3

203

2	7	9	8	5	6	1	3	4
6	5	4	1	2	3	9	7	8
1	3	8	4	7	9	5	2	6
8	4	1	3	9	2	6	5	7
9	6	5	7	1	8	3	4	2
3	2	7	5	6	4	8	1	9
4	9	3	2	8	1	7	6	5
5	1	6	9	4	7	2	8	3
7	8	2	6	3	5	4	9	1

204

5	7	8	3	4	1	2	9	6
3	6	2	5	7	9	1	8	4
9	1	4	2	6	8	5	3	7
6	8	7	4	5	3	9	1	2
2	5	1	8	9	6	4	7	3
4	9	3	1	2	7	8	6	5
8	4	9	6	3	2	7	5	1
1	2	6	7	8	5	3	4	9
7	3	5	9	1	4	6	2	8

205

3	4	7	1	2	8	5	6	9
5	2	1	6	3	9	4	8	7
9	6	8	4	5	7	3	1	2
4	5	2	3	1	6	9	7	8
6	1	9	8	7	5	2	3	4
8	7	3	2	9	4	1	5	6
2	3	6	9	8	1	7	4	5
7	9	4	5	6	3	8	2	1
1	8	5	7	4	2	6	9	3

206

3	1	9	2	6	5	4	8	7
2	6	8	7	9	4	3	1	5
4	5	7	1	3	8	9	6	2
9	3	5	6	8	7	2	4	1
8	2	4	9	1	3	7	5	6
1	7	6	4	5	2	8	9	3
6	8	2	5	7	9	1	3	4
5	4	3	8	2	1	6	7	9
7	9	1	3	4	6	5	2	8

207

7	6	4	9	8	3	2	5	1
2	9	5	7	6	1	3	4	8
1	8	3	2	4	5	9	6	7
8	5	7	1	3	6	4	2	9
9	4	2	5	7	8	1	3	6
6	3	1	4	9	2	8	7	5
4	2	9	8	5	7	6	1	3
5	1	6	3	2	9	7	8	4
3	7	8	6	1	4	5	9	2

208

2	4	6	3	8	5	1	7	9
8	5	3	1	9	7	2	6	4
7	1	9	2	6	4	3	8	5
9	8	4	7	5	3	6	2	1
6	7	2	4	1	9	8	5	3
1	3	5	6	2	8	4	9	7
4	9	8	5	3	2	7	1	6
3	2	1	9	7	6	5	4	8
5	6	7	8	4	1	9	3	2

209

2	4	3	5	7	6	8	9	1
8	1	5	2	3	9	4	7	6
6	9	7	4	1	8	2	3	5
7	3	6	1	5	4	9	2	8
5	2	4	9	8	3	6	1	7
9	8	1	6	2	7	5	4	3
4	7	9	3	6	5	1	8	2
3	5	2	8	9	1	7	6	4
1	6	8	7	4	2	3	5	9

210

4	2	5	9	1	7	3	6	8
6	8	1	2	3	5	4	7	9
7	9	3	4	8	6	5	2	1
5	6	8	7	4	3	1	9	2
1	4	9	5	6	2	8	3	7
3	7	2	8	9	1	6	4	5
9	3	4	1	7	8	2	5	6
8	5	6	3	2	9	7	1	4
2	1	7	6	5	4	9	8	3

211

2	4	1	5	7	9	3	6	8
6	7	5	1	3	8	2	4	9
8	3	9	6	2	4	7	5	1
4	2	8	3	5	7	1	9	6
9	6	7	8	1	2	4	3	5
1	5	3	4	9	6	8	7	2
3	8	6	2	4	5	9	1	7
5	9	4	7	8	1	6	2	3
7	1	2	9	6	3	5	8	4

212

9	8	2	1	6	3	4	7	5
3	6	4	7	9	5	8	1	2
7	5	1	8	2	4	3	9	6
8	3	9	6	4	1	5	2	7
5	2	7	3	8	9	6	4	1
4	1	6	2	5	7	9	3	8
2	4	5	9	1	8	7	6	3
6	7	8	4	3	2	1	5	9
1	9	3	5	7	6	2	8	4

213

5	1	7	4	2	3	6	9	8
4	2	8	6	7	9	1	5	3
3	6	9	5	8	1	2	4	7
1	7	4	9	5	6	3	8	2
8	3	2	7	1	4	9	6	5
9	5	6	8	3	2	7	1	4
2	9	3	1	4	5	8	7	6
7	4	1	2	6	8	5	3	9
6	8	5	3	9	7	4	2	1

214

5	2	9	6	8	4	3	1	7
4	6	8	3	7	1	9	2	5
7	3	1	5	2	9	8	4	6
8	4	6	9	5	3	2	7	1
2	7	3	1	4	8	5	6	9
1	9	5	2	6	7	4	3	8
3	5	2	7	9	6	1	8	4
6	1	4	8	3	5	7	9	2
9	8	7	4	1	2	6	5	3

215

8	4	9	5	6	3	7	2	1
5	1	3	4	7	2	8	9	6
2	6	7	8	1	9	4	5	3
9	3	2	1	5	7	6	4	8
1	8	5	2	4	6	3	7	9
6	7	4	9	3	8	2	1	5
7	2	8	3	9	1	5	6	4
4	9	6	7	8	5	1	3	2
3	5	1	6	2	4	9	8	7

216

3	9	2	7	8	6	5	4	1
6	1	5	2	3	4	8	7	9
4	8	7	1	5	9	2	6	3
1	6	8	4	7	2	3	9	5
5	4	3	8	9	1	6	2	7
7	2	9	5	6	3	4	1	8
2	7	4	3	1	8	9	5	6
8	5	6	9	2	7	1	3	4
9	3	1	6	4	5	7	8	2

217

8	9	2	1	5	3	6	4	7
1	3	6	7	2	4	5	8	9
5	4	7	9	6	8	3	2	1
2	8	4	6	9	1	7	3	5
7	5	9	4	3	2	1	6	8
6	1	3	8	7	5	4	9	2
9	6	1	2	4	7	8	5	3
3	2	8	5	1	6	9	7	4
4	7	5	3	8	9	2	1	6

218

5	7	4	9	3	2	6	1	8
8	2	3	1	4	6	7	9	5
6	9	1	7	5	8	4	2	3
4	6	5	8	2	3	9	7	1
9	3	7	4	6	1	5	8	2
1	8	2	5	7	9	3	6	4
7	4	6	2	1	5	8	3	9
3	1	8	6	9	4	2	5	7
2	5	9	3	8	7	1	4	6

219

8	5	6	3	9	2	4	1	7
7	2	4	6	5	1	8	3	9
9	1	3	7	8	4	5	6	2
5	6	9	8	1	3	7	2	4
3	7	1	2	4	9	6	5	8
2	4	8	5	6	7	1	9	3
6	3	5	4	2	8	9	7	1
1	8	2	9	7	6	3	4	5
4	9	7	1	3	5	2	8	6

220

8	9	5	2	3	1	7	6	4
1	4	7	5	8	6	3	2	9
6	3	2	7	9	4	5	8	1
3	6	4	1	7	5	8	9	2
5	1	8	9	4	2	6	7	3
2	7	9	3	6	8	1	4	5
7	5	3	8	2	9	4	1	6
9	8	6	4	1	3	2	5	7
4	2	1	6	5	7	9	3	8

221

2	8	4	6	3	9	5	7	1
7	3	5	4	8	1	2	9	6
1	6	9	7	2	5	8	3	4
8	2	3	5	1	7	6	4	9
4	7	6	8	9	2	1	5	3
5	9	1	3	6	4	7	8	2
3	4	7	2	5	6	9	1	8
6	1	8	9	7	3	4	2	5
9	5	2	1	4	8	3	6	7

222

1	6	3	2	9	5	8	4	7
8	7	5	3	4	1	9	2	6
4	2	9	6	8	7	1	5	3
2	8	7	4	6	9	5	3	1
5	9	6	8	1	3	4	7	2
3	4	1	7	5	2	6	8	9
7	5	4	1	2	6	3	9	8
9	1	2	5	3	8	7	6	4
6	3	8	9	7	4	2	1	5

223

2	6	9	8	3	5	4	1	7
5	8	4	9	1	7	3	2	6
3	1	7	2	4	6	5	9	8
9	2	3	5	7	8	1	6	4
8	7	5	4	6	1	2	3	9
1	4	6	3	9	2	8	7	5
4	9	1	6	8	3	7	5	2
7	5	8	1	2	9	6	4	3
6	3	2	7	5	4	9	8	1

224

7	4	5	6	9	3	2	8	1
9	6	8	5	1	2	4	7	3
3	2	1	8	7	4	9	6	5
6	8	3	2	5	9	7	1	4
1	9	2	7	4	6	3	5	8
5	7	4	3	8	1	6	2	9
8	3	7	9	2	5	1	4	6
2	1	9	4	6	8	5	3	7
4	5	6	1	3	7	8	9	2

225

8	2	1	9	7	5	3	4	6
3	7	4	8	1	6	9	2	5
9	6	5	4	3	2	8	7	1
7	8	6	2	9	3	1	5	4
5	4	9	7	6	1	2	3	8
1	3	2	5	8	4	7	6	9
6	9	8	3	4	7	5	1	2
2	1	7	6	5	9	4	8	3
4	5	3	1	2	8	6	9	7

226

9	3	8	7	5	1	4	6	2
5	1	2	6	9	4	3	8	7
7	6	4	2	8	3	9	1	5
6	2	7	5	1	9	8	3	4
1	5	3	8	4	6	7	2	9
4	8	9	3	2	7	1	5	6
3	9	6	1	7	2	5	4	8
8	4	1	9	6	5	2	7	3
2	7	5	4	3	8	6	9	1

227

6	2	1	4	9	3	8	7	5
5	8	4	2	6	7	1	3	9
9	3	7	5	1	8	4	6	2
3	9	8	7	4	6	5	2	1
2	1	5	3	8	9	7	4	6
4	7	6	1	5	2	9	8	3
8	6	2	9	7	5	3	1	4
7	4	9	6	3	1	2	5	8
1	5	3	8	2	4	6	9	7

228

9	8	4	5	6	7	2	1	3
3	1	6	9	4	2	5	8	7
5	7	2	1	3	8	6	4	9
4	5	7	8	2	9	3	6	1
1	3	8	4	7	6	9	2	5
6	2	9	3	5	1	8	7	4
8	4	3	6	1	5	7	9	2
7	9	1	2	8	3	4	5	6
2	6	5	7	9	4	1	3	8

229

2	1	6	4	3	9	5	7	8
8	5	7	1	2	6	3	9	4
9	3	4	5	8	7	1	2	6
3	4	5	6	1	2	9	8	7
7	9	1	3	4	8	6	5	2
6	2	8	7	9	5	4	3	1
4	6	9	2	7	3	8	1	5
5	7	3	8	6	1	2	4	9
1	8	2	9	5	4	7	6	3

230

8	2	7	5	4	9	3	1	6
9	1	4	7	6	3	5	8	2
3	6	5	1	2	8	9	4	7
7	5	9	3	1	2	4	6	8
4	3	1	9	8	6	2	7	5
2	8	6	4	5	7	1	9	3
5	7	3	8	9	4	6	2	1
6	9	8	2	3	1	7	5	4
1	4	2	6	7	5	8	3	9

231

6	2	3	9	7	5	1	8	4
8	7	9	2	1	4	5	6	3
5	1	4	6	3	8	7	2	9
4	6	5	7	2	9	3	1	8
1	9	8	3	4	6	2	5	7
7	3	2	5	8	1	4	9	6
3	5	6	4	9	2	8	7	1
9	8	7	1	5	3	6	4	2
2	4	1	8	6	7	9	3	5

232

5	1	7	3	4	9	2	6	8
6	4	3	7	8	2	1	9	5
9	8	2	5	1	6	4	7	3
2	6	1	8	3	7	9	5	4
8	9	5	2	6	4	7	3	1
3	7	4	9	5	1	6	8	2
7	3	9	1	2	8	5	4	6
4	2	8	6	7	5	3	1	9
1	5	6	4	9	3	8	2	7

233

5	4	7	9	3	8	6	1	2
3	8	6	4	1	2	7	9	5
1	9	2	5	7	6	3	4	8
8	1	3	2	6	9	4	5	7
4	2	9	7	8	5	1	6	3
7	6	5	1	4	3	8	2	9
6	5	8	3	2	4	9	7	1
9	7	4	8	5	1	2	3	6
2	3	1	6	9	7	5	8	4

234

6	2	7	4	9	5	1	3	8
4	8	9	1	3	2	6	7	5
1	3	5	7	8	6	4	9	2
3	4	8	5	7	1	9	2	6
2	5	6	9	4	8	3	1	7
9	7	1	2	6	3	8	5	4
8	6	2	3	1	7	5	4	9
7	1	4	6	5	9	2	8	3
5	9	3	8	2	4	7	6	1

235

8	9	1	7	2	6	4	5	3
4	5	6	1	9	3	8	7	2
3	7	2	8	4	5	9	6	1
7	6	4	3	5	1	2	9	8
5	2	9	4	6	8	1	3	7
1	8	3	2	7	9	5	4	6
6	1	5	9	3	2	7	8	4
2	3	7	5	8	4	6	1	9
9	4	8	6	1	7	3	2	5

236

6	2	5	4	8	1	9	3	7
8	4	1	7	9	3	2	6	5
3	7	9	5	6	2	1	8	4
1	9	3	6	7	8	4	5	2
4	8	7	9	2	5	3	1	6
5	6	2	1	3	4	8	7	9
2	1	6	3	5	9	7	4	8
9	5	4	8	1	7	6	2	3
7	3	8	2	4	6	5	9	1

237

6	5	3	7	8	2	4	9	1
4	1	8	6	9	5	3	2	7
7	2	9	3	4	1	6	8	5
9	3	7	5	6	8	2	1	4
1	6	2	9	7	4	5	3	8
8	4	5	2	1	3	7	6	9
2	9	1	4	3	7	8	5	6
5	8	4	1	2	6	9	7	3
3	7	6	8	5	9	1	4	2

238

5	7	4	3	9	8	1	2	6
9	2	6	1	4	5	8	7	3
8	3	1	7	6	2	4	9	5
6	9	3	2	8	1	7	5	4
7	5	2	4	3	9	6	8	1
1	4	8	6	5	7	2	3	9
2	8	9	5	1	6	3	4	7
4	6	5	8	7	3	9	1	2
3	1	7	9	2	4	5	6	8

239

8	5	3	6	7	1	2	4	9
2	7	1	9	4	5	3	6	8
6	9	4	8	3	2	7	5	1
7	2	9	1	5	3	6	8	4
1	6	8	4	9	7	5	3	2
3	4	5	2	8	6	9	1	7
5	1	6	7	2	8	4	9	3
9	8	2	3	6	4	1	7	5
4	3	7	5	1	9	8	2	6

240

5	3	1	6	4	8	9	2	7
7	2	4	9	3	1	5	6	8
6	9	8	5	2	7	4	3	1
1	4	2	8	6	9	7	5	3
3	8	7	1	5	2	6	4	9
9	6	5	3	7	4	1	8	2
2	1	9	4	8	6	3	7	5
4	7	3	2	1	5	8	9	6
8	5	6	7	9	3	2	1	4

241

7	3	4	8	9	2	6	1	5
6	2	5	4	1	3	9	7	8
9	8	1	6	5	7	2	3	4
3	6	9	7	2	8	5	4	1
2	1	7	5	6	4	8	9	3
4	5	8	1	3	9	7	2	6
5	7	3	9	4	6	1	8	2
1	9	2	3	8	5	4	6	7
8	4	6	2	7	1	3	5	9

242

5	1	9	3	6	2	7	8	4
6	7	2	9	4	8	1	5	3
4	8	3	7	1	5	2	9	6
7	4	6	5	2	3	8	1	9
2	9	5	4	8	1	6	3	7
1	3	8	6	9	7	4	2	5
3	6	1	2	5	4	9	7	8
8	5	4	1	7	9	3	6	2
9	2	7	8	3	6	5	4	1

243

4	2	8	9	6	3	1	5	7
5	1	6	2	4	7	8	9	3
7	3	9	1	5	8	4	2	6
8	5	7	3	2	1	9	6	4
2	4	1	6	9	5	3	7	8
9	6	3	7	8	4	5	1	2
1	8	5	4	7	2	6	3	9
6	7	4	5	3	9	2	8	1
3	9	2	8	1	6	7	4	5

244

1	9	8	5	7	4	2	3	6
6	5	3	1	8	2	7	4	9
7	4	2	9	6	3	5	8	1
9	6	7	2	5	8	4	1	3
8	3	1	6	4	7	9	2	5
5	2	4	3	9	1	6	7	8
4	1	9	8	2	6	3	5	7
2	8	6	7	3	5	1	9	4
3	7	5	4	1	9	8	6	2

245

1	2	9	3	4	7	6	5	8
3	5	7	2	8	6	9	4	1
4	6	8	1	9	5	3	7	2
8	3	2	4	7	9	5	1	6
6	9	4	8	5	1	2	3	7
7	1	5	6	2	3	4	8	9
2	7	3	9	1	4	8	6	5
5	8	6	7	3	2	1	9	4
9	4	1	5	6	8	7	2	3

246

3	1	2	9	5	7	6	8	4
7	9	4	6	3	8	5	1	2
8	6	5	2	4	1	9	7	3
9	5	6	8	2	4	7	3	1
2	4	7	3	1	9	8	5	6
1	8	3	7	6	5	2	4	9
4	3	9	5	8	2	1	6	7
6	7	8	1	9	3	4	2	5
5	2	1	4	7	6	3	9	8

247

4	5	8	7	3	6	2	1	9
9	2	7	4	5	1	8	3	6
6	1	3	9	2	8	5	4	7
8	3	9	2	6	4	1	7	5
1	7	2	3	8	5	9	6	4
5	6	4	1	7	9	3	8	2
3	4	1	5	9	7	6	2	8
2	9	6	8	4	3	7	5	1
7	8	5	6	1	2	4	9	3

248

7	5	6	1	8	2	9	3	4
1	2	8	3	4	9	6	7	5
3	4	9	5	7	6	2	1	8
5	8	3	2	6	7	4	9	1
2	6	7	4	9	1	5	8	3
9	1	4	8	5	3	7	2	6
8	9	5	7	1	4	3	6	2
4	7	2	6	3	8	1	5	9
6	3	1	9	2	5	8	4	7

249

3	1	5	8	9	2	6	4	7
9	7	6	5	1	4	8	2	3
4	2	8	7	6	3	1	5	9
8	4	7	6	3	5	9	1	2
5	9	1	4	2	8	3	7	6
6	3	2	1	7	9	4	8	5
1	5	9	3	4	7	2	6	8
2	8	4	9	5	6	7	3	1
7	6	3	2	8	1	5	9	4

250

5	1	3	4	8	7	9	2	6
2	7	9	3	5	6	1	8	4
6	4	8	2	9	1	5	7	3
4	3	7	5	2	9	6	1	8
9	8	6	7	1	3	4	5	2
1	2	5	8	6	4	7	3	9
8	9	2	6	7	5	3	4	1
3	5	1	9	4	8	2	6	7
7	6	4	1	3	2	8	9	5

251

5	6	2	1	9	8	4	3	7
1	3	8	4	5	7	9	2	6
4	9	7	6	2	3	1	8	5
6	4	5	7	8	2	3	9	1
2	7	9	5	3	1	6	4	8
3	8	1	9	4	6	5	7	2
8	5	6	3	7	4	2	1	9
7	1	3	2	6	9	8	5	4
9	2	4	8	1	5	7	6	3

252

5	9	2	6	1	8	3	4	7
6	3	1	7	2	4	5	9	8
7	4	8	3	5	9	2	6	1
2	5	7	8	4	1	6	3	9
4	6	9	2	3	7	8	1	5
1	8	3	9	6	5	4	7	2
3	7	6	5	9	2	1	8	4
8	1	5	4	7	6	9	2	3
9	2	4	1	8	3	7	5	6

253

3	9	4	7	1	6	5	8	2
7	1	8	5	2	3	9	4	6
5	6	2	9	4	8	3	7	1
2	7	3	4	9	5	6	1	8
6	4	5	2	8	1	7	9	3
9	8	1	3	6	7	2	5	4
8	3	7	6	5	4	1	2	9
1	2	6	8	7	9	4	3	5
4	5	9	1	3	2	8	6	7

254

4	2	7	6	9	5	3	1	8
6	9	1	3	8	2	7	4	5
3	8	5	7	1	4	6	2	9
5	6	8	9	2	7	1	3	4
1	3	4	5	6	8	2	9	7
9	7	2	1	4	3	5	8	6
2	4	3	8	7	6	9	5	1
7	5	9	4	3	1	8	6	2
8	1	6	2	5	9	4	7	3

255

9	1	2	6	3	4	8	5	7
6	3	4	5	7	8	1	2	9
5	8	7	1	2	9	4	6	3
7	2	6	8	1	3	5	9	4
1	5	9	4	6	2	7	3	8
8	4	3	7	9	5	6	1	2
3	6	8	2	4	1	9	7	5
2	7	5	9	8	6	3	4	1
4	9	1	3	5	7	2	8	6

256

1	8	4	3	5	2	9	7	6
5	7	6	8	1	9	2	4	3
3	2	9	7	4	6	5	8	1
8	9	7	2	3	1	6	5	4
2	3	1	5	6	4	8	9	7
4	6	5	9	7	8	3	1	2
7	4	8	6	9	3	1	2	5
9	5	3	1	2	7	4	6	8
6	1	2	4	8	5	7	3	9

257

2	9	1	3	6	7	4	5	8
4	6	5	8	1	2	3	7	9
8	7	3	9	4	5	1	6	2
5	8	7	2	9	1	6	3	4
6	4	2	5	8	3	9	1	7
1	3	9	6	7	4	2	8	5
3	2	8	4	5	6	7	9	1
9	1	6	7	2	8	5	4	3
7	5	4	1	3	9	8	2	6

258

9	6	5	3	4	1	8	2	7
2	4	7	9	6	8	3	1	5
3	8	1	5	2	7	4	9	6
5	7	3	2	1	6	9	4	8
1	9	6	8	5	4	2	7	3
4	2	8	7	3	9	5	6	1
6	3	9	4	7	5	1	8	2
8	1	2	6	9	3	7	5	4
7	5	4	1	8	2	6	3	9

259

6	1	3	5	2	7	4	8	9
5	8	2	4	6	9	7	1	3
9	4	7	8	1	3	5	6	2
4	9	6	1	5	2	3	7	8
1	3	5	9	7	8	2	4	6
2	7	8	6	3	4	1	9	5
3	2	9	7	4	6	8	5	1
7	6	1	3	8	5	9	2	4
8	5	4	2	9	1	6	3	7

260

9	7	6	1	5	4	3	8	2
1	3	8	9	6	2	4	5	7
4	5	2	7	8	3	6	1	9
6	1	9	3	4	7	8	2	5
3	2	7	8	1	5	9	4	6
5	8	4	6	2	9	1	7	3
2	4	3	5	9	8	7	6	1
7	6	5	4	3	1	2	9	8
8	9	1	2	7	6	5	3	4

261

2	6	7	1	8	5	9	3	4
8	4	3	2	9	6	5	7	1
1	5	9	7	3	4	6	8	2
9	3	1	8	2	7	4	6	5
6	8	2	5	4	9	3	1	7
4	7	5	3	6	1	2	9	8
3	9	8	4	7	2	1	5	6
7	1	4	6	5	3	8	2	9
5	2	6	9	1	8	7	4	3

262

4	6	5	2	9	7	1	8	3
2	1	8	3	5	4	9	6	7
3	9	7	6	8	1	5	2	4
6	4	3	5	7	8	2	9	1
7	5	2	9	1	6	3	4	8
1	8	9	4	2	3	7	5	6
9	3	1	8	4	5	6	7	2
8	2	6	7	3	9	4	1	5
5	7	4	1	6	2	8	3	9

263

9	6	7	4	8	1	3	2	5
4	5	8	2	6	3	7	9	1
1	3	2	5	9	7	4	8	6
3	8	5	6	1	9	2	7	4
2	7	1	8	3	4	5	6	9
6	9	4	7	2	5	1	3	8
8	2	3	1	5	6	9	4	7
5	4	9	3	7	8	6	1	2
7	1	6	9	4	2	8	5	3

264

6	4	7	8	9	1	3	5	2
5	2	9	3	6	4	7	8	1
8	3	1	2	5	7	4	9	6
1	7	3	4	2	5	8	6	9
4	5	6	9	1	8	2	3	7
2	9	8	7	3	6	1	4	5
3	1	2	5	8	9	6	7	4
7	6	5	1	4	3	9	2	8
9	8	4	6	7	2	5	1	3

265

6	7	5	8	1	3	4	2	9
8	3	1	2	9	4	6	5	7
2	4	9	5	6	7	3	1	8
5	6	7	9	3	1	8	4	2
3	9	8	6	4	2	5	7	1
1	2	4	7	8	5	9	3	6
9	1	2	3	5	6	7	8	4
4	8	3	1	7	9	2	6	5
7	5	6	4	2	8	1	9	3

266

1	4	9	6	3	2	7	8	5
2	8	7	4	9	5	3	6	1
5	3	6	7	8	1	2	4	9
9	7	5	8	1	6	4	3	2
3	6	8	5	2	4	9	1	7
4	2	1	9	7	3	6	5	8
6	1	2	3	5	9	8	7	4
7	5	4	2	6	8	1	9	3
8	9	3	1	4	7	5	2	6

267

7	8	9	1	5	4	6	3	2
4	5	1	3	6	2	8	9	7
2	6	3	8	7	9	4	5	1
6	9	4	7	8	1	5	2	3
3	1	8	2	4	5	7	6	9
5	7	2	9	3	6	1	4	8
9	2	6	4	1	8	3	7	5
1	4	7	5	9	3	2	8	6
8	3	5	6	2	7	9	1	4

268

3	1	6	2	8	9	7	5	4
7	2	9	5	4	3	6	8	1
4	8	5	6	7	1	9	2	3
1	5	7	4	6	8	2	3	9
8	6	2	3	9	5	1	4	7
9	3	4	7	1	2	5	6	8
6	9	1	8	2	4	3	7	5
2	4	3	9	5	7	8	1	6
5	7	8	1	3	6	4	9	2

269

9	8	4	5	3	7	6	2	1
5	1	7	2	9	6	3	4	8
6	2	3	8	4	1	9	7	5
1	3	6	4	7	9	5	8	2
8	9	2	3	1	5	4	6	7
4	7	5	6	2	8	1	9	3
3	6	9	1	8	2	7	5	4
2	5	1	7	6	4	8	3	9
7	4	8	9	5	3	2	1	6

270

4	9	7	6	8	2	5	1	3
3	2	6	7	1	5	9	4	8
1	8	5	4	3	9	6	2	7
5	3	4	9	2	8	1	7	6
9	7	1	3	4	6	8	5	2
2	6	8	1	5	7	4	3	9
6	4	2	8	7	1	3	9	5
7	1	9	5	6	3	2	8	4
8	5	3	2	9	4	7	6	1

271

2	6	1	7	4	5	8	9	3
9	5	8	2	3	1	4	6	7
4	3	7	6	9	8	2	5	1
8	7	6	4	2	3	9	1	5
5	4	3	9	1	7	6	8	2
1	9	2	8	5	6	7	3	4
3	8	4	1	7	9	5	2	6
7	1	9	5	6	2	3	4	8
6	2	5	3	8	4	1	7	9

272

8	1	5	6	9	3	7	4	2
6	2	4	5	7	1	8	9	3
7	9	3	8	4	2	5	1	6
9	4	1	2	3	8	6	5	7
3	7	2	9	5	6	1	8	4
5	8	6	4	1	7	2	3	9
2	5	7	3	8	9	4	6	1
1	3	8	7	6	4	9	2	5
4	6	9	1	2	5	3	7	8

273

3	1	9	2	5	4	8	6	7
4	5	7	8	6	9	2	1	3
8	2	6	7	1	3	5	9	4
1	4	8	6	3	5	7	2	9
9	7	5	1	8	2	4	3	6
2	6	3	9	4	7	1	8	5
6	9	4	5	2	1	3	7	8
7	3	2	4	9	8	6	5	1
5	8	1	3	7	6	9	4	2

274

3	1	5	9	7	4	2	6	8
4	6	8	1	3	2	9	5	7
9	2	7	6	5	8	1	3	4
6	5	4	7	8	9	3	1	2
7	3	2	5	4	1	6	8	9
1	8	9	3	2	6	4	7	5
5	4	1	8	9	3	7	2	6
8	9	3	2	6	7	5	4	1
2	7	6	4	1	5	8	9	3

275

2	8	9	1	4	5	6	7	3
6	3	1	8	9	7	2	4	5
7	5	4	2	3	6	8	1	9
1	7	6	4	5	9	3	2	8
3	4	8	6	2	1	5	9	7
5	9	2	3	7	8	1	6	4
4	6	3	9	8	2	7	5	1
9	1	7	5	6	3	4	8	2
8	2	5	7	1	4	9	3	6

276

3	5	7	2	8	6	1	9	4
4	6	9	1	3	5	2	7	8
8	1	2	7	4	9	3	5	6
9	3	1	6	2	4	5	8	7
5	2	4	3	7	8	6	1	9
6	7	8	5	9	1	4	2	3
2	8	6	4	1	7	9	3	5
7	4	3	9	5	2	8	6	1
1	9	5	8	6	3	7	4	2

277

2	5	8	6	3	9	4	1	7
1	4	7	5	8	2	6	3	9
9	6	3	1	4	7	8	2	5
7	9	2	4	6	8	3	5	1
8	1	5	9	7	3	2	4	6
6	3	4	2	1	5	7	9	8
4	7	6	3	9	1	5	8	2
3	2	1	8	5	6	9	7	4
5	8	9	7	2	4	1	6	3

278

5	8	9	3	1	7	4	6	2
4	3	1	2	6	8	5	9	7
7	6	2	4	5	9	1	3	8
8	2	4	7	3	1	6	5	9
1	7	3	5	9	6	2	8	4
6	9	5	8	2	4	7	1	3
3	1	7	6	8	2	9	4	5
9	4	8	1	7	5	3	2	6
2	5	6	9	4	3	8	7	1

279

7	3	9	6	4	1	5	8	2
1	2	4	5	7	8	9	6	3
8	6	5	9	3	2	7	1	4
3	8	6	1	2	9	4	7	5
2	9	7	4	5	6	1	3	8
5	4	1	3	8	7	2	9	6
9	7	8	2	6	5	3	4	1
4	1	2	8	9	3	6	5	7
6	5	3	7	1	4	8	2	9

280

9	6	5	3	7	2	4	8	1
3	7	2	8	1	4	9	6	5
4	8	1	5	6	9	2	7	3
6	1	7	2	3	8	5	9	4
8	2	9	7	4	5	3	1	6
5	4	3	1	9	6	7	2	8
7	3	4	6	2	1	8	5	9
1	9	8	4	5	7	6	3	2
2	5	6	9	8	3	1	4	7

281

6	5	7	9	2	3	8	4	1
3	9	2	1	8	4	7	5	6
1	4	8	7	6	5	3	9	2
4	3	5	8	1	9	2	6	7
9	8	6	5	7	2	4	1	3
7	2	1	4	3	6	5	8	9
8	7	4	3	9	1	6	2	5
2	1	3	6	5	8	9	7	4
5	6	9	2	4	7	1	3	8

282

1	9	6	5	7	3	8	4	2
7	2	5	9	8	4	1	6	3
8	3	4	6	1	2	9	7	5
4	6	9	7	3	8	5	2	1
2	5	1	4	9	6	3	8	7
3	7	8	2	5	1	4	9	6
5	4	3	8	6	7	2	1	9
6	1	2	3	4	9	7	5	8
9	8	7	1	2	5	6	3	4

283

1	9	3	7	5	6	2	8	4
7	5	8	1	2	4	6	9	3
4	2	6	9	8	3	1	7	5
5	8	2	6	3	9	4	1	7
3	1	7	2	4	8	5	6	9
6	4	9	5	1	7	3	2	8
9	6	4	3	7	2	8	5	1
8	7	1	4	6	5	9	3	2
2	3	5	8	9	1	7	4	6

284

4	2	5	6	7	1	3	9	8
1	3	7	9	2	8	6	5	4
8	6	9	3	5	4	7	2	1
6	7	4	1	9	5	2	8	3
2	8	1	4	6	3	5	7	9
9	5	3	7	8	2	4	1	6
3	4	2	5	1	9	8	6	7
5	1	6	8	3	7	9	4	2
7	9	8	2	4	6	1	3	5

285

2	3	8	4	7	6	5	9	1
6	7	5	1	9	3	8	4	2
9	4	1	5	8	2	3	6	7
3	1	9	8	6	4	2	7	5
7	5	6	3	2	1	9	8	4
4	8	2	7	5	9	1	3	6
5	6	3	9	1	7	4	2	8
1	9	7	2	4	8	6	5	3
8	2	4	6	3	5	7	1	9

286

6	5	1	4	3	9	2	7	8
9	7	8	5	1	2	3	6	4
3	2	4	8	7	6	1	5	9
5	8	3	1	2	7	4	9	6
7	1	2	9	6	4	5	8	3
4	6	9	3	5	8	7	1	2
8	3	6	7	4	1	9	2	5
1	9	5	2	8	3	6	4	7
2	4	7	6	9	5	8	3	1

287

5	1	6	3	4	2	9	7	8
4	8	2	6	7	9	1	5	3
9	3	7	8	1	5	2	6	4
6	4	8	2	5	7	3	1	9
1	7	9	4	6	3	5	8	2
2	5	3	1	9	8	6	4	7
7	2	4	5	3	6	8	9	1
8	6	1	9	2	4	7	3	5
3	9	5	7	8	1	4	2	6

288

2	5	9	7	6	1	4	3	8
6	8	1	2	3	4	9	5	7
3	4	7	9	5	8	6	1	2
9	3	5	4	8	2	7	6	1
4	7	6	5	1	9	8	2	3
8	1	2	6	7	3	5	4	9
7	9	4	1	2	5	3	8	6
1	6	3	8	4	7	2	9	5
5	2	8	3	9	6	1	7	4

289

7	1	6	4	8	5	2	9	3
8	9	3	6	1	2	7	4	5
4	5	2	9	7	3	1	6	8
3	6	7	2	9	4	5	8	1
1	2	4	5	6	8	9	3	7
5	8	9	1	3	7	4	2	6
6	7	1	8	4	9	3	5	2
2	4	8	3	5	1	6	7	9
9	3	5	7	2	6	8	1	4

290

3	7	2	4	8	9	6	5	1
1	8	6	2	7	5	3	9	4
4	9	5	1	3	6	7	8	2
6	2	7	3	5	4	8	1	9
9	4	8	6	2	1	5	7	3
5	1	3	8	9	7	2	4	6
8	3	4	7	1	2	9	6	5
2	6	9	5	4	8	1	3	7
7	5	1	9	6	3	4	2	8

291

2	6	5	8	9	1	4	3	7
4	7	8	2	5	3	1	9	6
3	9	1	6	7	4	5	8	2
9	8	2	3	6	5	7	4	1
7	1	6	4	2	8	3	5	9
5	3	4	9	1	7	6	2	8
6	5	3	1	8	2	9	7	4
1	2	7	5	4	9	8	6	3
8	4	9	7	3	6	2	1	5

292

7	3	8	9	1	6	4	5	2
1	4	6	2	7	5	9	3	8
9	2	5	8	4	3	7	1	6
6	1	9	7	2	8	5	4	3
2	8	7	5	3	4	1	6	9
3	5	4	1	6	9	8	2	7
8	9	1	3	5	2	6	7	4
5	6	2	4	9	7	3	8	1
4	7	3	6	8	1	2	9	5

293

6	8	9	3	4	7	5	2	1
3	5	2	8	9	1	6	4	7
1	7	4	2	6	5	3	8	9
9	4	1	5	7	3	8	6	2
8	6	7	9	2	4	1	3	5
2	3	5	6	1	8	7	9	4
7	9	6	1	8	2	4	5	3
4	2	3	7	5	6	9	1	8
5	1	8	4	3	9	2	7	6

294

1	7	5	4	9	6	2	3	8
9	8	3	5	1	2	7	6	4
4	2	6	8	3	7	9	1	5
7	6	4	3	2	9	5	8	1
2	9	8	6	5	1	3	4	7
5	3	1	7	8	4	6	9	2
3	1	7	2	6	8	4	5	9
8	5	2	9	4	3	1	7	6
6	4	9	1	7	5	8	2	3

295

9	3	1	6	5	8	7	4	2
7	4	8	1	3	2	6	5	9
2	5	6	7	9	4	1	8	3
3	6	4	2	1	5	8	9	7
1	7	9	8	6	3	4	2	5
5	8	2	9	4	7	3	6	1
6	9	7	5	8	1	2	3	4
8	2	3	4	7	9	5	1	6
4	1	5	3	2	6	9	7	8

296

2	5	9	4	7	8	1	6	3
6	8	1	2	3	5	9	7	4
7	3	4	6	9	1	8	2	5
9	7	6	8	1	4	5	3	2
8	4	3	5	2	9	6	1	7
1	2	5	3	6	7	4	9	8
5	1	2	7	8	6	3	4	9
3	9	8	1	4	2	7	5	6
4	6	7	9	5	3	2	8	1

297

1	3	8	4	5	2	9	7	6
2	7	6	1	9	3	5	4	8
5	9	4	8	6	7	2	1	3
9	8	7	6	1	5	3	2	4
3	5	2	9	7	4	6	8	1
4	6	1	2	3	8	7	5	9
7	4	5	3	8	9	1	6	2
6	2	9	5	4	1	8	3	7
8	1	3	7	2	6	4	9	5

298

7	3	4	2	6	8	9	1	5
9	5	8	7	3	1	6	4	2
6	1	2	4	5	9	3	8	7
1	6	9	8	7	4	5	2	3
8	4	5	6	2	3	7	9	1
2	7	3	1	9	5	8	6	4
5	8	7	9	1	2	4	3	6
4	2	6	3	8	7	1	5	9
3	9	1	5	4	6	2	7	8

299

9	5	8	7	6	2	4	3	1
4	2	7	9	3	1	6	8	5
1	3	6	8	5	4	9	2	7
8	9	4	1	7	6	2	5	3
6	7	2	5	9	3	8	1	4
3	1	5	4	2	8	7	9	6
7	4	1	3	8	9	5	6	2
5	6	9	2	1	7	3	4	8
2	8	3	6	4	5	1	7	9

300

4	1	9	5	7	8	2	6	3
7	3	5	2	9	6	8	1	4
2	8	6	1	3	4	9	5	7
8	7	3	4	5	9	1	2	6
6	2	1	7	8	3	4	9	5
5	9	4	6	1	2	3	7	8
1	5	2	3	4	7	6	8	9
3	6	8	9	2	5	7	4	1
9	4	7	8	6	1	5	3	2

301

8	1	6	7	4	5	9	2	3
5	9	3	1	8	2	4	7	6
4	2	7	3	6	9	8	1	5
1	5	9	6	3	8	2	4	7
7	4	8	2	5	1	6	3	9
3	6	2	9	7	4	5	8	1
2	7	4	5	9	3	1	6	8
6	8	5	4	1	7	3	9	2
9	3	1	8	2	6	7	5	4

302

6	7	5	8	4	2	9	3	1
1	8	2	5	9	3	4	7	6
3	9	4	6	1	7	8	5	2
9	1	3	4	2	8	5	6	7
5	4	8	7	6	1	3	2	9
2	6	7	9	3	5	1	4	8
4	3	1	2	7	9	6	8	5
8	2	6	1	5	4	7	9	3
7	5	9	3	8	6	2	1	4

303

8	5	1	7	9	3	6	4	2
7	2	3	4	1	6	9	5	8
9	4	6	5	2	8	7	1	3
4	8	7	6	3	1	5	2	9
1	9	2	8	7	5	3	6	4
3	6	5	2	4	9	1	8	7
2	1	9	3	6	4	8	7	5
5	3	4	1	8	7	2	9	6
6	7	8	9	5	2	4	3	1

304

5	9	4	2	7	6	3	1	8
3	1	7	5	8	9	2	4	6
6	8	2	1	4	3	7	9	5
8	7	6	4	5	1	9	3	2
1	5	9	7	3	2	6	8	4
2	4	3	6	9	8	1	5	7
9	2	8	3	6	5	4	7	1
4	3	1	8	2	7	5	6	9
7	6	5	9	1	4	8	2	3

305

3	4	1	9	8	7	5	6	2
6	9	5	2	4	3	1	7	8
8	2	7	6	5	1	9	4	3
5	3	6	7	9	8	2	1	4
1	7	9	5	2	4	8	3	6
4	8	2	3	1	6	7	9	5
9	5	4	1	6	2	3	8	7
7	1	8	4	3	5	6	2	9
2	6	3	8	7	9	4	5	1

306

8	2	3	7	1	6	9	5	4
4	6	7	8	5	9	1	3	2
9	1	5	2	4	3	6	7	8
7	8	1	9	2	5	4	6	3
6	3	2	4	7	1	5	8	9
5	4	9	3	6	8	7	2	1
3	5	8	6	9	4	2	1	7
2	9	6	1	3	7	8	4	5
1	7	4	5	8	2	3	9	6

307

2	4	1	8	3	6	9	7	5
7	5	6	9	2	1	8	4	3
8	9	3	4	7	5	2	6	1
1	2	5	6	8	3	4	9	7
4	8	9	5	1	7	3	2	6
3	6	7	2	4	9	5	1	8
9	3	2	7	6	8	1	5	4
6	1	4	3	5	2	7	8	9
5	7	8	1	9	4	6	3	2

308

6	9	5	3	1	2	4	8	7
2	3	7	5	8	4	1	9	6
1	8	4	6	7	9	2	5	3
3	4	2	7	9	6	5	1	8
5	6	8	4	3	1	7	2	9
7	1	9	2	5	8	6	3	4
4	5	3	9	2	7	8	6	1
9	7	1	8	6	5	3	4	2
8	2	6	1	4	3	9	7	5

309

2	4	9	3	8	6	7	5	1
5	3	8	1	4	7	2	9	6
1	7	6	2	9	5	8	3	4
7	2	1	9	6	8	3	4	5
9	6	3	5	2	4	1	8	7
4	8	5	7	1	3	9	6	2
6	1	4	8	7	9	5	2	3
3	9	2	4	5	1	6	7	8
8	5	7	6	3	2	4	1	9

310

2	5	8	7	6	1	3	4	9
1	3	6	8	9	4	5	2	7
9	7	4	2	3	5	6	1	8
5	2	9	6	4	3	7	8	1
7	8	3	1	2	9	4	5	6
4	6	1	5	8	7	9	3	2
3	4	7	9	1	2	8	6	5
6	9	2	4	5	8	1	7	3
8	1	5	3	7	6	2	9	4

311

9	5	3	8	4	7	1	2	6
7	6	2	3	5	1	4	8	9
4	8	1	2	9	6	3	7	5
2	7	5	6	8	3	9	4	1
3	4	9	7	1	5	2	6	8
6	1	8	9	2	4	5	3	7
1	2	7	4	6	9	8	5	3
8	9	6	5	3	2	7	1	4
5	3	4	1	7	8	6	9	2

312

4	8	2	5	6	1	7	3	9
9	5	1	8	3	7	2	6	4
6	7	3	9	4	2	1	5	8
5	2	9	3	8	6	4	7	1
1	6	8	7	2	4	5	9	3
7	3	4	1	9	5	6	8	2
2	9	6	4	7	8	3	1	5
3	1	7	2	5	9	8	4	6
8	4	5	6	1	3	9	2	7

313

2	9	6	8	1	3	4	5	7
5	4	3	7	6	2	8	1	9
8	1	7	9	5	4	2	3	6
6	8	9	1	3	5	7	2	4
4	3	2	6	9	7	1	8	5
1	7	5	4	2	8	6	9	3
3	5	1	2	4	6	9	7	8
9	6	8	3	7	1	5	4	2
7	2	4	5	8	9	3	6	1

314

1	6	2	3	5	4	8	7	9
5	8	7	1	2	9	4	3	6
3	4	9	6	7	8	1	5	2
4	2	3	5	6	1	7	9	8
9	5	6	7	8	3	2	4	1
8	7	1	4	9	2	5	6	3
6	3	8	2	4	5	9	1	7
2	1	4	9	3	7	6	8	5
7	9	5	8	1	6	3	2	4

315

2	4	6	5	9	7	1	3	8
5	9	7	3	8	1	2	6	4
1	3	8	4	6	2	5	9	7
4	7	3	8	1	9	6	2	5
6	8	2	7	3	5	9	4	1
9	5	1	6	2	4	8	7	3
3	6	5	9	7	8	4	1	2
8	2	9	1	4	3	7	5	6
7	1	4	2	5	6	3	8	9

316

1	4	5	6	7	9	2	8	3
8	3	7	4	2	5	9	1	6
2	9	6	8	1	3	7	4	5
5	6	3	2	4	8	1	7	9
4	7	1	5	9	6	3	2	8
9	2	8	7	3	1	6	5	4
7	8	9	1	6	4	5	3	2
6	1	4	3	5	2	8	9	7
3	5	2	9	8	7	4	6	1

317

9	7	8	4	6	2	5	1	3
1	2	4	5	3	9	8	7	6
3	6	5	7	1	8	2	9	4
7	4	3	2	5	1	9	6	8
5	1	6	9	8	3	7	4	2
2	8	9	6	7	4	1	3	5
4	3	2	8	9	7	6	5	1
6	9	1	3	2	5	4	8	7
8	5	7	1	4	6	3	2	9

318

9	8	4	6	3	7	5	2	1
3	5	1	2	4	9	6	8	7
2	6	7	1	5	8	3	9	4
6	4	2	5	9	1	7	3	8
5	7	9	8	6	3	4	1	2
1	3	8	7	2	4	9	6	5
8	2	5	9	7	6	1	4	3
7	9	3	4	1	2	8	5	6
4	1	6	3	8	5	2	7	9

319

8	6	7	9	3	1	4	2	5
5	2	4	8	6	7	3	9	1
3	1	9	2	4	5	6	8	7
7	3	1	5	2	4	8	6	9
4	5	6	3	9	8	1	7	2
9	8	2	1	7	6	5	3	4
2	4	3	6	1	9	7	5	8
1	9	5	7	8	3	2	4	6
6	7	8	4	5	2	9	1	3

320

9	7	5	1	8	3	2	6	4
2	3	6	5	7	4	9	1	8
4	8	1	9	2	6	7	3	5
7	2	4	3	5	9	1	8	6
5	1	8	6	4	7	3	9	2
3	6	9	8	1	2	5	4	7
8	5	2	4	3	1	6	7	9
1	9	7	2	6	8	4	5	3
6	4	3	7	9	5	8	2	1

321

1	3	6	4	5	7	9	8	2
5	8	4	1	2	9	7	3	6
2	9	7	6	8	3	1	5	4
8	5	3	9	7	4	6	2	1
9	4	1	8	6	2	5	7	3
6	7	2	3	1	5	8	4	9
7	6	5	2	4	1	3	9	8
4	1	9	7	3	8	2	6	5
3	2	8	5	9	6	4	1	7

322

3	7	6	2	4	1	8	5	9
8	4	9	3	7	5	2	6	1
1	2	5	8	9	6	3	7	4
4	5	7	1	6	2	9	3	8
6	3	8	4	5	9	7	1	2
9	1	2	7	8	3	5	4	6
5	6	3	9	2	4	1	8	7
2	8	4	5	1	7	6	9	3
7	9	1	6	3	8	4	2	5

323

1	5	8	4	3	2	9	7	6
6	4	2	8	7	9	5	3	1
7	3	9	6	5	1	4	8	2
2	9	5	3	1	6	7	4	8
4	8	6	9	2	7	3	1	5
3	7	1	5	4	8	6	2	9
5	2	7	1	9	4	8	6	3
9	6	4	2	8	3	1	5	7
8	1	3	7	6	5	2	9	4

324

1	5	8	9	3	7	6	2	4
6	9	7	5	2	4	1	3	8
3	4	2	6	1	8	5	7	9
4	3	9	2	8	1	7	6	5
5	7	6	4	9	3	2	8	1
8	2	1	7	6	5	9	4	3
2	8	4	1	5	6	3	9	7
7	6	5	3	4	9	8	1	2
9	1	3	8	7	2	4	5	6

325

8	1	5	4	6	2	7	9	3
6	9	4	3	7	5	1	8	2
7	2	3	9	8	1	5	4	6
5	3	7	6	9	4	8	2	1
2	8	9	7	1	3	4	6	5
4	6	1	2	5	8	9	3	7
3	5	2	8	4	7	6	1	9
9	7	8	1	3	6	2	5	4
1	4	6	5	2	9	3	7	8

326

8	4	9	5	6	7	2	3	1
1	6	3	2	9	8	7	5	4
2	5	7	3	4	1	6	8	9
6	1	4	7	8	2	5	9	3
7	9	2	4	5	3	1	6	8
5	3	8	9	1	6	4	7	2
4	7	6	8	2	9	3	1	5
3	8	5	1	7	4	9	2	6
9	2	1	6	3	5	8	4	7

327

5	1	2	6	4	9	8	3	7
4	6	7	1	3	8	5	2	9
3	8	9	7	2	5	1	4	6
2	5	8	9	7	4	6	1	3
1	7	6	3	8	2	4	9	5
9	3	4	5	6	1	7	8	2
7	9	1	8	5	3	2	6	4
8	4	5	2	9	6	3	7	1
6	2	3	4	1	7	9	5	8

328

4	9	7	8	2	6	1	3	5
3	6	5	9	1	4	7	2	8
1	8	2	7	3	5	9	6	4
5	2	6	1	9	8	4	7	3
9	4	8	3	6	7	2	5	1
7	3	1	5	4	2	8	9	6
8	5	4	6	7	9	3	1	2
6	1	9	2	8	3	5	4	7
2	7	3	4	5	1	6	8	9

329

7	3	5	6	1	9	4	8	2
8	6	4	3	7	2	1	5	9
1	2	9	8	4	5	3	7	6
5	8	3	2	9	4	7	6	1
9	7	6	5	8	1	2	4	3
4	1	2	7	3	6	5	9	8
6	4	8	1	2	7	9	3	5
3	9	1	4	5	8	6	2	7
2	5	7	9	6	3	8	1	4

330

3	1	8	4	9	5	2	7	6
4	6	5	8	2	7	1	9	3
7	2	9	6	3	1	5	4	8
8	4	2	9	5	6	7	3	1
5	3	1	7	8	4	6	2	9
6	9	7	3	1	2	4	8	5
1	8	4	5	7	3	9	6	2
2	7	3	1	6	9	8	5	4
9	5	6	2	4	8	3	1	7

331

8	5	9	7	2	1	4	6	3
2	6	7	8	4	3	1	5	9
3	4	1	5	9	6	7	2	8
1	9	4	6	8	2	3	7	5
5	8	6	3	1	7	9	4	2
7	3	2	4	5	9	6	8	1
6	2	3	1	7	8	5	9	4
9	1	5	2	6	4	8	3	7
4	7	8	9	3	5	2	1	6

332

6	5	1	7	2	8	9	4	3
4	9	3	5	6	1	2	7	8
2	8	7	4	3	9	6	1	5
7	3	2	6	5	4	8	9	1
8	1	6	2	9	3	4	5	7
5	4	9	1	8	7	3	6	2
3	7	4	8	1	6	5	2	9
9	6	5	3	7	2	1	8	4
1	2	8	9	4	5	7	3	6

333

3	7	4	9	5	8	6	1	2
5	1	9	2	7	6	3	4	8
6	2	8	4	1	3	7	9	5
7	4	6	8	2	5	1	3	9
8	5	1	6	3	9	4	2	7
9	3	2	7	4	1	8	5	6
1	6	3	5	8	2	9	7	4
2	8	7	1	9	4	5	6	3
4	9	5	3	6	7	2	8	1

334

1	2	3	6	8	5	9	4	7
8	6	5	4	9	7	3	2	1
7	4	9	3	2	1	6	5	8
3	1	7	5	4	8	2	6	9
6	8	4	9	1	2	5	7	3
9	5	2	7	6	3	8	1	4
5	3	8	2	7	4	1	9	6
4	9	1	8	5	6	7	3	2
2	7	6	1	3	9	4	8	5

335

3	6	1	5	9	2	8	7	4
2	9	4	8	3	7	6	1	5
8	7	5	1	6	4	2	9	3
6	2	3	7	1	9	5	4	8
7	4	9	6	5	8	3	2	1
1	5	8	2	4	3	9	6	7
9	3	2	4	8	1	7	5	6
4	8	6	9	7	5	1	3	2
5	1	7	3	2	6	4	8	9

336

3	7	8	6	4	2	5	1	9
4	5	2	8	9	1	6	3	7
6	9	1	3	7	5	8	4	2
1	6	4	5	3	7	2	9	8
8	3	9	1	2	6	7	5	4
5	2	7	4	8	9	1	6	3
2	1	3	9	6	8	4	7	5
7	4	5	2	1	3	9	8	6
9	8	6	7	5	4	3	2	1

337

5	3	4	2	8	6	7	1	9
6	2	7	1	4	9	5	8	3
8	9	1	7	5	3	2	6	4
2	6	3	8	7	4	9	5	1
9	7	5	3	1	2	8	4	6
1	4	8	6	9	5	3	2	7
7	8	6	5	3	1	4	9	2
4	5	2	9	6	7	1	3	8
3	1	9	4	2	8	6	7	5

338

1	6	5	7	2	4	9	8	3
9	4	7	6	8	3	2	5	1
3	2	8	5	1	9	7	4	6
4	8	9	1	3	6	5	2	7
7	5	1	4	9	2	6	3	8
6	3	2	8	5	7	4	1	9
5	7	3	2	6	1	8	9	4
2	9	6	3	4	8	1	7	5
8	1	4	9	7	5	3	6	2

339

6	3	4	9	5	2	1	8	7
2	7	5	6	8	1	9	3	4
8	9	1	7	3	4	5	6	2
9	2	8	5	4	7	3	1	6
4	6	7	1	9	3	2	5	8
1	5	3	8	2	6	7	4	9
5	4	2	3	7	8	6	9	1
3	8	6	2	1	9	4	7	5
7	1	9	4	6	5	8	2	3

340

9	1	2	6	4	3	7	8	5
3	6	4	8	5	7	2	9	1
8	5	7	9	1	2	6	4	3
4	3	9	2	8	1	5	6	7
5	2	1	7	6	4	8	3	9
6	7	8	3	9	5	1	2	4
1	9	5	4	2	6	3	7	8
2	8	3	5	7	9	4	1	6
7	4	6	1	3	8	9	5	2

341

1	2	4	8	5	7	3	9	6
7	3	8	6	2	9	4	5	1
9	5	6	1	4	3	7	2	8
8	6	2	9	1	4	5	3	7
5	1	3	7	8	2	6	4	9
4	7	9	5	3	6	1	8	2
3	4	1	2	6	8	9	7	5
2	9	5	3	7	1	8	6	4
6	8	7	4	9	5	2	1	3

342

7	6	3	4	9	2	8	1	5
4	9	1	3	5	8	7	2	6
8	2	5	6	1	7	3	4	9
9	8	4	2	3	6	5	7	1
1	3	7	8	4	5	6	9	2
2	5	6	1	7	9	4	3	8
3	1	8	9	6	4	2	5	7
5	4	2	7	8	1	9	6	3
6	7	9	5	2	3	1	8	4

343

1	5	7	3	4	9	2	6	8
9	3	2	8	1	6	7	5	4
6	4	8	5	2	7	9	1	3
3	6	5	7	8	1	4	9	2
4	2	9	6	5	3	8	7	1
7	8	1	4	9	2	5	3	6
5	9	6	2	3	4	1	8	7
2	1	3	9	7	8	6	4	5
8	7	4	1	6	5	3	2	9

344

7	8	9	2	3	5	6	1	4
6	3	2	8	4	1	7	5	9
1	5	4	7	9	6	8	3	2
3	6	1	4	2	9	5	8	7
9	2	7	3	5	8	4	6	1
8	4	5	6	1	7	2	9	3
4	1	6	5	7	3	9	2	8
2	9	8	1	6	4	3	7	5
5	7	3	9	8	2	1	4	6

345

6	7	1	9	3	8	4	2	5
9	8	5	7	4	2	6	3	1
3	4	2	1	5	6	8	7	9
8	3	6	5	7	4	9	1	2
2	5	7	6	1	9	3	4	8
4	1	9	2	8	3	7	5	6
5	2	4	8	6	7	1	9	3
7	9	8	3	2	1	5	6	4
1	6	3	4	9	5	2	8	7

346

8	3	4	9	7	5	2	1	6
6	7	1	2	4	8	3	5	9
2	5	9	1	6	3	4	8	7
1	2	6	8	5	9	7	4	3
4	8	5	7	3	2	6	9	1
7	9	3	6	1	4	5	2	8
9	6	7	4	2	1	8	3	5
3	4	8	5	9	7	1	6	2
5	1	2	3	8	6	9	7	4

347

5	7	6	3	1	9	8	4	2
1	2	4	5	8	7	6	3	9
8	9	3	2	4	6	5	1	7
9	5	1	8	6	2	3	7	4
7	3	8	4	5	1	9	2	6
6	4	2	9	7	3	1	8	5
2	6	7	1	9	8	4	5	3
4	1	9	7	3	5	2	6	8
3	8	5	6	2	4	7	9	1

348

5	3	2	7	9	1	6	4	8
9	1	8	6	4	3	7	2	5
7	6	4	5	2	8	1	3	9
2	7	9	4	6	5	3	8	1
1	4	5	3	8	7	2	9	6
6	8	3	2	1	9	4	5	7
3	9	7	1	5	4	8	6	2
8	2	1	9	3	6	5	7	4
4	5	6	8	7	2	9	1	3

349

7	4	1	9	2	5	6	3	8
2	5	9	8	3	6	4	7	1
8	3	6	4	1	7	2	9	5
1	2	7	5	4	8	3	6	9
4	8	3	6	9	2	1	5	7
9	6	5	3	7	1	8	4	2
6	9	2	7	8	3	5	1	4
5	7	8	1	6	4	9	2	3
3	1	4	2	5	9	7	8	6

350

9	2	8	6	1	4	5	7	3
1	3	4	2	5	7	6	8	9
5	6	7	9	3	8	2	4	1
8	1	9	4	7	6	3	2	5
7	4	6	5	2	3	9	1	8
3	5	2	8	9	1	4	6	7
2	7	5	1	6	9	8	3	4
4	9	3	7	8	2	1	5	6
6	8	1	3	4	5	7	9	2

351

1	4	8	6	3	7	2	5	9
2	3	6	8	5	9	1	4	7
7	9	5	2	4	1	8	6	3
8	1	3	5	7	4	9	2	6
4	5	7	9	6	2	3	8	1
6	2	9	1	8	3	4	7	5
3	7	1	4	2	6	5	9	8
9	8	4	7	1	5	6	3	2
5	6	2	3	9	8	7	1	4

352

6	8	3	1	9	4	5	7	2
9	2	4	6	7	5	8	3	1
7	1	5	3	8	2	9	6	4
1	5	7	2	3	6	4	8	9
4	3	2	8	1	9	7	5	6
8	6	9	5	4	7	2	1	3
3	4	8	9	5	1	6	2	7
5	9	6	7	2	3	1	4	8
2	7	1	4	6	8	3	9	5

353

7	5	9	1	2	3	4	6	8
3	1	4	6	8	9	7	2	5
8	2	6	7	5	4	9	3	1
1	4	3	5	6	8	2	7	9
2	8	5	3	9	7	1	4	6
9	6	7	2	4	1	8	5	3
6	9	1	4	3	2	5	8	7
5	7	2	8	1	6	3	9	4
4	3	8	9	7	5	6	1	2

354

4	8	3	6	2	9	1	7	5
1	7	5	3	4	8	2	9	6
9	2	6	5	7	1	3	8	4
2	9	8	4	3	7	6	5	1
7	3	1	8	5	6	4	2	9
6	5	4	1	9	2	8	3	7
5	6	7	2	8	4	9	1	3
8	1	9	7	6	3	5	4	2
3	4	2	9	1	5	7	6	8

355

4	5	8	2	9	6	3	1	7
9	3	2	8	7	1	4	5	6
1	7	6	3	5	4	2	8	9
3	6	4	5	2	8	9	7	1
7	2	9	6	1	3	8	4	5
5	8	1	7	4	9	6	3	2
2	1	3	9	8	7	5	6	4
8	9	7	4	6	5	1	2	3
6	4	5	1	3	2	7	9	8

356

7	1	5	8	6	4	9	2	3
3	9	4	5	7	2	1	6	8
2	8	6	9	3	1	5	4	7
8	5	7	2	9	6	4	3	1
1	6	9	7	4	3	8	5	2
4	2	3	1	8	5	6	7	9
5	7	1	4	2	8	3	9	6
6	4	2	3	1	9	7	8	5
9	3	8	6	5	7	2	1	4

357

3	2	1	8	6	9	7	5	4
4	6	8	7	2	5	9	3	1
5	7	9	3	4	1	6	2	8
6	1	3	4	5	2	8	7	9
2	5	4	9	7	8	3	1	6
9	8	7	6	1	3	2	4	5
8	4	5	2	3	6	1	9	7
1	9	2	5	8	7	4	6	3
7	3	6	1	9	4	5	8	2

358

3	8	2	4	1	7	5	6	9
5	1	9	8	6	3	4	2	7
4	6	7	5	2	9	1	3	8
9	5	4	3	7	2	6	8	1
8	2	3	1	4	6	9	7	5
6	7	1	9	8	5	3	4	2
1	9	6	7	3	8	2	5	4
2	4	8	6	5	1	7	9	3
7	3	5	2	9	4	8	1	6

359

5	2	4	8	9	6	1	7	3
3	9	7	2	5	1	4	8	6
6	1	8	3	7	4	2	9	5
7	8	2	4	3	9	6	5	1
4	6	5	7	1	8	9	3	2
9	3	1	6	2	5	8	4	7
2	7	6	9	4	3	5	1	8
8	5	9	1	6	7	3	2	4
1	4	3	5	8	2	7	6	9

360

1	4	7	9	8	6	2	3	5
5	3	9	7	1	2	8	4	6
2	6	8	5	4	3	9	7	1
9	8	6	2	5	4	3	1	7
3	1	4	6	9	7	5	8	2
7	2	5	1	3	8	4	6	9
8	5	1	4	6	9	7	2	3
6	7	3	8	2	5	1	9	4
4	9	2	3	7	1	6	5	8

361

5	6	8	4	7	9	3	2	1
7	3	2	1	8	6	4	9	5
1	9	4	2	3	5	7	6	8
3	4	6	7	5	2	1	8	9
9	8	5	6	1	3	2	4	7
2	7	1	8	9	4	6	5	3
8	2	3	9	4	1	5	7	6
4	5	7	3	6	8	9	1	2
6	1	9	5	2	7	8	3	4

362

4	9	2	8	3	5	1	7	6
5	3	6	4	1	7	2	9	8
7	1	8	6	9	2	3	4	5
8	2	4	5	6	9	7	1	3
1	6	5	7	2	3	9	8	4
9	7	3	1	4	8	5	6	2
2	5	7	9	8	4	6	3	1
6	8	9	3	5	1	4	2	7
3	4	1	2	7	6	8	5	9

363

1	8	3	5	9	6	2	7	4
7	2	4	8	3	1	5	9	6
6	9	5	2	4	7	1	3	8
3	7	2	1	5	8	6	4	9
9	1	6	4	7	2	3	8	5
4	5	8	3	6	9	7	2	1
8	3	9	7	1	5	4	6	2
2	4	1	6	8	3	9	5	7
5	6	7	9	2	4	8	1	3

364

2	1	5	9	3	7	6	4	8
3	7	9	8	4	6	2	1	5
4	8	6	5	2	1	3	9	7
7	3	8	6	9	4	1	5	2
6	5	4	3	1	2	8	7	9
9	2	1	7	5	8	4	3	6
1	4	7	2	6	5	9	8	3
5	6	3	4	8	9	7	2	1
8	9	2	1	7	3	5	6	4

365

1	3	8	5	7	4	2	9	6
4	6	7	1	9	2	5	3	8
5	2	9	8	6	3	7	4	1
9	1	2	7	4	8	3	6	5
6	5	3	2	1	9	4	8	7
7	8	4	3	5	6	9	1	2
3	9	5	6	8	7	1	2	4
2	7	6	4	3	1	8	5	9
8	4	1	9	2	5	6	7	3

366

9	1	4	8	2	3	7	6	5
6	8	5	4	9	7	3	2	1
3	7	2	5	1	6	9	4	8
4	9	7	2	8	1	6	5	3
8	5	3	6	4	9	1	7	2
1	2	6	7	3	5	8	9	4
7	3	9	1	5	4	2	8	6
2	4	1	9	6	8	5	3	7
5	6	8	3	7	2	4	1	9

367

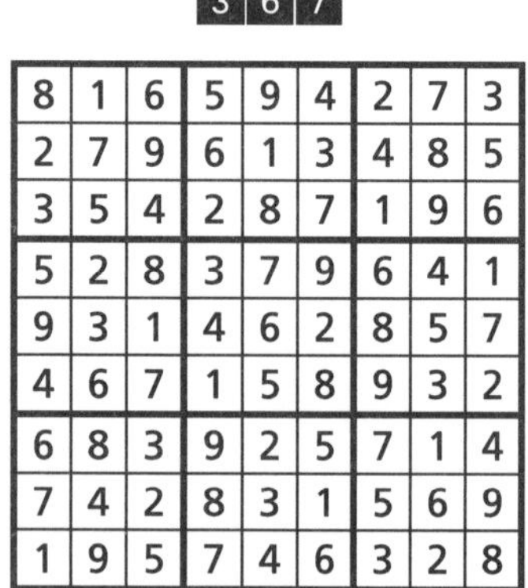

8	1	6	5	9	4	2	7	3
2	7	9	6	1	3	4	8	5
3	5	4	2	8	7	1	9	6
5	2	8	3	7	9	6	4	1
9	3	1	4	6	2	8	5	7
4	6	7	1	5	8	9	3	2
6	8	3	9	2	5	7	1	4
7	4	2	8	3	1	5	6	9
1	9	5	7	4	6	3	2	8

368

3	2	1	5	9	8	6	7	4
5	4	9	6	7	3	1	2	8
6	8	7	4	2	1	5	3	9
8	6	5	3	4	7	2	9	1
1	9	4	2	8	5	3	6	7
7	3	2	1	6	9	8	4	5
2	7	3	8	1	4	9	5	6
9	5	8	7	3	6	4	1	2
4	1	6	9	5	2	7	8	3

369

4	3	9	2	7	1	8	5	6
1	2	6	3	8	5	7	9	4
7	5	8	4	9	6	1	2	3
2	6	5	8	3	7	9	4	1
9	7	4	5	1	2	6	3	8
3	8	1	6	4	9	5	7	2
6	9	2	1	5	3	4	8	7
8	1	7	9	2	4	3	6	5
5	4	3	7	6	8	2	1	9

370

3	9	7	6	8	4	2	5	1
5	4	8	7	2	1	6	9	3
1	6	2	3	5	9	8	4	7
8	3	6	2	4	7	9	1	5
9	1	5	8	3	6	7	2	4
2	7	4	9	1	5	3	8	6
7	8	1	4	9	3	5	6	2
4	2	3	5	6	8	1	7	9
6	5	9	1	7	2	4	3	8

371

9	6	3	2	1	4	8	5	7
7	2	5	8	3	9	6	1	4
8	4	1	7	5	6	2	3	9
4	7	8	6	2	5	3	9	1
1	9	2	4	8	3	7	6	5
3	5	6	9	7	1	4	2	8
5	8	9	3	6	7	1	4	2
2	3	4	1	9	8	5	7	6
6	1	7	5	4	2	9	8	3

372

9	7	8	6	3	2	5	1	4
6	2	1	4	7	5	9	8	3
3	4	5	8	1	9	6	7	2
1	5	7	3	2	4	8	9	6
2	9	4	5	6	8	1	3	7
8	6	3	1	9	7	4	2	5
7	3	6	9	5	1	2	4	8
5	8	9	2	4	3	7	6	1
4	1	2	7	8	6	3	5	9

373

2	5	6	3	7	4	9	8	1
1	7	9	2	6	8	5	4	3
4	8	3	9	1	5	2	7	6
6	4	2	1	9	7	3	5	8
5	3	7	8	2	6	4	1	9
9	1	8	4	5	3	7	6	2
7	9	1	5	8	2	6	3	4
3	2	5	6	4	1	8	9	7
8	6	4	7	3	9	1	2	5

374

1	3	7	2	8	6	9	5	4
9	6	5	7	3	4	2	8	1
8	4	2	1	9	5	7	6	3
6	8	4	5	1	7	3	2	9
3	5	1	4	2	9	8	7	6
2	7	9	8	6	3	4	1	5
5	9	6	3	7	8	1	4	2
7	2	3	6	4	1	5	9	8
4	1	8	9	5	2	6	3	7

375

9	2	8	5	6	7	1	3	4
5	1	6	4	8	3	9	2	7
3	4	7	9	2	1	5	8	6
4	5	9	2	7	8	3	6	1
1	8	2	6	3	9	4	7	5
7	6	3	1	5	4	2	9	8
2	7	4	3	1	6	8	5	9
8	3	1	7	9	5	6	4	2
6	9	5	8	4	2	7	1	3

376

1	4	2	3	6	5	8	9	7
3	8	5	1	9	7	4	6	2
7	9	6	8	4	2	5	3	1
2	6	8	4	7	3	1	5	9
9	5	7	2	8	1	3	4	6
4	3	1	9	5	6	7	2	8
8	2	4	5	1	9	6	7	3
5	7	3	6	2	8	9	1	4
6	1	9	7	3	4	2	8	5

377

8	2	1	3	6	9	7	4	5
7	9	6	2	4	5	3	8	1
5	3	4	1	8	7	6	9	2
6	4	3	5	2	1	9	7	8
1	8	9	6	7	3	5	2	4
2	5	7	8	9	4	1	6	3
3	7	8	4	1	6	2	5	9
9	1	2	7	5	8	4	3	6
4	6	5	9	3	2	8	1	7

378

2	9	4	7	3	8	1	6	5
8	7	1	5	2	6	9	3	4
5	6	3	4	9	1	2	7	8
1	5	8	3	7	9	6	4	2
4	2	6	1	8	5	3	9	7
9	3	7	2	6	4	5	8	1
6	4	9	8	1	2	7	5	3
3	8	2	9	5	7	4	1	6
7	1	5	6	4	3	8	2	9

379

2	3	7	1	6	9	8	5	4
1	4	5	8	2	3	9	6	7
6	8	9	4	5	7	1	2	3
8	5	4	6	9	1	7	3	2
3	7	1	2	8	4	5	9	6
9	6	2	3	7	5	4	1	8
5	2	8	7	1	6	3	4	9
4	9	6	5	3	8	2	7	1
7	1	3	9	4	2	6	8	5

380

2	8	6	9	3	4	7	1	5
9	5	4	2	7	1	6	3	8
3	1	7	6	5	8	9	2	4
6	2	9	8	4	7	1	5	3
8	3	5	1	9	2	4	7	6
7	4	1	3	6	5	2	8	9
1	9	3	5	2	6	8	4	7
4	6	2	7	8	3	5	9	1
5	7	8	4	1	9	3	6	2

381

4	8	7	5	3	2	9	6	1
9	5	1	6	8	7	3	4	2
6	2	3	1	4	9	8	5	7
7	6	2	3	5	8	4	1	9
8	3	4	7	9	1	5	2	6
5	1	9	4	2	6	7	8	3
1	9	5	2	7	4	6	3	8
2	4	8	9	6	3	1	7	5
3	7	6	8	1	5	2	9	4

382

3	6	2	5	1	9	4	7	8
5	4	1	3	8	7	9	6	2
9	7	8	4	2	6	5	3	1
1	9	3	8	4	5	7	2	6
7	8	4	2	6	1	3	9	5
6	2	5	9	7	3	1	8	4
2	1	9	6	3	4	8	5	7
8	3	7	1	5	2	6	4	9
4	5	6	7	9	8	2	1	3

383

8	2	9	4	3	6	1	7	5
1	4	3	7	9	5	2	6	8
7	5	6	1	8	2	9	3	4
6	9	7	8	2	3	4	5	1
3	1	5	6	4	9	7	8	2
4	8	2	5	7	1	6	9	3
5	7	8	2	6	4	3	1	9
9	6	4	3	1	8	5	2	7
2	3	1	9	5	7	8	4	6

384

2	8	5	3	6	4	9	1	7
6	9	4	2	1	7	3	8	5
3	7	1	9	5	8	2	6	4
9	1	8	5	3	2	7	4	6
5	6	2	7	4	1	8	9	3
4	3	7	6	8	9	5	2	1
7	2	6	4	9	3	1	5	8
1	5	3	8	2	6	4	7	9
8	4	9	1	7	5	6	3	2

385

7	8	5	3	6	9	1	4	2
9	4	6	1	5	2	7	8	3
2	1	3	8	4	7	6	9	5
1	9	8	6	3	4	2	5	7
6	2	4	5	7	8	9	3	1
5	3	7	9	2	1	8	6	4
8	6	2	4	1	5	3	7	9
3	5	1	7	9	6	4	2	8
4	7	9	2	8	3	5	1	6

386

2	5	3	9	7	4	1	8	6
6	4	1	5	2	8	7	9	3
7	8	9	1	3	6	5	4	2
9	2	5	7	1	3	4	6	8
4	3	7	6	8	2	9	5	1
1	6	8	4	9	5	3	2	7
5	9	2	3	6	1	8	7	4
3	7	6	8	4	9	2	1	5
8	1	4	2	5	7	6	3	9

387

5	7	9	2	4	1	8	6	3
4	6	8	3	9	5	1	2	7
2	1	3	7	6	8	9	5	4
3	9	1	5	7	2	6	4	8
8	2	5	4	3	6	7	1	9
6	4	7	1	8	9	5	3	2
9	3	2	6	1	7	4	8	5
7	5	6	8	2	4	3	9	1
1	8	4	9	5	3	2	7	6

388

2	6	5	9	1	3	4	8	7
3	8	7	6	4	2	5	1	9
9	1	4	5	7	8	6	2	3
4	2	6	7	8	9	3	5	1
1	5	3	2	6	4	7	9	8
8	7	9	3	5	1	2	6	4
7	4	1	8	2	5	9	3	6
5	9	8	4	3	6	1	7	2
6	3	2	1	9	7	8	4	5

389

6	9	1	5	7	8	4	3	2
5	8	3	9	2	4	6	7	1
2	4	7	6	1	3	8	5	9
9	3	8	1	6	5	2	4	7
4	7	5	8	9	2	3	1	6
1	2	6	4	3	7	5	9	8
3	1	2	7	5	6	9	8	4
8	6	9	3	4	1	7	2	5
7	5	4	2	8	9	1	6	3

390

5	6	9	8	7	4	2	3	1
3	2	7	9	1	5	4	6	8
1	4	8	2	3	6	9	5	7
7	8	2	3	5	1	6	4	9
4	1	3	7	6	9	5	8	2
9	5	6	4	2	8	1	7	3
6	9	4	1	8	7	3	2	5
2	7	1	5	4	3	8	9	6
8	3	5	6	9	2	7	1	4

391

1	3	6	4	9	5	7	8	2
9	5	8	2	1	7	6	3	4
2	4	7	3	8	6	9	1	5
8	6	5	9	3	4	2	7	1
3	2	9	8	7	1	5	4	6
7	1	4	5	6	2	8	9	3
4	7	3	6	5	8	1	2	9
6	8	2	1	4	9	3	5	7
5	9	1	7	2	3	4	6	8

392

4	8	5	7	6	3	2	9	1
7	9	3	5	2	1	4	8	6
1	2	6	8	4	9	3	7	5
5	4	9	1	7	2	8	6	3
2	3	7	6	5	8	1	4	9
8	6	1	3	9	4	7	5	2
9	5	8	2	1	7	6	3	4
6	7	2	4	3	5	9	1	8
3	1	4	9	8	6	5	2	7

393

8	6	5	9	1	2	3	4	7
1	2	7	4	5	3	8	6	9
3	9	4	7	8	6	1	2	5
7	1	9	2	4	8	5	3	6
2	3	6	1	7	5	9	8	4
5	4	8	3	6	9	2	7	1
4	7	2	8	9	1	6	5	3
6	8	1	5	3	4	7	9	2
9	5	3	6	2	7	4	1	8

394

7	8	6	2	4	9	5	3	1
4	3	2	6	5	1	7	9	8
9	5	1	8	7	3	6	4	2
6	2	7	5	9	8	4	1	3
1	4	3	7	6	2	9	8	5
5	9	8	1	3	4	2	6	7
8	7	4	3	2	6	1	5	9
2	1	9	4	8	5	3	7	6
3	6	5	9	1	7	8	2	4

395

2	7	3	9	4	5	6	8	1
1	9	6	3	7	8	2	4	5
4	8	5	2	6	1	3	9	7
8	4	1	7	5	6	9	2	3
7	5	2	8	3	9	1	6	4
3	6	9	1	2	4	5	7	8
5	2	8	6	1	7	4	3	9
9	3	4	5	8	2	7	1	6
6	1	7	4	9	3	8	5	2

396

5	7	6	1	4	2	9	3	8
3	2	4	8	7	9	6	5	1
1	9	8	3	6	5	4	7	2
2	1	5	9	8	6	7	4	3
6	4	7	2	3	1	8	9	5
8	3	9	4	5	7	1	2	6
7	6	2	5	1	4	3	8	9
9	8	1	7	2	3	5	6	4
4	5	3	6	9	8	2	1	7

397

4	8	1	7	9	3	2	6	5
9	2	6	5	1	8	3	7	4
3	7	5	6	4	2	9	8	1
8	3	4	2	6	1	5	9	7
7	5	9	3	8	4	6	1	2
1	6	2	9	5	7	8	4	3
6	9	7	4	2	5	1	3	8
2	1	3	8	7	6	4	5	9
5	4	8	1	3	9	7	2	6

398

5	7	9	1	2	6	8	3	4
8	3	1	5	7	4	9	6	2
4	6	2	3	9	8	5	1	7
2	4	5	6	8	1	7	9	3
6	8	7	9	3	5	2	4	1
1	9	3	7	4	2	6	5	8
9	1	8	4	5	7	3	2	6
3	2	4	8	6	9	1	7	5
7	5	6	2	1	3	4	8	9

399

1	7	3	2	8	5	4	6	9
5	9	6	1	7	4	8	2	3
8	2	4	3	6	9	5	7	1
6	4	9	7	3	1	2	8	5
7	1	2	6	5	8	9	3	4
3	5	8	9	4	2	7	1	6
9	8	7	4	1	3	6	5	2
2	3	5	8	9	6	1	4	7
4	6	1	5	2	7	3	9	8

400

9	2	5	6	3	8	1	4	7
3	6	1	9	4	7	5	2	8
8	7	4	2	1	5	6	3	9
2	5	8	7	6	4	3	9	1
7	4	6	1	9	3	2	8	5
1	9	3	8	5	2	7	6	4
6	8	9	3	7	1	4	5	2
5	1	2	4	8	6	9	7	3
4	3	7	5	2	9	8	1	6

401

1	6	3	2	9	4	5	7	8
5	8	2	7	6	3	9	4	1
7	4	9	8	1	5	2	3	6
8	1	7	5	4	9	6	2	3
2	5	6	1	3	8	4	9	7
3	9	4	6	7	2	8	1	5
4	3	8	9	5	7	1	6	2
6	7	5	4	2	1	3	8	9
9	2	1	3	8	6	7	5	4

402

3	4	8	1	6	7	9	5	2
1	6	7	2	5	9	4	3	8
9	2	5	4	8	3	1	7	6
8	1	3	5	7	2	6	4	9
6	5	9	8	4	1	7	2	3
2	7	4	9	3	6	8	1	5
4	8	1	6	2	5	3	9	7
5	3	6	7	9	4	2	8	1
7	9	2	3	1	8	5	6	4

403

5	1	3	7	4	6	2	9	8
7	6	2	5	8	9	1	4	3
8	9	4	3	2	1	5	6	7
9	7	8	1	5	4	6	3	2
4	5	6	9	3	2	7	8	1
3	2	1	8	6	7	4	5	9
2	3	7	6	9	5	8	1	4
6	4	9	2	1	8	3	7	5
1	8	5	4	7	3	9	2	6

404

8	9	7	4	5	3	2	1	6
4	2	3	1	8	6	7	5	9
6	1	5	9	7	2	4	3	8
2	8	6	5	1	7	3	9	4
1	7	4	2	3	9	8	6	5
3	5	9	8	6	4	1	2	7
9	3	2	7	4	5	6	8	1
7	6	1	3	9	8	5	4	2
5	4	8	6	2	1	9	7	3

405

1	7	8	9	6	3	4	5	2
9	2	4	8	1	5	3	7	6
5	3	6	4	7	2	1	9	8
7	4	3	5	9	6	8	2	1
8	1	9	7	2	4	6	3	5
2	6	5	1	3	8	7	4	9
4	9	2	6	8	7	5	1	3
3	8	7	2	5	1	9	6	4
6	5	1	3	4	9	2	8	7

406

7	4	1	6	5	8	9	2	3
5	6	9	1	2	3	4	8	7
3	8	2	7	4	9	1	5	6
8	9	4	2	1	6	3	7	5
6	7	5	3	9	4	2	1	8
2	1	3	5	8	7	6	4	9
9	3	8	4	7	2	5	6	1
4	5	7	9	6	1	8	3	2
1	2	6	8	3	5	7	9	4

407

3	9	2	7	6	5	1	8	4
8	1	5	2	4	3	7	9	6
7	4	6	9	8	1	3	5	2
5	3	8	1	2	6	9	4	7
6	2	4	8	9	7	5	1	3
9	7	1	3	5	4	6	2	8
4	8	7	6	1	9	2	3	5
2	6	9	5	3	8	4	7	1
1	5	3	4	7	2	8	6	9

408

3	1	8	2	7	5	6	9	4
5	4	6	1	3	9	2	8	7
9	7	2	6	4	8	3	1	5
8	6	4	7	2	1	9	5	3
7	3	5	8	9	6	1	4	2
2	9	1	4	5	3	7	6	8
6	5	9	3	8	7	4	2	1
4	8	7	9	1	2	5	3	6
1	2	3	5	6	4	8	7	9

409

4	7	8	1	3	2	6	5	9
6	3	5	9	8	7	1	4	2
9	1	2	5	6	4	3	7	8
7	5	9	2	1	6	4	8	3
8	2	6	7	4	3	9	1	5
1	4	3	8	5	9	7	2	6
2	6	7	4	9	8	5	3	1
3	8	1	6	7	5	2	9	4
5	9	4	3	2	1	8	6	7

410

4	3	6	1	7	2	9	8	5
2	9	8	6	4	5	7	3	1
7	1	5	9	3	8	2	6	4
3	2	4	8	9	6	5	1	7
1	8	9	7	5	3	6	4	2
6	5	7	2	1	4	3	9	8
5	4	2	3	6	1	8	7	9
9	6	1	5	8	7	4	2	3
8	7	3	4	2	9	1	5	6

411

6	8	1	3	7	9	2	5	4
2	5	4	8	1	6	9	7	3
3	7	9	4	2	5	1	8	6
9	6	7	5	4	2	8	3	1
4	2	8	6	3	1	7	9	5
5	1	3	7	9	8	4	6	2
7	9	6	1	5	4	3	2	8
8	4	2	9	6	3	5	1	7
1	3	5	2	8	7	6	4	9

412

2	3	4	7	6	5	8	1	9
6	1	5	4	8	9	2	7	3
8	7	9	3	2	1	4	5	6
5	6	7	2	9	3	1	8	4
1	2	8	5	4	6	9	3	7
9	4	3	1	7	8	6	2	5
4	5	2	6	1	7	3	9	8
3	9	1	8	5	4	7	6	2
7	8	6	9	3	2	5	4	1

413

4	3	1	9	7	5	2	6	8
5	9	7	8	2	6	1	3	4
8	6	2	3	1	4	9	7	5
7	5	3	2	6	1	8	4	9
2	4	6	7	8	9	3	5	1
9	1	8	5	4	3	6	2	7
1	2	5	4	3	8	7	9	6
6	7	9	1	5	2	4	8	3
3	8	4	6	9	7	5	1	2

414

1	8	5	9	6	7	2	3	4
9	6	2	5	4	3	8	1	7
7	3	4	2	8	1	5	6	9
5	7	6	8	1	2	4	9	3
8	1	3	6	9	4	7	5	2
2	4	9	7	3	5	1	8	6
3	5	1	4	2	9	6	7	8
6	2	7	3	5	8	9	4	1
4	9	8	1	7	6	3	2	5

415

2	4	5	9	1	6	7	3	8
1	9	6	3	7	8	5	4	2
8	3	7	4	2	5	9	6	1
7	6	1	2	3	4	8	5	9
4	5	8	7	6	9	2	1	3
9	2	3	8	5	1	6	7	4
5	8	4	1	9	7	3	2	6
6	1	2	5	8	3	4	9	7
3	7	9	6	4	2	1	8	5

416

2	7	9	5	3	4	6	1	8
8	3	5	6	9	1	7	2	4
4	6	1	7	2	8	3	9	5
1	2	4	9	8	6	5	3	7
3	9	8	4	7	5	2	6	1
6	5	7	2	1	3	8	4	9
5	4	2	8	6	9	1	7	3
9	1	6	3	5	7	4	8	2
7	8	3	1	4	2	9	5	6

417

3	5	9	2	4	8	1	7	6
2	7	4	9	1	6	5	3	8
6	8	1	3	5	7	4	2	9
9	6	5	4	7	3	8	1	2
1	4	8	6	2	5	7	9	3
7	3	2	8	9	1	6	4	5
4	1	6	5	3	2	9	8	7
5	2	7	1	8	9	3	6	4
8	9	3	7	6	4	2	5	1

418

2	1	9	3	5	6	8	7	4
8	5	7	9	1	4	6	2	3
3	6	4	8	7	2	9	5	1
6	9	1	7	8	5	4	3	2
7	3	2	4	9	1	5	6	8
4	8	5	2	6	3	1	9	7
9	2	6	1	4	7	3	8	5
1	7	8	5	3	9	2	4	6
5	4	3	6	2	8	7	1	9

419

9	1	6	7	8	2	5	4	3
5	3	8	4	6	9	2	1	7
4	2	7	1	3	5	6	9	8
8	6	1	9	4	3	7	2	5
2	5	3	8	1	7	4	6	9
7	9	4	2	5	6	3	8	1
3	8	5	6	2	1	9	7	4
1	7	2	3	9	4	8	5	6
6	4	9	5	7	8	1	3	2

420

8	4	6	9	7	3	1	5	2
7	3	1	8	5	2	9	4	6
9	5	2	6	4	1	8	3	7
4	6	8	5	2	7	3	9	1
3	7	5	4	1	9	6	2	8
2	1	9	3	8	6	4	7	5
1	2	3	7	6	4	5	8	9
6	8	4	2	9	5	7	1	3
5	9	7	1	3	8	2	6	4

421

9	5	8	2	4	6	1	7	3
7	3	4	1	8	9	6	5	2
2	1	6	5	3	7	8	9	4
4	2	7	9	1	3	5	6	8
1	9	3	8	6	5	4	2	7
8	6	5	7	2	4	3	1	9
6	8	1	3	7	2	9	4	5
5	4	2	6	9	8	7	3	1
3	7	9	4	5	1	2	8	6

422

5	8	2	4	1	6	3	9	7
9	6	3	8	2	7	1	5	4
1	4	7	9	5	3	6	2	8
7	2	5	3	6	8	9	4	1
8	9	6	5	4	1	2	7	3
4	3	1	7	9	2	5	8	6
2	1	9	6	8	4	7	3	5
3	5	8	1	7	9	4	6	2
6	7	4	2	3	5	8	1	9

423

1	3	5	4	6	2	7	9	8
8	7	9	5	1	3	2	6	4
6	4	2	7	9	8	5	1	3
5	6	4	3	2	7	9	8	1
2	1	8	9	4	5	6	3	7
3	9	7	1	8	6	4	5	2
9	2	3	8	5	4	1	7	6
4	8	1	6	7	9	3	2	5
7	5	6	2	3	1	8	4	9

424

2	9	1	5	6	7	8	3	4
8	4	7	2	1	3	9	5	6
5	3	6	4	8	9	2	7	1
3	6	5	8	9	2	1	4	7
1	8	9	7	5	4	3	6	2
7	2	4	6	3	1	5	9	8
6	7	8	3	2	5	4	1	9
9	5	2	1	4	6	7	8	3
4	1	3	9	7	8	6	2	5

425

3	2	8	9	6	1	7	4	5
5	6	1	7	2	4	3	8	9
9	7	4	3	5	8	1	6	2
7	3	2	6	4	5	8	9	1
8	1	5	2	3	9	4	7	6
6	4	9	1	8	7	2	5	3
1	5	6	4	7	2	9	3	8
2	8	7	5	9	3	6	1	4
4	9	3	8	1	6	5	2	7

426

9	5	2	4	8	3	7	1	6
7	4	1	2	9	6	8	3	5
8	3	6	5	1	7	4	9	2
4	9	8	3	2	5	6	7	1
5	6	3	1	7	8	2	4	9
1	2	7	9	6	4	5	8	3
2	8	4	6	3	1	9	5	7
6	1	5	7	4	9	3	2	8
3	7	9	8	5	2	1	6	4

427

4	1	6	7	5	3	8	2	9
2	5	8	4	1	9	7	6	3
9	7	3	8	6	2	5	4	1
1	6	7	2	3	5	4	9	8
3	4	9	1	7	8	2	5	6
8	2	5	9	4	6	1	3	7
7	8	2	3	9	4	6	1	5
5	9	4	6	8	1	3	7	2
6	3	1	5	2	7	9	8	4

428

2	1	4	8	6	3	9	5	7
8	5	3	7	2	9	4	6	1
9	6	7	1	5	4	8	2	3
7	3	1	9	8	6	2	4	5
6	8	2	4	3	5	7	1	9
5	4	9	2	1	7	6	3	8
1	7	6	3	9	2	5	8	4
3	9	5	6	4	8	1	7	2
4	2	8	5	7	1	3	9	6

429

1	6	8	7	3	9	5	2	4
3	5	9	8	4	2	1	6	7
2	4	7	5	6	1	3	8	9
5	1	2	9	8	4	7	3	6
7	3	4	1	5	6	2	9	8
9	8	6	2	7	3	4	1	5
8	9	3	4	1	5	6	7	2
4	2	1	6	9	7	8	5	3
6	7	5	3	2	8	9	4	1

430

8	7	6	2	9	5	1	3	4
2	1	3	8	6	4	9	7	5
5	9	4	3	1	7	2	8	6
6	8	9	1	2	3	4	5	7
1	2	5	4	7	6	3	9	8
4	3	7	9	5	8	6	1	2
9	4	1	7	8	2	5	6	3
3	6	8	5	4	9	7	2	1
7	5	2	6	3	1	8	4	9

431

8	3	6	2	7	4	1	5	9
5	1	9	6	3	8	7	4	2
7	2	4	5	9	1	8	6	3
9	4	1	7	5	6	3	2	8
3	6	8	1	4	2	5	9	7
2	7	5	3	8	9	6	1	4
1	5	3	4	2	7	9	8	6
6	8	2	9	1	3	4	7	5
4	9	7	8	6	5	2	3	1

432

2	9	4	3	1	8	7	5	6
6	1	3	2	5	7	8	9	4
7	5	8	4	9	6	1	3	2
1	6	2	9	4	3	5	7	8
4	7	9	6	8	5	3	2	1
3	8	5	1	7	2	6	4	9
5	4	7	8	2	1	9	6	3
9	3	1	7	6	4	2	8	5
8	2	6	5	3	9	4	1	7

433

1	3	8	2	6	4	5	7	9
2	7	6	3	9	5	8	1	4
4	5	9	7	1	8	3	2	6
8	6	3	1	2	9	7	4	5
5	2	7	4	8	3	9	6	1
9	4	1	5	7	6	2	8	3
3	9	2	8	4	1	6	5	7
7	1	5	6	3	2	4	9	8
6	8	4	9	5	7	1	3	2

434

3	9	2	7	5	8	1	4	6
5	1	7	3	4	6	2	8	9
4	6	8	2	9	1	3	7	5
1	7	6	5	2	9	8	3	4
2	8	5	4	6	3	9	1	7
9	4	3	1	8	7	5	6	2
7	2	1	6	3	5	4	9	8
8	3	4	9	7	2	6	5	1
6	5	9	8	1	4	7	2	3

435

4	2	6	8	7	9	5	1	3
7	3	1	2	6	5	8	9	4
9	5	8	1	3	4	6	7	2
1	9	7	5	4	3	2	8	6
6	8	3	9	1	2	4	5	7
5	4	2	7	8	6	9	3	1
3	7	4	6	9	8	1	2	5
8	1	5	4	2	7	3	6	9
2	6	9	3	5	1	7	4	8

436

3	6	5	8	9	1	7	4	2
7	1	4	6	5	2	3	8	9
9	2	8	4	7	3	1	5	6
2	3	1	7	6	5	8	9	4
5	8	6	1	4	9	2	7	3
4	7	9	3	2	8	5	6	1
8	9	7	2	1	4	6	3	5
6	5	2	9	3	7	4	1	8
1	4	3	5	8	6	9	2	7

437

6	4	2	8	7	3	9	1	5
5	9	7	6	2	1	4	8	3
8	3	1	4	9	5	2	6	7
9	8	3	1	5	7	6	4	2
4	7	5	2	6	8	1	3	9
1	2	6	9	3	4	5	7	8
2	1	8	7	4	9	3	5	6
7	5	9	3	1	6	8	2	4
3	6	4	5	8	2	7	9	1

438

8	5	3	7	1	4	2	6	9
4	6	9	5	8	2	1	7	3
7	1	2	3	9	6	5	8	4
6	7	5	1	2	9	3	4	8
9	4	1	8	6	3	7	2	5
2	3	8	4	5	7	9	1	6
3	9	4	2	7	8	6	5	1
5	2	6	9	4	1	8	3	7
1	8	7	6	3	5	4	9	2

439

8	3	1	5	7	2	9	4	6
5	9	4	3	1	6	2	8	7
7	6	2	8	4	9	5	1	3
3	7	8	9	2	1	6	5	4
6	2	9	7	5	4	8	3	1
4	1	5	6	3	8	7	9	2
2	8	7	1	9	3	4	6	5
1	5	6	4	8	7	3	2	9
9	4	3	2	6	5	1	7	8

440

4	1	9	8	5	6	2	7	3
2	8	7	1	4	3	6	5	9
6	5	3	9	2	7	8	1	4
3	4	6	2	9	5	7	8	1
5	9	8	4	7	1	3	6	2
1	7	2	6	3	8	9	4	5
7	2	4	5	8	9	1	3	6
8	6	5	3	1	2	4	9	7
9	3	1	7	6	4	5	2	8

441

7	5	9	2	6	4	1	8	3
1	8	2	5	3	9	6	7	4
6	4	3	8	1	7	5	2	9
9	2	7	6	4	3	8	1	5
3	6	4	1	5	8	2	9	7
8	1	5	7	9	2	3	4	6
5	9	6	4	2	1	7	3	8
4	7	1	3	8	5	9	6	2
2	3	8	9	7	6	4	5	1

442

1	5	3	6	7	2	9	8	4
8	6	4	3	9	1	7	2	5
7	9	2	4	8	5	3	1	6
2	7	9	1	6	3	4	5	8
4	3	1	9	5	8	2	6	7
6	8	5	7	2	4	1	3	9
3	2	8	5	4	7	6	9	1
5	4	6	2	1	9	8	7	3
9	1	7	8	3	6	5	4	2

443

8	2	1	7	3	9	6	5	4
9	3	4	5	2	6	8	1	7
7	5	6	4	8	1	3	2	9
6	4	8	1	9	7	2	3	5
5	7	2	8	4	3	9	6	1
1	9	3	6	5	2	4	7	8
3	6	7	9	1	8	5	4	2
4	1	9	2	6	5	7	8	3
2	8	5	3	7	4	1	9	6

444

8	3	2	7	5	9	4	1	6
4	9	1	8	2	6	3	7	5
7	5	6	4	3	1	2	9	8
9	2	3	6	7	4	8	5	1
6	7	5	1	8	2	9	4	3
1	8	4	5	9	3	7	6	2
2	4	9	3	1	5	6	8	7
3	1	7	9	6	8	5	2	4
5	6	8	2	4	7	1	3	9

445

9	1	6	3	7	2	4	8	5
4	8	7	1	6	5	3	9	2
2	3	5	9	4	8	7	6	1
8	6	2	5	3	1	9	4	7
3	5	1	7	9	4	6	2	8
7	4	9	8	2	6	5	1	3
6	2	3	4	1	7	8	5	9
1	7	8	6	5	9	2	3	4
5	9	4	2	8	3	1	7	6

446

2	8	1	4	6	7	5	9	3
5	4	3	1	9	2	7	8	6
9	6	7	8	5	3	4	2	1
3	2	6	5	8	1	9	7	4
1	7	9	2	3	4	8	6	5
8	5	4	9	7	6	1	3	2
4	1	8	3	2	9	6	5	7
7	9	2	6	4	5	3	1	8
6	3	5	7	1	8	2	4	9

447

5	8	9	3	7	4	6	1	2
3	2	1	9	5	6	8	7	4
4	7	6	1	2	8	5	3	9
7	6	2	8	3	9	1	4	5
9	1	3	4	6	5	7	2	8
8	4	5	7	1	2	3	9	6
6	5	7	2	4	1	9	8	3
2	3	8	6	9	7	4	5	1
1	9	4	5	8	3	2	6	7

448

5	3	2	7	4	1	9	6	8
9	6	8	3	2	5	4	1	7
7	1	4	6	8	9	3	2	5
2	4	9	5	6	7	1	8	3
6	7	3	8	1	2	5	9	4
8	5	1	4	9	3	6	7	2
1	8	5	9	7	4	2	3	6
3	9	6	2	5	8	7	4	1
4	2	7	1	3	6	8	5	9

449

5	6	4	3	9	1	7	2	8
8	9	1	7	2	5	4	6	3
2	7	3	4	8	6	9	1	5
3	8	6	1	5	4	2	7	9
1	5	9	8	7	2	3	4	6
7	4	2	6	3	9	5	8	1
4	2	8	5	6	3	1	9	7
6	1	5	9	4	7	8	3	2
9	3	7	2	1	8	6	5	4

450

1	9	8	5	2	6	3	4	7
2	6	7	8	4	3	1	5	9
5	4	3	7	1	9	8	2	6
7	2	1	6	3	8	5	9	4
3	8	4	2	9	5	6	7	1
6	5	9	4	7	1	2	3	8
9	1	6	3	5	7	4	8	2
4	7	5	1	8	2	9	6	3
8	3	2	9	6	4	7	1	5

451

3	2	7	1	8	6	4	5	9
5	1	4	3	9	7	8	6	2
8	9	6	2	5	4	1	3	7
6	3	5	9	7	1	2	8	4
9	4	8	5	3	2	7	1	6
2	7	1	6	4	8	5	9	3
7	6	3	8	2	5	9	4	1
4	5	9	7	1	3	6	2	8
1	8	2	4	6	9	3	7	5

452

6	4	9	5	3	2	1	8	7
2	7	8	6	1	9	5	4	3
5	3	1	8	4	7	2	6	9
1	5	4	7	8	6	9	3	2
3	8	7	9	2	1	6	5	4
9	6	2	4	5	3	8	7	1
4	2	5	3	9	8	7	1	6
7	9	3	1	6	5	4	2	8
8	1	6	2	7	4	3	9	5

453

3	6	9	4	7	8	2	5	1
8	4	2	3	5	1	6	9	7
7	1	5	2	6	9	4	8	3
6	7	8	1	3	4	5	2	9
2	9	3	5	8	7	1	4	6
1	5	4	9	2	6	3	7	8
4	2	7	6	9	3	8	1	5
9	3	1	8	4	5	7	6	2
5	8	6	7	1	2	9	3	4

454

8	3	1	5	4	9	6	7	2
6	5	4	1	2	7	9	3	8
2	7	9	6	3	8	1	4	5
5	8	7	9	6	3	4	2	1
4	1	2	7	8	5	3	6	9
9	6	3	4	1	2	5	8	7
7	9	8	3	5	6	2	1	4
3	4	5	2	7	1	8	9	6
1	2	6	8	9	4	7	5	3

455

9	3	1	8	4	7	2	5	6
2	6	5	9	1	3	7	8	4
4	7	8	2	6	5	1	9	3
5	8	3	7	2	1	6	4	9
6	4	2	3	9	8	5	7	1
1	9	7	6	5	4	3	2	8
8	1	6	5	7	9	4	3	2
3	5	4	1	8	2	9	6	7
7	2	9	4	3	6	8	1	5

456

5	9	6	7	8	1	2	4	3
7	1	2	5	4	3	6	9	8
3	8	4	9	2	6	1	7	5
8	6	5	4	7	2	9	3	1
4	7	3	1	5	9	8	6	2
9	2	1	6	3	8	7	5	4
2	5	9	8	6	4	3	1	7
1	4	8	3	9	7	5	2	6
6	3	7	2	1	5	4	8	9

457

4	6	5	2	7	3	8	9	1
2	1	9	8	5	6	3	7	4
3	7	8	9	4	1	2	6	5
6	9	7	3	1	2	5	4	8
5	8	3	6	9	4	1	2	7
1	4	2	5	8	7	6	3	9
8	3	4	7	6	5	9	1	2
7	5	6	1	2	9	4	8	3
9	2	1	4	3	8	7	5	6

458

6	8	3	1	2	7	9	4	5
7	5	9	3	4	8	6	2	1
1	2	4	9	5	6	8	3	7
3	6	2	4	1	9	5	7	8
9	1	8	5	7	2	4	6	3
5	4	7	6	8	3	2	1	9
8	9	6	7	3	4	1	5	2
4	3	5	2	9	1	7	8	6
2	7	1	8	6	5	3	9	4

459

7	4	6	5	3	2	1	8	9
5	2	1	6	9	8	7	3	4
8	3	9	7	1	4	5	2	6
3	8	2	4	7	1	9	6	5
9	7	5	3	8	6	2	4	1
6	1	4	2	5	9	3	7	8
1	9	3	8	4	7	6	5	2
4	6	7	1	2	5	8	9	3
2	5	8	9	6	3	4	1	7

460

9	5	3	6	4	1	2	7	8
6	4	8	7	3	2	9	1	5
7	2	1	8	9	5	3	6	4
2	7	4	3	1	9	5	8	6
1	8	9	2	5	6	4	3	7
3	6	5	4	8	7	1	2	9
8	9	7	5	2	3	6	4	1
5	3	6	1	7	4	8	9	2
4	1	2	9	6	8	7	5	3

461

3	4	8	7	2	6	5	1	9
7	2	1	4	5	9	3	6	8
6	5	9	8	3	1	7	2	4
5	8	6	9	4	3	2	7	1
1	3	2	5	8	7	4	9	6
9	7	4	1	6	2	8	3	5
8	9	7	2	1	4	6	5	3
2	6	5	3	9	8	1	4	7
4	1	3	6	7	5	9	8	2

462

2	6	1	7	5	3	8	4	9
8	7	5	2	9	4	6	3	1
4	9	3	1	8	6	2	5	7
3	2	4	8	6	9	1	7	5
9	8	7	5	2	1	4	6	3
5	1	6	3	4	7	9	2	8
6	5	8	9	3	2	7	1	4
7	3	2	4	1	8	5	9	6
1	4	9	6	7	5	3	8	2

463

3	1	5	8	2	4	9	6	7
9	7	2	6	3	1	4	8	5
4	6	8	5	7	9	3	2	1
1	9	6	3	4	5	8	7	2
5	8	3	7	1	2	6	4	9
2	4	7	9	8	6	1	5	3
8	2	4	1	5	3	7	9	6
7	3	9	2	6	8	5	1	4
6	5	1	4	9	7	2	3	8

464

3	8	1	6	5	7	9	4	2
5	9	6	8	2	4	1	7	3
4	2	7	1	9	3	5	6	8
6	4	2	5	1	8	7	3	9
7	3	5	9	4	2	6	8	1
9	1	8	7	3	6	4	2	5
1	7	4	2	8	5	3	9	6
2	5	3	4	6	9	8	1	7
8	6	9	3	7	1	2	5	4

465

3	9	7	2	1	8	5	6	4
8	1	5	9	6	4	2	3	7
2	6	4	7	5	3	1	9	8
4	8	2	6	3	9	7	5	1
6	7	3	5	8	1	9	4	2
9	5	1	4	7	2	6	8	3
5	4	6	8	2	7	3	1	9
1	2	9	3	4	6	8	7	5
7	3	8	1	9	5	4	2	6

466

8	5	9	7	3	2	4	6	1
4	3	2	6	8	1	9	5	7
1	6	7	4	9	5	3	2	8
5	7	6	1	2	4	8	9	3
9	8	1	3	7	6	5	4	2
3	2	4	9	5	8	7	1	6
2	9	8	5	1	3	6	7	4
7	4	3	2	6	9	1	8	5
6	1	5	8	4	7	2	3	9

467

1	7	4	3	2	6	9	8	5
6	8	9	4	5	1	2	3	7
5	2	3	9	8	7	4	1	6
3	9	2	8	6	4	5	7	1
8	5	6	7	1	2	3	9	4
7	4	1	5	9	3	8	6	2
9	6	5	1	4	8	7	2	3
4	1	7	2	3	9	6	5	8
2	3	8	6	7	5	1	4	9

468

8	2	4	3	1	6	7	9	5
7	9	6	2	4	5	3	8	1
5	1	3	9	7	8	2	4	6
6	8	7	1	2	3	4	5	9
3	5	9	7	8	4	1	6	2
1	4	2	6	5	9	8	3	7
4	6	1	8	9	7	5	2	3
9	7	5	4	3	2	6	1	8
2	3	8	5	6	1	9	7	4

469

1	3	5	6	9	4	7	2	8
6	2	4	8	1	7	3	5	9
9	8	7	2	3	5	4	1	6
7	5	2	3	4	9	8	6	1
8	9	1	5	7	6	2	4	3
4	6	3	1	2	8	5	9	7
2	7	6	9	5	3	1	8	4
5	4	9	7	8	1	6	3	2
3	1	8	4	6	2	9	7	5

470

1	8	7	9	6	2	4	5	3
3	5	2	8	1	4	9	6	7
4	6	9	5	3	7	8	2	1
2	3	6	4	7	9	1	8	5
9	4	5	1	8	6	3	7	2
8	7	1	3	2	5	6	4	9
5	2	3	6	9	8	7	1	4
6	1	4	7	5	3	2	9	8
7	9	8	2	4	1	5	3	6

471

6	2	3	9	1	4	7	5	8
4	1	8	3	7	5	2	9	6
9	5	7	8	6	2	4	3	1
1	7	4	2	3	6	5	8	9
8	6	5	1	9	7	3	4	2
2	3	9	4	5	8	1	6	7
7	4	1	6	8	3	9	2	5
5	8	2	7	4	9	6	1	3
3	9	6	5	2	1	8	7	4

472

6	7	8	5	1	3	9	2	4
4	3	9	7	2	8	5	1	6
2	1	5	6	4	9	7	3	8
9	8	6	2	3	7	4	5	1
5	4	3	8	6	1	2	9	7
7	2	1	9	5	4	8	6	3
1	9	2	4	7	6	3	8	5
8	6	7	3	9	5	1	4	2
3	5	4	1	8	2	6	7	9

473

6	3	7	5	2	1	9	4	8
5	4	9	8	7	6	1	2	3
2	1	8	4	3	9	6	7	5
9	6	1	7	5	8	4	3	2
4	8	5	2	9	3	7	1	6
3	7	2	1	6	4	8	5	9
7	9	3	6	1	2	5	8	4
8	5	6	3	4	7	2	9	1
1	2	4	9	8	5	3	6	7

474

3	5	4	8	9	7	2	6	1
9	1	7	6	3	2	4	8	5
8	6	2	1	5	4	9	7	3
5	4	8	2	6	1	7	3	9
6	7	3	5	8	9	1	2	4
2	9	1	7	4	3	6	5	8
7	2	5	9	1	8	3	4	6
1	3	6	4	2	5	8	9	7
4	8	9	3	7	6	5	1	2

475

9	1	7	8	2	3	6	5	4
5	2	8	7	6	4	9	3	1
3	6	4	5	9	1	2	7	8
8	3	9	6	1	7	5	4	2
2	4	1	9	8	5	3	6	7
6	7	5	4	3	2	8	1	9
7	8	2	3	4	6	1	9	5
4	9	6	1	5	8	7	2	3
1	5	3	2	7	9	4	8	6

476

2	8	4	1	5	3	7	6	9
7	1	6	4	2	9	3	8	5
3	5	9	7	6	8	4	1	2
8	4	3	5	9	1	2	7	6
5	6	1	3	7	2	8	9	4
9	7	2	6	8	4	1	5	3
4	9	5	8	3	7	6	2	1
1	2	8	9	4	6	5	3	7
6	3	7	2	1	5	9	4	8

477

4	9	5	6	2	8	3	1	7
8	2	1	9	7	3	4	6	5
3	6	7	5	1	4	9	8	2
9	8	2	3	5	6	7	4	1
1	4	3	7	8	9	2	5	6
7	5	6	2	4	1	8	3	9
5	1	8	4	9	7	6	2	3
2	3	9	8	6	5	1	7	4
6	7	4	1	3	2	5	9	8

478

4	6	1	3	2	9	5	7	8
2	8	3	6	5	7	9	4	1
7	9	5	8	4	1	2	6	3
5	4	6	9	8	2	1	3	7
3	1	7	4	6	5	8	2	9
9	2	8	1	7	3	6	5	4
1	3	2	7	9	6	4	8	5
6	7	4	5	1	8	3	9	2
8	5	9	2	3	4	7	1	6

479

2	7	1	6	4	9	3	8	5
9	3	5	7	1	8	4	6	2
8	4	6	5	2	3	9	1	7
4	6	7	2	9	5	1	3	8
3	2	9	8	7	1	6	5	4
5	1	8	4	3	6	7	2	9
6	5	4	1	8	7	2	9	3
1	9	2	3	5	4	8	7	6
7	8	3	9	6	2	5	4	1

480

2	5	3	1	6	4	9	8	7
6	9	4	7	5	8	2	3	1
8	1	7	3	9	2	5	6	4
3	7	2	4	1	6	8	9	5
5	6	1	8	2	9	7	4	3
4	8	9	5	7	3	6	1	2
7	4	6	9	3	5	1	2	8
1	2	8	6	4	7	3	5	9
9	3	5	2	8	1	4	7	6

481

2	3	6	5	7	1	8	4	9
8	1	7	9	6	4	3	2	5
9	4	5	3	8	2	1	6	7
4	2	9	8	3	6	5	7	1
7	6	1	4	9	5	2	3	8
5	8	3	1	2	7	4	9	6
1	5	2	7	4	9	6	8	3
3	9	4	6	1	8	7	5	2
6	7	8	2	5	3	9	1	4

482

6	8	3	5	2	7	1	9	4
2	5	9	1	3	4	7	8	6
1	7	4	8	6	9	5	2	3
5	9	2	4	8	3	6	1	7
8	6	7	2	1	5	3	4	9
3	4	1	7	9	6	8	5	2
9	1	5	6	7	2	4	3	8
7	2	8	3	4	1	9	6	5
4	3	6	9	5	8	2	7	1

483

9	1	7	4	2	3	8	6	5
6	4	8	1	7	5	2	9	3
5	2	3	8	9	6	7	4	1
8	5	1	7	3	4	6	2	9
4	6	9	2	1	8	3	5	7
7	3	2	5	6	9	4	1	8
2	7	6	9	8	1	5	3	4
3	9	4	6	5	7	1	8	2
1	8	5	3	4	2	9	7	6

484

5	1	6	8	9	7	2	3	4
8	3	7	6	4	2	5	1	9
9	4	2	1	5	3	7	6	8
3	6	8	2	7	5	4	9	1
7	9	5	3	1	4	8	2	6
4	2	1	9	8	6	3	5	7
6	8	4	5	3	9	1	7	2
2	7	3	4	6	1	9	8	5
1	5	9	7	2	8	6	4	3

485

6	1	9	2	5	8	3	7	4
5	4	2	1	7	3	8	9	6
8	3	7	4	9	6	2	5	1
3	6	4	5	8	1	7	2	9
9	7	5	6	3	2	4	1	8
2	8	1	7	4	9	6	3	5
7	5	8	9	2	4	1	6	3
1	2	3	8	6	5	9	4	7
4	9	6	3	1	7	5	8	2

486

9	2	8	1	6	3	4	5	7
6	3	1	4	5	7	9	2	8
5	4	7	2	8	9	6	3	1
8	7	9	3	4	1	5	6	2
2	1	3	5	7	6	8	4	9
4	5	6	9	2	8	1	7	3
1	6	2	7	9	5	3	8	4
3	8	4	6	1	2	7	9	5
7	9	5	8	3	4	2	1	6

487

8	2	4	9	1	3	6	7	5
9	5	7	8	4	6	3	1	2
3	6	1	5	2	7	9	4	8
6	7	8	3	5	1	4	2	9
4	3	9	2	7	8	1	5	6
2	1	5	4	6	9	8	3	7
1	9	3	7	8	2	5	6	4
7	4	6	1	9	5	2	8	3
5	8	2	6	3	4	7	9	1

488

8	6	7	1	9	2	4	3	5
2	1	3	4	7	5	6	9	8
5	4	9	3	8	6	7	1	2
4	9	2	8	5	1	3	7	6
6	5	1	9	3	7	2	8	4
7	3	8	6	2	4	9	5	1
3	2	4	7	1	8	5	6	9
1	7	6	5	4	9	8	2	3
9	8	5	2	6	3	1	4	7

489

2	8	6	3	7	5	9	4	1
3	1	7	6	4	9	8	2	5
4	9	5	2	8	1	7	6	3
9	7	2	1	5	8	4	3	6
1	3	4	7	9	6	5	8	2
6	5	8	4	2	3	1	7	9
8	4	3	5	1	2	6	9	7
5	6	9	8	3	7	2	1	4
7	2	1	9	6	4	3	5	8

490

3	1	9	8	7	2	4	6	5
6	4	2	5	9	3	7	8	1
5	8	7	1	6	4	2	9	3
2	9	3	6	1	8	5	4	7
8	7	5	2	4	9	3	1	6
4	6	1	3	5	7	8	2	9
7	2	8	9	3	6	1	5	4
1	3	6	4	8	5	9	7	2
9	5	4	7	2	1	6	3	8

491

4	6	5	8	7	3	1	9	2
8	3	9	1	6	2	7	4	5
2	7	1	5	4	9	8	3	6
9	5	2	7	1	8	3	6	4
1	8	6	2	3	4	5	7	9
3	4	7	6	9	5	2	8	1
6	9	8	3	5	1	4	2	7
5	2	4	9	8	7	6	1	3
7	1	3	4	2	6	9	5	8

492

5	6	4	8	7	3	9	1	2
8	9	2	5	1	4	6	3	7
1	7	3	2	6	9	5	8	4
6	4	9	7	2	1	3	5	8
2	8	7	6	3	5	4	9	1
3	5	1	9	4	8	2	7	6
7	3	8	4	9	2	1	6	5
9	2	5	1	8	6	7	4	3
4	1	6	3	5	7	8	2	9

493

8	9	6	7	1	2	3	5	4
2	4	3	8	9	5	7	1	6
7	1	5	4	6	3	9	2	8
1	7	9	2	5	6	8	4	3
6	5	8	3	4	7	1	9	2
3	2	4	9	8	1	5	6	7
9	6	7	5	2	8	4	3	1
4	3	2	1	7	9	6	8	5
5	8	1	6	3	4	2	7	9

494

7	1	2	6	3	5	4	9	8
6	4	5	2	9	8	1	3	7
9	8	3	7	1	4	2	6	5
1	9	6	5	2	3	8	7	4
4	5	8	1	7	6	3	2	9
3	2	7	4	8	9	6	5	1
5	7	1	3	4	2	9	8	6
2	6	9	8	5	1	7	4	3
8	3	4	9	6	7	5	1	2

495

7	3	6	9	2	5	1	4	8
1	5	4	8	3	6	9	2	7
8	2	9	4	7	1	6	3	5
4	9	7	3	5	2	8	6	1
5	8	1	6	9	4	2	7	3
3	6	2	1	8	7	5	9	4
9	7	5	2	4	8	3	1	6
6	4	3	5	1	9	7	8	2
2	1	8	7	6	3	4	5	9

496

4	3	2	7	9	5	6	8	1
7	5	8	4	6	1	2	3	9
1	9	6	3	8	2	4	7	5
9	6	1	2	7	8	5	4	3
2	7	3	1	5	4	9	6	8
5	8	4	9	3	6	7	1	2
8	1	5	6	2	7	3	9	4
6	2	9	8	4	3	1	5	7
3	4	7	5	1	9	8	2	6

497

9	4	5	6	3	8	1	2	7
2	7	1	9	4	5	6	8	3
8	6	3	1	7	2	4	5	9
6	2	7	8	1	3	5	9	4
1	3	9	7	5	4	2	6	8
5	8	4	2	9	6	3	7	1
7	5	6	4	8	1	9	3	2
4	9	2	3	6	7	8	1	5
3	1	8	5	2	9	7	4	6

498

5	4	6	8	2	7	3	1	9
1	7	9	6	5	3	2	4	8
8	3	2	1	4	9	5	7	6
6	9	5	4	3	2	7	8	1
4	8	7	5	1	6	9	2	3
3	2	1	9	7	8	4	6	5
7	5	4	3	6	1	8	9	2
2	1	8	7	9	5	6	3	4
9	6	3	2	8	4	1	5	7

499

1	4	8	2	9	3	6	7	5
9	6	5	8	7	1	4	3	2
7	2	3	5	6	4	9	8	1
5	8	1	4	3	2	7	9	6
2	3	9	6	8	7	1	5	4
4	7	6	9	1	5	3	2	8
3	9	2	1	4	8	5	6	7
8	1	7	3	5	6	2	4	9
6	5	4	7	2	9	8	1	3

500

8	5	2	3	9	7	1	4	6
3	9	4	2	1	6	8	5	7
6	7	1	8	4	5	2	3	9
4	3	7	1	2	9	6	8	5
2	6	8	5	7	3	9	1	4
5	1	9	4	6	8	3	7	2
1	2	6	7	3	4	5	9	8
7	8	3	9	5	2	4	6	1
9	4	5	6	8	1	7	2	3

501

2	3	9	5	7	1	8	4	6
5	6	8	9	2	4	1	3	7
4	7	1	6	3	8	2	5	9
6	9	2	7	8	5	4	1	3
7	5	4	3	1	9	6	2	8
8	1	3	2	4	6	7	9	5
9	2	7	1	6	3	5	8	4
3	8	6	4	5	2	9	7	1
1	4	5	8	9	7	3	6	2

502

5	3	7	9	6	2	1	4	8
6	1	2	3	8	4	7	5	9
9	4	8	1	7	5	3	2	6
8	2	4	5	3	7	6	9	1
7	5	9	2	1	6	8	3	4
3	6	1	4	9	8	5	7	2
1	9	5	8	4	3	2	6	7
2	8	6	7	5	9	4	1	3
4	7	3	6	2	1	9	8	5

503

2	6	8	9	7	5	4	1	3
1	9	7	4	3	6	5	2	8
5	4	3	8	1	2	7	9	6
6	1	9	3	4	7	8	5	2
8	5	4	2	6	1	3	7	9
7	3	2	5	9	8	6	4	1
4	7	1	6	8	9	2	3	5
3	8	5	1	2	4	9	6	7
9	2	6	7	5	3	1	8	4

504

9	6	8	2	4	1	3	7	5
3	5	4	7	6	8	9	1	2
2	7	1	3	5	9	8	6	4
7	1	5	8	3	6	2	4	9
8	3	2	1	9	4	6	5	7
4	9	6	5	7	2	1	8	3
5	8	9	6	2	7	4	3	1
6	2	3	4	1	5	7	9	8
1	4	7	9	8	3	5	2	6

505

9	2	5	4	7	8	6	3	1
6	1	7	5	2	3	8	4	9
3	4	8	9	1	6	7	2	5
2	5	6	7	4	1	3	9	8
4	3	1	2	8	9	5	6	7
7	8	9	3	6	5	4	1	2
5	9	2	8	3	4	1	7	6
1	7	3	6	5	2	9	8	4
8	6	4	1	9	7	2	5	3

506

8	3	2	4	5	9	7	1	6
1	9	5	7	2	6	3	4	8
6	4	7	3	8	1	9	2	5
4	2	9	5	1	7	8	6	3
3	1	8	6	9	4	5	7	2
5	7	6	2	3	8	1	9	4
7	8	3	9	4	2	6	5	1
2	6	1	8	7	5	4	3	9
9	5	4	1	6	3	2	8	7

507

7	5	2	9	3	8	4	6	1
8	9	6	2	4	1	7	3	5
1	4	3	5	6	7	2	9	8
4	3	7	1	9	5	8	2	6
5	2	1	6	8	4	3	7	9
9	6	8	3	7	2	5	1	4
6	8	4	7	1	3	9	5	2
2	7	9	4	5	6	1	8	3
3	1	5	8	2	9	6	4	7

508

7	4	3	2	6	8	9	5	1
8	6	2	1	5	9	4	7	3
5	1	9	7	3	4	8	6	2
4	2	5	3	1	6	7	9	8
3	7	6	9	8	2	1	4	5
1	9	8	4	7	5	2	3	6
6	3	1	8	9	7	5	2	4
9	8	4	5	2	3	6	1	7
2	5	7	6	4	1	3	8	9

509

9	3	8	4	2	7	6	1	5
7	5	4	8	1	6	9	2	3
6	1	2	5	9	3	4	8	7
4	7	1	6	3	2	8	5	9
2	8	6	1	5	9	7	3	4
3	9	5	7	4	8	2	6	1
8	2	9	3	7	5	1	4	6
5	4	7	2	6	1	3	9	8
1	6	3	9	8	4	5	7	2

510

4	7	3	9	6	5	8	2	1
5	2	8	3	1	4	7	9	6
9	1	6	2	7	8	5	3	4
7	5	4	6	8	9	2	1	3
1	6	9	7	2	3	4	5	8
3	8	2	4	5	1	9	6	7
8	9	1	5	3	7	6	4	2
6	3	5	8	4	2	1	7	9
2	4	7	1	9	6	3	8	5

511

7	4	2	6	5	1	9	8	3
3	5	1	7	8	9	6	4	2
9	8	6	2	3	4	5	7	1
4	3	8	1	7	6	2	9	5
6	7	5	3	9	2	8	1	4
1	2	9	5	4	8	3	6	7
5	1	3	8	6	7	4	2	9
8	9	7	4	2	5	1	3	6
2	6	4	9	1	3	7	5	8

512

4	6	2	5	9	7	8	1	3
1	5	7	2	3	8	6	4	9
3	8	9	4	1	6	5	2	7
9	7	1	8	4	5	2	3	6
2	3	5	6	7	9	4	8	1
6	4	8	3	2	1	7	9	5
8	1	3	7	6	2	9	5	4
5	9	6	1	8	4	3	7	2
7	2	4	9	5	3	1	6	8

513

7	1	6	9	3	8	2	4	5
3	4	2	5	1	7	8	6	9
5	9	8	4	6	2	7	3	1
2	6	4	3	7	9	5	1	8
9	7	1	6	8	5	4	2	3
8	3	5	2	4	1	9	7	6
6	5	9	7	2	3	1	8	4
4	8	7	1	9	6	3	5	2
1	2	3	8	5	4	6	9	7

514

7	2	4	3	8	9	5	1	6
3	6	9	7	1	5	4	8	2
1	8	5	6	4	2	3	9	7
5	9	8	1	7	4	2	6	3
2	4	7	9	3	6	8	5	1
6	3	1	2	5	8	9	7	4
4	5	3	8	6	7	1	2	9
9	1	6	5	2	3	7	4	8
8	7	2	4	9	1	6	3	5

515

7	1	5	4	8	3	2	9	6
3	4	8	6	2	9	7	1	5
9	6	2	7	1	5	3	4	8
4	3	6	2	9	8	5	7	1
2	5	1	3	7	4	8	6	9
8	7	9	1	5	6	4	2	3
1	8	3	9	4	2	6	5	7
5	2	7	8	6	1	9	3	4
6	9	4	5	3	7	1	8	2

516

2	3	7	1	6	5	9	8	4
4	1	8	3	2	9	7	6	5
5	6	9	8	7	4	3	2	1
8	7	2	6	4	3	5	1	9
3	9	4	2	5	1	8	7	6
1	5	6	7	9	8	2	4	3
6	2	5	9	1	7	4	3	8
7	4	3	5	8	6	1	9	2
9	8	1	4	3	2	6	5	7

517

8	3	6	5	9	1	7	4	2
7	2	4	6	8	3	9	1	5
5	1	9	4	7	2	3	8	6
4	7	1	2	5	6	8	9	3
2	9	5	7	3	8	4	6	1
3	6	8	9	1	4	5	2	7
6	8	3	1	4	7	2	5	9
9	4	2	3	6	5	1	7	8
1	5	7	8	2	9	6	3	4

518

7	8	6	3	5	1	4	2	9
9	1	2	6	7	4	3	8	5
4	5	3	2	9	8	6	7	1
5	9	4	1	8	2	7	3	6
6	3	8	7	4	5	9	1	2
1	2	7	9	3	6	8	5	4
8	7	5	4	2	9	1	6	3
3	4	1	5	6	7	2	9	8
2	6	9	8	1	3	5	4	7

519

8	3	7	5	4	1	2	6	9
4	1	2	6	7	9	3	8	5
9	6	5	8	3	2	1	4	7
3	7	4	1	9	8	5	2	6
2	9	6	7	5	3	4	1	8
5	8	1	4	2	6	9	7	3
6	2	3	9	8	4	7	5	1
7	4	8	3	1	5	6	9	2
1	5	9	2	6	7	8	3	4

520

1	5	6	2	9	7	8	3	4
3	7	4	8	1	6	9	2	5
9	8	2	4	3	5	6	7	1
5	6	9	3	2	8	1	4	7
2	1	8	5	7	4	3	9	6
4	3	7	1	6	9	2	5	8
8	9	1	7	5	3	4	6	2
7	4	3	6	8	2	5	1	9
6	2	5	9	4	1	7	8	3

521

3	2	6	1	4	5	9	7	8
8	4	7	6	2	9	1	3	5
5	9	1	3	8	7	4	2	6
9	5	2	4	3	6	7	8	1
6	7	4	9	1	8	2	5	3
1	3	8	5	7	2	6	4	9
2	8	3	7	6	1	5	9	4
4	6	5	2	9	3	8	1	7
7	1	9	8	5	4	3	6	2

522

4	9	3	8	1	2	6	7	5
6	5	1	9	4	7	2	3	8
2	7	8	5	6	3	4	1	9
8	3	7	4	9	1	5	6	2
9	1	4	6	2	5	3	8	7
5	6	2	3	7	8	9	4	1
7	2	5	1	3	6	8	9	4
3	8	9	7	5	4	1	2	6
1	4	6	2	8	9	7	5	3

523

8	9	7	6	1	3	2	5	4
3	6	5	2	9	4	1	7	8
1	4	2	8	7	5	9	3	6
2	7	3	5	4	6	8	1	9
4	8	6	1	3	9	5	2	7
5	1	9	7	2	8	6	4	3
9	3	1	4	6	2	7	8	5
6	2	8	3	5	7	4	9	1
7	5	4	9	8	1	3	6	2

524

7	9	5	6	2	4	8	1	3
1	2	3	8	5	9	7	6	4
4	8	6	1	3	7	9	2	5
6	7	8	9	1	5	3	4	2
3	5	4	2	8	6	1	9	7
2	1	9	4	7	3	5	8	6
9	6	7	3	4	1	2	5	8
5	4	2	7	9	8	6	3	1
8	3	1	5	6	2	4	7	9

525

1	4	8	9	6	5	7	2	3
7	6	9	2	1	3	4	5	8
5	2	3	7	8	4	9	6	1
8	3	7	4	9	2	6	1	5
2	5	1	3	7	6	8	9	4
4	9	6	8	5	1	2	3	7
9	8	2	5	3	7	1	4	6
6	7	5	1	4	9	3	8	2
3	1	4	6	2	8	5	7	9

526

4	5	9	2	8	1	3	6	7
2	7	1	5	6	3	4	8	9
3	8	6	4	9	7	2	5	1
6	2	5	7	3	8	9	1	4
1	4	8	9	5	2	7	3	6
9	3	7	1	4	6	5	2	8
8	6	2	3	7	4	1	9	5
5	1	4	8	2	9	6	7	3
7	9	3	6	1	5	8	4	2

527

3	4	7	2	6	8	5	1	9
9	2	1	5	4	7	3	8	6
5	6	8	3	1	9	2	7	4
4	3	2	7	5	1	6	9	8
7	8	5	6	9	3	4	2	1
6	1	9	4	8	2	7	5	3
1	5	4	8	2	6	9	3	7
8	7	6	9	3	5	1	4	2
2	9	3	1	7	4	8	6	5

528

2	7	5	9	8	6	3	1	4
3	8	4	1	5	2	7	9	6
9	1	6	7	4	3	2	5	8
5	4	8	6	1	7	9	3	2
7	6	3	2	9	5	8	4	1
1	2	9	8	3	4	6	7	5
6	5	2	3	7	1	4	8	9
8	3	1	4	2	9	5	6	7
4	9	7	5	6	8	1	2	3

529

2	7	6	1	3	5	9	8	4
4	9	5	8	6	7	1	2	3
1	3	8	9	2	4	6	5	7
8	2	3	6	5	9	4	7	1
9	6	7	2	4	1	5	3	8
5	4	1	3	7	8	2	9	6
3	5	2	4	8	6	7	1	9
7	1	4	5	9	3	8	6	2
6	8	9	7	1	2	3	4	5

530

3	6	4	9	7	8	5	2	1
5	1	7	2	4	3	9	6	8
2	8	9	1	5	6	3	4	7
1	5	6	3	9	7	2	8	4
8	9	3	6	2	4	7	1	5
4	7	2	8	1	5	6	3	9
6	4	1	5	3	9	8	7	2
7	3	5	4	8	2	1	9	6
9	2	8	7	6	1	4	5	3

531

3	7	8	4	2	6	1	5	9
4	5	2	9	3	1	8	6	7
1	6	9	7	8	5	4	2	3
7	1	5	6	4	9	3	8	2
9	4	3	8	5	2	6	7	1
8	2	6	1	7	3	5	9	4
2	9	1	3	6	8	7	4	5
5	8	4	2	1	7	9	3	6
6	3	7	5	9	4	2	1	8

532

3	8	6	2	1	4	9	5	7
4	1	9	8	7	5	3	6	2
5	7	2	6	9	3	8	1	4
7	6	4	3	5	9	1	2	8
2	9	1	7	8	6	5	4	3
8	3	5	4	2	1	6	7	9
1	5	8	9	4	7	2	3	6
9	4	3	5	6	2	7	8	1
6	2	7	1	3	8	4	9	5

533

6	2	3	5	7	9	8	4	1
7	4	1	8	2	3	6	9	5
5	8	9	6	1	4	3	7	2
9	5	2	4	3	1	7	6	8
8	6	4	2	5	7	1	3	9
1	3	7	9	8	6	2	5	4
4	9	8	3	6	2	5	1	7
2	7	6	1	4	5	9	8	3
3	1	5	7	9	8	4	2	6

534

1	7	3	6	9	5	4	8	2
2	9	4	8	3	7	6	5	1
8	6	5	1	4	2	7	9	3
4	3	6	7	8	1	9	2	5
9	8	7	5	2	4	1	3	6
5	2	1	3	6	9	8	7	4
6	1	2	9	7	3	5	4	8
7	4	8	2	5	6	3	1	9
3	5	9	4	1	8	2	6	7

535

2	9	3	6	8	4	5	1	7
1	4	7	5	9	2	6	3	8
8	6	5	3	1	7	4	2	9
6	2	9	7	5	8	1	4	3
7	8	1	2	4	3	9	6	5
5	3	4	1	6	9	8	7	2
3	1	8	4	7	5	2	9	6
4	5	2	9	3	6	7	8	1
9	7	6	8	2	1	3	5	4

536

4	1	5	2	6	9	8	7	3
9	8	2	3	1	7	6	5	4
3	6	7	8	5	4	2	9	1
5	4	9	1	2	8	3	6	7
6	7	3	9	4	5	1	2	8
1	2	8	6	7	3	5	4	9
8	3	6	4	9	2	7	1	5
7	9	1	5	8	6	4	3	2
2	5	4	7	3	1	9	8	6

537

6	3	1	4	8	9	5	2	7
5	7	2	1	6	3	4	8	9
4	9	8	7	2	5	1	3	6
2	1	4	9	7	8	3	6	5
8	5	9	3	4	6	7	1	2
7	6	3	5	1	2	8	9	4
3	2	5	8	9	7	6	4	1
9	4	7	6	3	1	2	5	8
1	8	6	2	5	4	9	7	3

538

3	2	6	7	9	5	8	1	4
5	9	8	2	4	1	3	6	7
1	4	7	3	8	6	2	5	9
6	1	9	8	3	2	7	4	5
7	5	3	4	6	9	1	8	2
2	8	4	1	5	7	6	9	3
8	6	5	9	2	3	4	7	1
4	3	1	5	7	8	9	2	6
9	7	2	6	1	4	5	3	8

539

7	6	2	1	4	8	5	9	3
4	1	9	6	5	3	7	8	2
3	8	5	7	9	2	4	1	6
6	7	3	4	1	5	8	2	9
1	5	8	2	7	9	3	6	4
2	9	4	3	8	6	1	5	7
8	3	6	5	2	7	9	4	1
5	4	7	9	6	1	2	3	8
9	2	1	8	3	4	6	7	5

540

4	9	8	7	3	6	5	2	1
6	5	2	8	4	1	9	7	3
3	7	1	5	9	2	8	6	4
7	8	9	3	5	4	6	1	2
5	6	3	1	2	7	4	9	8
2	1	4	6	8	9	7	3	5
8	3	6	2	7	5	1	4	9
9	2	7	4	1	8	3	5	6
1	4	5	9	6	3	2	8	7

541

3	4	7	5	8	2	6	9	1
9	1	8	6	4	3	5	7	2
6	5	2	1	9	7	8	4	3
1	6	9	4	2	8	7	3	5
7	3	5	9	6	1	2	8	4
2	8	4	7	3	5	1	6	9
5	7	3	8	1	4	9	2	6
8	2	6	3	5	9	4	1	7
4	9	1	2	7	6	3	5	8

542

5	7	8	4	9	2	3	1	6
1	4	6	7	3	8	9	2	5
2	3	9	5	6	1	7	4	8
9	5	2	6	4	3	8	7	1
8	1	4	2	7	5	6	9	3
3	6	7	8	1	9	2	5	4
4	2	5	3	8	7	1	6	9
6	9	3	1	2	4	5	8	7
7	8	1	9	5	6	4	3	2

543

2	4	5	9	3	7	1	8	6
1	6	3	2	5	8	7	4	9
8	9	7	6	1	4	5	3	2
6	5	8	3	9	2	4	1	7
4	7	1	5	8	6	9	2	3
3	2	9	4	7	1	8	6	5
7	3	2	1	4	9	6	5	8
5	8	4	7	6	3	2	9	1
9	1	6	8	2	5	3	7	4

544

5	8	2	9	4	3	1	7	6
6	9	4	5	7	1	3	2	8
7	3	1	6	8	2	4	5	9
8	6	3	1	2	5	9	4	7
1	2	5	7	9	4	8	6	3
9	4	7	3	6	8	2	1	5
2	7	9	8	1	6	5	3	4
3	1	6	4	5	9	7	8	2
4	5	8	2	3	7	6	9	1

545

4	3	9	5	7	6	8	2	1
1	7	2	9	4	8	3	6	5
8	6	5	1	2	3	7	4	9
2	5	7	8	1	9	4	3	6
9	4	8	6	3	7	1	5	2
6	1	3	2	5	4	9	7	8
5	8	4	3	9	2	6	1	7
7	2	6	4	8	1	5	9	3
3	9	1	7	6	5	2	8	4

546

9	1	6	8	4	5	2	7	3
4	7	5	2	6	3	1	9	8
2	8	3	1	7	9	6	4	5
7	2	1	9	8	6	3	5	4
5	3	8	4	2	1	7	6	9
6	9	4	3	5	7	8	2	1
3	5	7	6	9	8	4	1	2
8	6	2	5	1	4	9	3	7
1	4	9	7	3	2	5	8	6

547

9	2	1	5	7	6	4	3	8
8	3	5	4	2	9	7	1	6
7	4	6	3	8	1	5	9	2
4	7	3	2	1	5	6	8	9
1	6	9	7	4	8	3	2	5
2	5	8	6	9	3	1	7	4
3	8	4	1	6	2	9	5	7
6	1	2	9	5	7	8	4	3
5	9	7	8	3	4	2	6	1

548

8	4	1	2	9	7	3	6	5
3	5	9	8	4	6	7	2	1
6	2	7	5	1	3	4	9	8
5	1	8	7	2	9	6	3	4
9	6	2	4	3	5	1	8	7
7	3	4	1	6	8	9	5	2
4	9	5	3	7	2	8	1	6
2	7	3	6	8	1	5	4	9
1	8	6	9	5	4	2	7	3

549

4	3	1	2	9	8	5	7	6
6	9	5	3	4	7	2	8	1
2	7	8	6	1	5	3	4	9
7	8	9	1	2	6	4	3	5
3	1	2	7	5	4	9	6	8
5	6	4	9	8	3	7	1	2
1	4	3	5	6	9	8	2	7
9	2	7	8	3	1	6	5	4
8	5	6	4	7	2	1	9	3

550

7	3	1	4	2	5	9	6	8
9	2	5	3	8	6	4	1	7
8	6	4	9	1	7	5	2	3
4	9	8	5	6	1	7	3	2
2	1	7	8	3	9	6	5	4
6	5	3	2	7	4	1	8	9
3	4	6	1	9	8	2	7	5
1	8	9	7	5	2	3	4	6
5	7	2	6	4	3	8	9	1

551

4	1	7	8	6	3	2	9	5
2	3	5	7	9	1	8	6	4
9	6	8	4	5	2	1	3	7
3	8	1	6	4	7	9	5	2
6	9	4	5	2	8	3	7	1
5	7	2	3	1	9	6	4	8
7	2	3	9	8	5	4	1	6
1	4	9	2	7	6	5	8	3
8	5	6	1	3	4	7	2	9

552

4	8	2	5	7	3	6	1	9
6	7	1	2	9	8	5	4	3
5	9	3	6	1	4	8	2	7
3	5	6	8	4	2	9	7	1
1	2	8	7	6	9	3	5	4
7	4	9	1	3	5	2	8	6
8	1	7	9	2	6	4	3	5
9	3	5	4	8	1	7	6	2
2	6	4	3	5	7	1	9	8

553

8	1	9	6	7	5	2	4	3
6	2	7	1	3	4	5	9	8
4	5	3	8	2	9	7	1	6
5	8	1	4	6	2	3	7	9
9	7	2	5	1	3	8	6	4
3	4	6	7	9	8	1	5	2
1	3	8	9	5	6	4	2	7
7	6	4	2	8	1	9	3	5
2	9	5	3	4	7	6	8	1

554

3	6	7	1	5	4	8	9	2
8	2	9	3	6	7	4	1	5
5	4	1	2	9	8	7	3	6
7	9	8	4	1	5	6	2	3
1	5	2	8	3	6	9	4	7
4	3	6	7	2	9	1	5	8
9	8	3	5	7	1	2	6	4
2	1	4	6	8	3	5	7	9
6	7	5	9	4	2	3	8	1

555

1	4	3	8	7	6	5	2	9
2	7	8	3	5	9	4	6	1
5	6	9	1	2	4	8	7	3
7	5	6	4	3	8	9	1	2
9	8	1	7	6	2	3	4	5
3	2	4	5	9	1	6	8	7
4	1	5	9	8	7	2	3	6
8	9	2	6	1	3	7	5	4
6	3	7	2	4	5	1	9	8

556

2	9	4	3	8	1	6	7	5
7	6	8	5	9	4	3	2	1
1	3	5	2	6	7	9	4	8
9	5	1	6	2	3	4	8	7
4	7	2	9	1	8	5	6	3
6	8	3	7	4	5	1	9	2
3	1	9	8	7	6	2	5	4
8	4	6	1	5	2	7	3	9
5	2	7	4	3	9	8	1	6

557

1	4	2	5	7	8	6	9	3
5	7	9	4	6	3	1	2	8
8	3	6	9	1	2	4	5	7
7	2	5	6	8	9	3	1	4
9	1	3	7	5	4	8	6	2
6	8	4	2	3	1	5	7	9
2	6	1	8	4	7	9	3	5
4	5	7	3	9	6	2	8	1
3	9	8	1	2	5	7	4	6

558

2	5	7	6	8	1	3	4	9
1	6	9	7	3	4	8	5	2
8	3	4	2	9	5	7	6	1
5	1	6	4	2	7	9	8	3
3	7	2	9	6	8	5	1	4
4	9	8	5	1	3	6	2	7
6	4	3	1	5	9	2	7	8
7	8	5	3	4	2	1	9	6
9	2	1	8	7	6	4	3	5

559

9	3	6	7	1	5	4	8	2
8	2	4	9	3	6	5	7	1
5	7	1	4	8	2	9	3	6
1	4	8	2	9	7	6	5	3
6	5	7	8	4	3	1	2	9
3	9	2	6	5	1	7	4	8
7	1	9	5	2	8	3	6	4
2	6	3	1	7	4	8	9	5
4	8	5	3	6	9	2	1	7

560

3	8	6	4	9	5	2	7	1
2	4	1	7	8	6	9	5	3
5	7	9	1	2	3	6	8	4
1	6	2	3	5	9	7	4	8
7	9	8	6	1	4	3	2	5
4	5	3	2	7	8	1	6	9
8	2	4	9	3	7	5	1	6
9	1	5	8	6	2	4	3	7
6	3	7	5	4	1	8	9	2

561

1	7	5	9	3	2	8	6	4
3	2	9	6	8	4	1	5	7
6	8	4	1	5	7	2	3	9
2	3	7	5	9	6	4	1	8
8	9	6	7	4	1	3	2	5
5	4	1	3	2	8	7	9	6
7	5	3	8	1	9	6	4	2
4	1	8	2	6	5	9	7	3
9	6	2	4	7	3	5	8	1

562

4	8	1	5	9	6	3	2	7
9	5	2	8	3	7	1	6	4
7	3	6	1	4	2	9	8	5
2	7	9	4	6	1	5	3	8
1	6	3	7	8	5	2	4	9
5	4	8	3	2	9	7	1	6
6	1	4	9	7	3	8	5	2
8	9	5	2	1	4	6	7	3
3	2	7	6	5	8	4	9	1

563

9	6	2	5	7	8	4	3	1
7	4	1	3	2	6	8	5	9
5	8	3	1	9	4	2	6	7
6	9	7	2	3	1	5	4	8
3	2	8	9	4	5	1	7	6
1	5	4	8	6	7	3	9	2
2	7	6	4	1	3	9	8	5
8	3	9	6	5	2	7	1	4
4	1	5	7	8	9	6	2	3

564

8	7	3	1	4	5	2	9	6
1	6	4	7	2	9	8	3	5
9	5	2	3	6	8	4	1	7
2	1	5	6	3	4	9	7	8
4	8	9	2	5	7	1	6	3
6	3	7	9	8	1	5	4	2
3	2	8	4	1	6	7	5	9
7	4	6	5	9	2	3	8	1
5	9	1	8	7	3	6	2	4

565

6	7	8	9	4	1	5	3	2
1	4	3	8	5	2	6	9	7
2	5	9	3	7	6	8	1	4
5	3	7	1	6	9	2	4	8
9	1	6	4	2	8	3	7	5
4	8	2	7	3	5	1	6	9
3	2	1	5	9	7	4	8	6
7	6	4	2	8	3	9	5	1
8	9	5	6	1	4	7	2	3

566

4	9	1	3	5	8	6	7	2
6	8	7	1	4	2	5	3	9
3	2	5	6	7	9	4	8	1
9	3	2	5	1	7	8	4	6
8	7	6	2	9	4	3	1	5
1	5	4	8	6	3	9	2	7
7	4	8	9	2	6	1	5	3
5	6	3	7	8	1	2	9	4
2	1	9	4	3	5	7	6	8

567

3	1	7	9	6	2	4	5	8
2	8	6	7	4	5	3	9	1
4	9	5	8	1	3	6	2	7
7	3	4	6	9	1	2	8	5
6	5	8	2	3	7	1	4	9
9	2	1	4	5	8	7	6	3
8	7	9	1	2	4	5	3	6
5	6	2	3	7	9	8	1	4
1	4	3	5	8	6	9	7	2

568

5	2	6	4	3	7	1	9	8
8	7	9	5	2	1	6	3	4
4	3	1	8	9	6	5	7	2
9	4	8	3	5	2	7	1	6
6	5	3	1	7	8	2	4	9
7	1	2	9	6	4	3	8	5
3	9	4	6	1	5	8	2	7
1	6	7	2	8	9	4	5	3
2	8	5	7	4	3	9	6	1

569

1	7	2	6	8	4	9	5	3
3	8	6	9	1	5	2	7	4
5	4	9	2	7	3	6	1	8
9	3	5	4	6	7	8	2	1
8	1	4	3	2	9	5	6	7
2	6	7	8	5	1	3	4	9
7	5	8	1	9	6	4	3	2
4	2	1	5	3	8	7	9	6
6	9	3	7	4	2	1	8	5

570

8	2	5	1	6	7	9	4	3
6	7	3	8	9	4	2	1	5
9	1	4	5	3	2	7	8	6
3	4	7	6	8	9	1	5	2
1	9	2	7	4	5	6	3	8
5	6	8	3	2	1	4	9	7
2	3	6	4	1	8	5	7	9
4	5	9	2	7	3	8	6	1
7	8	1	9	5	6	3	2	4

571

5	6	7	9	8	1	4	3	2
2	4	1	7	6	3	8	5	9
9	3	8	4	5	2	7	6	1
6	9	5	3	7	8	1	2	4
8	1	3	2	4	5	6	9	7
4	7	2	1	9	6	3	8	5
3	5	9	6	1	4	2	7	8
7	2	4	8	3	9	5	1	6
1	8	6	5	2	7	9	4	3

572

6	2	3	5	9	1	7	4	8
4	9	1	7	3	8	6	5	2
8	7	5	2	6	4	9	3	1
9	4	6	1	5	3	8	2	7
2	3	7	6	8	9	4	1	5
5	1	8	4	7	2	3	6	9
1	8	2	9	4	6	5	7	3
7	6	9	3	1	5	2	8	4
3	5	4	8	2	7	1	9	6

573

5	4	3	6	8	7	9	2	1
7	8	9	3	1	2	6	5	4
6	1	2	5	9	4	8	3	7
8	7	4	9	3	6	5	1	2
1	2	5	4	7	8	3	9	6
9	3	6	2	5	1	7	4	8
4	5	7	1	6	9	2	8	3
2	9	8	7	4	3	1	6	5
3	6	1	8	2	5	4	7	9

574

6	1	9	4	8	7	2	5	3
8	7	4	5	2	3	6	9	1
2	3	5	6	9	1	8	4	7
5	9	8	7	1	4	3	2	6
4	2	7	8	3	6	9	1	5
3	6	1	2	5	9	4	7	8
9	4	3	1	6	5	7	8	2
1	8	6	9	7	2	5	3	4
7	5	2	3	4	8	1	6	9

575

3	5	9	7	1	2	6	8	4
4	2	6	5	8	3	7	9	1
1	8	7	9	6	4	3	2	5
8	1	2	3	7	9	5	4	6
6	9	5	1	4	8	2	7	3
7	3	4	6	2	5	9	1	8
9	4	3	2	5	1	8	6	7
5	6	1	8	9	7	4	3	2
2	7	8	4	3	6	1	5	9

576

3	4	6	9	7	2	8	5	1
2	5	1	6	4	8	3	7	9
9	7	8	5	1	3	4	6	2
7	3	9	1	2	6	5	4	8
5	1	2	8	3	4	6	9	7
8	6	4	7	9	5	1	2	3
6	2	3	4	8	9	7	1	5
4	8	7	2	5	1	9	3	6
1	9	5	3	6	7	2	8	4

577

5	2	6	4	1	9	8	7	3
9	3	1	6	7	8	2	5	4
7	8	4	3	5	2	1	9	6
6	9	3	1	2	5	4	8	7
8	1	7	9	4	6	5	3	2
4	5	2	8	3	7	9	6	1
2	6	8	7	9	4	3	1	5
3	7	5	2	8	1	6	4	9
1	4	9	5	6	3	7	2	8

578

2	3	6	8	9	7	4	5	1
4	8	1	3	5	6	2	9	7
9	7	5	2	1	4	6	3	8
3	6	4	5	8	2	1	7	9
1	5	2	7	4	9	8	6	3
7	9	8	6	3	1	5	4	2
8	2	3	9	6	5	7	1	4
6	4	7	1	2	3	9	8	5
5	1	9	4	7	8	3	2	6

579

3	5	4	6	2	7	9	1	8
9	8	7	3	4	1	6	2	5
2	6	1	8	9	5	3	7	4
8	1	3	7	5	6	4	9	2
5	2	6	9	1	4	7	8	3
7	4	9	2	8	3	5	6	1
4	3	2	1	6	9	8	5	7
6	7	8	5	3	2	1	4	9
1	9	5	4	7	8	2	3	6

580

2	6	7	1	3	9	8	4	5
5	3	1	2	4	8	7	9	6
4	9	8	7	6	5	1	3	2
1	5	2	3	7	6	4	8	9
8	4	3	9	2	1	5	6	7
6	7	9	5	8	4	2	1	3
3	2	4	8	9	7	6	5	1
7	8	5	6	1	3	9	2	4
9	1	6	4	5	2	3	7	8

581

2	8	3	4	6	5	1	9	7
6	5	9	1	7	3	2	4	8
1	7	4	9	2	8	5	3	6
7	3	1	2	4	6	8	5	9
4	9	6	5	8	1	7	2	3
8	2	5	3	9	7	6	1	4
5	1	8	6	3	4	9	7	2
3	6	2	7	5	9	4	8	1
9	4	7	8	1	2	3	6	5

582

2	9	1	4	8	5	3	7	6
6	3	8	2	7	9	4	1	5
7	5	4	1	6	3	9	8	2
8	1	5	3	9	6	2	4	7
4	6	9	8	2	7	1	5	3
3	2	7	5	4	1	8	6	9
1	7	6	9	3	8	5	2	4
9	8	2	7	5	4	6	3	1
5	4	3	6	1	2	7	9	8

583

2	5	6	1	9	8	3	4	7
1	3	9	7	4	5	8	2	6
7	8	4	2	6	3	1	9	5
6	7	8	9	1	2	4	5	3
5	2	3	6	8	4	9	7	1
9	4	1	5	3	7	6	8	2
3	9	5	4	7	1	2	6	8
4	1	7	8	2	6	5	3	9
8	6	2	3	5	9	7	1	4

584

7	9	6	2	5	1	3	8	4
2	4	8	6	9	3	5	7	1
3	1	5	8	4	7	2	9	6
8	3	4	5	6	9	7	1	2
6	7	9	4	1	2	8	3	5
1	5	2	7	3	8	6	4	9
4	8	7	1	2	6	9	5	3
9	2	1	3	8	5	4	6	7
5	6	3	9	7	4	1	2	8

585

1	2	5	6	3	7	4	9	8
7	9	4	5	2	8	3	1	6
6	3	8	1	9	4	7	5	2
3	6	2	8	5	9	1	4	7
4	7	9	3	1	2	6	8	5
8	5	1	7	4	6	9	2	3
2	8	7	9	6	1	5	3	4
5	1	6	4	8	3	2	7	9
9	4	3	2	7	5	8	6	1

586

4	3	6	2	9	8	7	1	5
9	5	2	6	1	7	4	8	3
8	7	1	5	4	3	2	6	9
6	4	8	3	5	1	9	2	7
5	1	7	8	2	9	3	4	6
3	2	9	7	6	4	8	5	1
1	8	4	9	3	5	6	7	2
7	6	3	1	8	2	5	9	4
2	9	5	4	7	6	1	3	8

587

2	4	6	9	1	5	3	7	8
3	5	7	2	8	4	9	6	1
1	9	8	3	7	6	2	4	5
4	7	5	8	6	2	1	3	9
9	2	1	7	4	3	8	5	6
8	6	3	1	5	9	4	2	7
7	8	4	5	2	1	6	9	3
5	3	2	6	9	8	7	1	4
6	1	9	4	3	7	5	8	2

588

2	9	5	8	7	1	6	3	4
1	7	6	2	3	4	9	8	5
8	3	4	6	5	9	1	7	2
7	4	2	9	1	6	8	5	3
3	6	9	5	8	2	4	1	7
5	8	1	3	4	7	2	9	6
6	5	8	1	2	3	7	4	9
9	1	7	4	6	5	3	2	8
4	2	3	7	9	8	5	6	1

589

5	6	9	1	7	3	2	4	8
7	2	3	6	4	8	5	1	9
1	4	8	9	5	2	6	7	3
4	8	6	7	1	5	3	9	2
9	7	5	2	3	4	1	8	6
2	3	1	8	6	9	4	5	7
8	5	4	3	9	6	7	2	1
3	1	2	4	8	7	9	6	5
6	9	7	5	2	1	8	3	4

590

5	2	3	8	9	1	7	6	4
8	6	7	5	3	4	9	1	2
9	1	4	2	7	6	5	3	8
3	8	5	9	2	7	6	4	1
1	4	9	3	6	8	2	7	5
6	7	2	1	4	5	8	9	3
7	5	1	6	8	3	4	2	9
2	3	6	4	5	9	1	8	7
4	9	8	7	1	2	3	5	6

591

9	7	8	6	2	1	3	5	4
4	1	3	7	8	5	6	9	2
6	2	5	3	9	4	7	1	8
7	9	1	4	6	8	2	3	5
3	5	6	2	1	9	8	4	7
8	4	2	5	3	7	1	6	9
1	8	4	9	7	3	5	2	6
5	6	7	1	4	2	9	8	3
2	3	9	8	5	6	4	7	1

592

3	4	7	1	5	9	6	8	2
5	2	9	7	8	6	3	4	1
1	8	6	3	2	4	5	7	9
2	7	8	6	4	3	1	9	5
4	1	3	5	9	8	2	6	7
6	9	5	2	7	1	8	3	4
8	3	4	9	1	2	7	5	6
7	6	1	4	3	5	9	2	8
9	5	2	8	6	7	4	1	3

593

1	3	2	4	9	7	6	5	8
7	8	5	6	1	2	3	9	4
4	9	6	5	8	3	7	1	2
3	7	9	1	4	6	2	8	5
2	4	8	7	5	9	1	6	3
5	6	1	2	3	8	9	4	7
8	1	3	9	7	4	5	2	6
9	2	4	3	6	5	8	7	1
6	5	7	8	2	1	4	3	9

594

1	5	8	4	2	7	6	9	3
4	3	7	9	5	6	2	8	1
2	9	6	8	3	1	7	4	5
9	6	3	5	8	2	1	7	4
8	4	2	7	1	3	9	5	6
7	1	5	6	4	9	3	2	8
3	8	9	2	6	5	4	1	7
6	7	4	1	9	8	5	3	2
5	2	1	3	7	4	8	6	9

595

4	3	5	1	7	9	2	6	8
6	1	7	2	5	8	9	3	4
2	8	9	4	3	6	5	1	7
9	2	4	3	1	5	8	7	6
8	7	6	9	2	4	1	5	3
3	5	1	8	6	7	4	9	2
1	4	8	6	9	3	7	2	5
7	9	3	5	4	2	6	8	1
5	6	2	7	8	1	3	4	9

596

7	2	3	4	5	9	8	6	1
8	5	6	3	2	1	4	7	9
1	9	4	8	6	7	5	3	2
3	6	5	2	1	8	7	9	4
4	7	8	5	9	6	2	1	3
9	1	2	7	4	3	6	5	8
2	4	1	6	3	5	9	8	7
6	8	9	1	7	4	3	2	5
5	3	7	9	8	2	1	4	6

597

8	5	1	2	6	7	3	4	9
9	6	2	8	4	3	1	7	5
3	7	4	5	9	1	2	6	8
4	9	3	7	8	6	5	1	2
7	8	5	3	1	2	6	9	4
2	1	6	4	5	9	7	8	3
5	3	8	1	7	4	9	2	6
1	2	9	6	3	8	4	5	7
6	4	7	9	2	5	8	3	1

598

6	5	4	8	3	2	9	1	7
7	2	3	1	4	9	6	5	8
8	9	1	6	7	5	4	2	3
9	6	2	4	5	3	7	8	1
3	4	8	2	1	7	5	6	9
5	1	7	9	8	6	2	3	4
2	8	6	3	9	4	1	7	5
4	3	5	7	2	1	8	9	6
1	7	9	5	6	8	3	4	2

599

6	8	1	3	5	2	7	4	9
9	3	2	8	7	4	5	6	1
7	5	4	6	9	1	8	2	3
3	1	9	2	4	5	6	7	8
8	2	5	7	3	6	9	1	4
4	6	7	9	1	8	2	3	5
2	4	8	1	6	9	3	5	7
1	9	3	5	2	7	4	8	6
5	7	6	4	8	3	1	9	2

600

8	2	5	6	7	3	9	4	1
4	1	6	9	2	5	3	8	7
9	7	3	4	8	1	6	5	2
7	5	2	3	1	6	4	9	8
6	3	9	8	4	2	7	1	5
1	4	8	5	9	7	2	3	6
2	6	4	1	3	8	5	7	9
3	8	7	2	5	9	1	6	4
5	9	1	7	6	4	8	2	3

601

9	1	4	7	2	6	5	8	3
2	8	5	1	3	4	9	7	6
6	7	3	5	9	8	1	2	4
3	6	2	8	1	9	4	5	7
5	4	1	2	7	3	6	9	8
8	9	7	6	4	5	3	1	2
4	2	6	9	5	7	8	3	1
1	3	9	4	8	2	7	6	5
7	5	8	3	6	1	2	4	9

602

8	7	2	1	5	3	9	4	6
6	9	1	2	7	4	3	8	5
4	3	5	6	9	8	2	1	7
2	1	3	4	8	7	5	6	9
7	6	8	5	2	9	1	3	4
9	5	4	3	6	1	7	2	8
1	8	6	9	3	5	4	7	2
3	2	9	7	4	6	8	5	1
5	4	7	8	1	2	6	9	3

603

9	8	4	7	1	5	6	2	3
3	2	6	9	4	8	1	5	7
7	1	5	3	2	6	4	8	9
1	5	2	4	9	3	8	7	6
6	4	9	2	8	7	3	1	5
8	7	3	5	6	1	9	4	2
4	6	7	1	5	9	2	3	8
2	3	8	6	7	4	5	9	1
5	9	1	8	3	2	7	6	4

604

4	8	9	3	2	1	5	7	6
6	5	3	4	8	7	9	1	2
7	1	2	5	9	6	3	4	8
5	2	1	9	4	8	6	3	7
3	4	7	6	1	2	8	5	9
8	9	6	7	3	5	1	2	4
2	6	5	8	7	3	4	9	1
1	3	4	2	6	9	7	8	5
9	7	8	1	5	4	2	6	3

605

8	7	9	2	4	6	3	5	1
1	5	4	9	3	7	6	8	2
6	2	3	5	8	1	9	7	4
2	8	1	7	6	9	4	3	5
7	4	5	3	1	8	2	6	9
9	3	6	4	5	2	7	1	8
5	9	7	1	2	3	8	4	6
3	1	8	6	9	4	5	2	7
4	6	2	8	7	5	1	9	3

606

8	5	3	4	1	2	9	6	7
9	2	4	8	7	6	5	1	3
1	6	7	9	3	5	2	8	4
2	9	1	5	4	3	6	7	8
7	3	8	1	6	9	4	2	5
6	4	5	7	2	8	3	9	1
3	7	2	6	5	1	8	4	9
4	8	6	3	9	7	1	5	2
5	1	9	2	8	4	7	3	6

607

8	6	1	2	7	3	9	5	4
2	7	9	5	6	4	3	8	1
4	3	5	8	1	9	7	6	2
9	4	7	3	8	1	5	2	6
5	2	3	4	9	6	1	7	8
1	8	6	7	5	2	4	3	9
7	9	2	1	3	8	6	4	5
6	5	8	9	4	7	2	1	3
3	1	4	6	2	5	8	9	7

608

5	3	1	9	6	8	2	4	7
4	8	2	1	3	7	6	5	9
7	6	9	5	2	4	1	8	3
2	4	8	6	7	1	9	3	5
1	7	6	3	5	9	4	2	8
3	9	5	4	8	2	7	1	6
6	2	4	8	9	3	5	7	1
8	5	7	2	1	6	3	9	4
9	1	3	7	4	5	8	6	2

609

8	7	4	6	1	3	9	2	5
6	2	5	4	7	9	3	8	1
1	9	3	8	5	2	4	7	6
4	8	1	7	9	6	2	5	3
9	3	7	1	2	5	6	4	8
5	6	2	3	4	8	1	9	7
7	1	9	5	6	4	8	3	2
2	5	8	9	3	1	7	6	4
3	4	6	2	8	7	5	1	9

610

6	2	7	3	8	4	9	5	1
3	4	9	5	2	1	6	7	8
8	1	5	9	6	7	2	4	3
2	5	8	6	1	9	7	3	4
1	9	4	2	7	3	5	8	6
7	3	6	4	5	8	1	9	2
4	8	1	7	9	2	3	6	5
9	6	3	1	4	5	8	2	7
5	7	2	8	3	6	4	1	9

611

4	7	5	8	3	2	9	1	6
1	9	2	4	6	5	3	8	7
8	3	6	1	7	9	5	2	4
7	6	3	2	5	1	4	9	8
9	4	1	7	8	6	2	5	3
5	2	8	3	9	4	7	6	1
6	5	7	9	4	8	1	3	2
3	1	9	6	2	7	8	4	5
2	8	4	5	1	3	6	7	9

612

8	2	5	6	4	9	1	7	3
1	4	6	8	7	3	9	5	2
7	9	3	2	1	5	6	8	4
9	6	8	4	3	2	7	1	5
4	7	1	9	5	6	3	2	8
5	3	2	7	8	1	4	6	9
6	8	7	3	2	4	5	9	1
3	1	9	5	6	8	2	4	7
2	5	4	1	9	7	8	3	6

613

5	1	2	6	9	4	3	8	7
3	6	7	8	5	1	4	9	2
9	4	8	7	3	2	6	5	1
8	5	4	9	2	7	1	6	3
6	9	3	4	1	5	2	7	8
2	7	1	3	6	8	5	4	9
4	3	6	1	7	9	8	2	5
1	2	9	5	8	6	7	3	4
7	8	5	2	4	3	9	1	6

614

2	3	8	5	6	9	4	1	7
5	4	7	2	8	1	3	6	9
6	9	1	7	3	4	2	8	5
4	2	5	8	1	3	7	9	6
3	1	6	9	2	7	5	4	8
8	7	9	6	4	5	1	2	3
1	5	4	3	9	8	6	7	2
7	8	2	4	5	6	9	3	1
9	6	3	1	7	2	8	5	4

615

2	8	9	3	5	7	1	4	6
5	1	7	6	9	4	2	3	8
3	4	6	8	1	2	5	9	7
1	5	4	9	6	8	3	7	2
8	7	3	2	4	5	6	1	9
6	9	2	1	7	3	4	8	5
4	6	8	5	3	9	7	2	1
9	3	1	7	2	6	8	5	4
7	2	5	4	8	1	9	6	3

616

2	3	4	8	9	5	6	1	7
7	8	5	6	4	1	2	9	3
9	1	6	7	3	2	8	5	4
1	2	7	3	8	9	4	6	5
3	4	8	2	5	6	9	7	1
6	5	9	4	1	7	3	2	8
8	7	1	9	6	3	5	4	2
4	9	2	5	7	8	1	3	6
5	6	3	1	2	4	7	8	9

617

1	3	8	5	9	6	4	2	7
2	5	6	4	3	7	1	8	9
7	9	4	8	2	1	3	6	5
4	6	1	7	8	2	9	5	3
9	7	5	6	1	3	8	4	2
3	8	2	9	4	5	6	7	1
6	1	9	2	5	8	7	3	4
8	2	3	1	7	4	5	9	6
5	4	7	3	6	9	2	1	8

618

7	1	2	3	5	9	4	6	8
4	9	6	1	2	8	5	7	3
8	3	5	6	4	7	1	9	2
3	6	1	2	9	5	8	4	7
5	4	7	8	3	1	6	2	9
9	2	8	4	7	6	3	1	5
6	5	4	7	8	2	9	3	1
2	8	3	9	1	4	7	5	6
1	7	9	5	6	3	2	8	4

619

1	6	9	5	2	8	3	7	4
4	3	2	7	6	9	8	5	1
8	7	5	4	3	1	6	9	2
3	9	4	1	5	6	2	8	7
2	8	1	9	4	7	5	6	3
6	5	7	3	8	2	4	1	9
9	4	8	6	7	3	1	2	5
7	2	3	8	1	5	9	4	6
5	1	6	2	9	4	7	3	8

620

7	2	5	9	3	6	4	8	1
4	6	9	5	1	8	3	2	7
1	3	8	2	4	7	6	9	5
2	7	1	4	8	9	5	6	3
9	5	4	7	6	3	2	1	8
6	8	3	1	2	5	9	7	4
5	1	7	3	9	2	8	4	6
3	9	6	8	7	4	1	5	2
8	4	2	6	5	1	7	3	9

621

5	9	1	8	6	4	2	3	7
4	7	3	9	2	5	8	6	1
6	2	8	1	3	7	5	4	9
9	8	2	5	7	6	3	1	4
3	4	6	2	8	1	9	7	5
1	5	7	4	9	3	6	2	8
8	1	9	6	4	2	7	5	3
7	6	4	3	5	9	1	8	2
2	3	5	7	1	8	4	9	6

622

5	7	2	3	6	8	9	1	4
9	4	6	7	5	1	2	3	8
1	3	8	9	4	2	7	6	5
2	9	1	8	3	6	5	4	7
3	8	7	5	1	4	6	2	9
6	5	4	2	9	7	3	8	1
7	6	3	4	8	5	1	9	2
4	1	5	6	2	9	8	7	3
8	2	9	1	7	3	4	5	6

623

6	4	3	5	1	7	2	8	9
7	1	5	8	9	2	4	6	3
2	8	9	6	3	4	5	7	1
4	2	8	1	5	3	6	9	7
1	9	6	2	7	8	3	4	5
5	3	7	4	6	9	8	1	2
3	5	4	7	8	1	9	2	6
8	6	1	9	2	5	7	3	4
9	7	2	3	4	6	1	5	8

624

5	7	2	1	4	6	9	8	3
1	6	9	7	3	8	2	4	5
3	4	8	9	2	5	1	6	7
4	3	6	2	9	7	5	1	8
2	9	5	3	8	1	6	7	4
7	8	1	6	5	4	3	9	2
6	1	4	5	7	3	8	2	9
8	2	3	4	1	9	7	5	6
9	5	7	8	6	2	4	3	1

625

7	8	3	1	9	2	4	5	6
5	1	2	7	6	4	8	3	9
6	4	9	8	5	3	2	1	7
4	7	1	2	8	6	5	9	3
3	9	5	4	7	1	6	2	8
8	2	6	5	3	9	7	4	1
9	6	7	3	4	5	1	8	2
2	3	4	6	1	8	9	7	5
1	5	8	9	2	7	3	6	4

626

6	3	8	4	5	2	1	9	7
4	2	5	7	1	9	8	6	3
7	9	1	3	6	8	2	5	4
3	7	2	5	8	6	9	4	1
5	8	4	9	3	1	6	7	2
9	1	6	2	7	4	3	8	5
8	6	3	1	4	5	7	2	9
1	4	9	8	2	7	5	3	6
2	5	7	6	9	3	4	1	8

627

8	9	7	5	4	2	6	3	1
2	6	3	1	7	9	8	5	4
4	5	1	3	8	6	2	7	9
5	7	4	9	3	8	1	2	6
9	8	6	2	1	5	7	4	3
3	1	2	7	6	4	5	9	8
6	2	8	4	5	3	9	1	7
1	3	9	8	2	7	4	6	5
7	4	5	6	9	1	3	8	2

628

7	2	9	3	1	6	4	8	5
3	4	8	2	5	9	6	7	1
1	6	5	4	7	8	9	3	2
9	3	2	6	8	4	5	1	7
5	8	4	7	9	1	2	6	3
6	7	1	5	3	2	8	4	9
4	5	6	1	2	7	3	9	8
8	1	3	9	4	5	7	2	6
2	9	7	8	6	3	1	5	4

629

8	6	7	2	5	1	9	4	3
9	4	1	7	6	3	5	8	2
3	5	2	4	8	9	6	1	7
4	8	9	6	3	5	2	7	1
7	1	5	9	2	4	8	3	6
2	3	6	8	1	7	4	5	9
6	9	4	3	7	8	1	2	5
5	2	3	1	4	6	7	9	8
1	7	8	5	9	2	3	6	4

630

1	4	7	8	5	3	6	2	9
2	9	5	1	6	7	8	4	3
8	6	3	4	2	9	5	7	1
9	7	8	5	1	2	3	6	4
4	5	2	6	3	8	9	1	7
3	1	6	7	9	4	2	8	5
6	8	1	3	4	5	7	9	2
7	3	9	2	8	1	4	5	6
5	2	4	9	7	6	1	3	8

631

9	8	5	2	6	7	4	1	3
6	7	1	4	9	3	8	5	2
4	3	2	8	5	1	7	9	6
5	9	8	6	2	4	1	3	7
7	1	6	9	3	5	2	4	8
3	2	4	7	1	8	5	6	9
1	6	9	5	7	2	3	8	4
2	4	3	1	8	9	6	7	5
8	5	7	3	4	6	9	2	1

632

7	3	8	9	2	6	1	5	4
4	9	6	3	5	1	8	2	7
5	2	1	4	7	8	6	3	9
2	1	4	7	8	9	5	6	3
6	5	3	2	1	4	7	9	8
8	7	9	6	3	5	4	1	2
9	6	7	1	4	2	3	8	5
3	8	2	5	6	7	9	4	1
1	4	5	8	9	3	2	7	6

633

9	4	5	1	7	6	2	8	3
7	1	2	3	5	8	6	4	9
3	6	8	2	9	4	1	7	5
6	9	7	5	4	3	8	2	1
2	3	1	6	8	7	9	5	4
5	8	4	9	1	2	3	6	7
8	5	3	4	6	9	7	1	2
4	2	6	7	3	1	5	9	8
1	7	9	8	2	5	4	3	6

634

4	6	7	5	2	3	9	1	8
8	1	3	7	6	9	2	5	4
2	5	9	1	4	8	6	3	7
9	8	6	3	7	1	4	2	5
7	2	1	6	5	4	3	8	9
5	3	4	8	9	2	7	6	1
6	4	8	2	1	7	5	9	3
1	7	2	9	3	5	8	4	6
3	9	5	4	8	6	1	7	2

635

2	6	8	7	5	1	3	9	4
4	7	3	6	9	2	1	5	8
1	5	9	4	3	8	2	6	7
8	1	5	9	6	3	4	7	2
3	2	6	8	7	4	5	1	9
9	4	7	2	1	5	8	3	6
6	8	1	5	2	7	9	4	3
5	9	2	3	4	6	7	8	1
7	3	4	1	8	9	6	2	5

636

7	9	4	1	2	5	6	8	3
1	2	8	4	3	6	7	5	9
5	3	6	8	9	7	4	2	1
8	7	5	6	1	9	3	4	2
3	6	1	7	4	2	5	9	8
9	4	2	5	8	3	1	7	6
2	8	7	3	6	4	9	1	5
6	5	9	2	7	1	8	3	4
4	1	3	9	5	8	2	6	7

637

7	1	8	9	5	2	6	4	3
4	5	9	3	6	1	2	8	7
6	3	2	8	4	7	5	9	1
2	4	5	7	1	6	9	3	8
8	7	1	5	9	3	4	2	6
9	6	3	4	2	8	1	7	5
5	2	7	6	3	4	8	1	9
1	8	6	2	7	9	3	5	4
3	9	4	1	8	5	7	6	2

638

3	4	9	6	8	2	7	5	1
8	5	2	1	9	7	3	4	6
6	1	7	4	3	5	2	9	8
9	7	4	3	6	8	1	2	5
5	2	8	9	7	1	4	6	3
1	6	3	2	5	4	8	7	9
7	8	1	5	4	6	9	3	2
2	9	5	7	1	3	6	8	4
4	3	6	8	2	9	5	1	7

639

8	6	7	3	5	2	4	9	1
1	3	2	6	9	4	5	8	7
9	5	4	8	7	1	3	6	2
4	9	8	2	6	5	1	7	3
7	1	3	9	4	8	6	2	5
6	2	5	1	3	7	9	4	8
3	4	1	7	8	9	2	5	6
2	8	9	5	1	6	7	3	4
5	7	6	4	2	3	8	1	9

640

9	1	2	4	7	8	6	3	5
3	7	4	9	6	5	2	1	8
6	5	8	1	3	2	4	7	9
4	3	7	6	1	9	8	5	2
1	9	5	8	2	7	3	4	6
2	8	6	5	4	3	1	9	7
7	2	9	3	8	1	5	6	4
8	4	1	7	5	6	9	2	3
5	6	3	2	9	4	7	8	1

641

2	4	3	6	5	8	1	9	7
8	7	1	3	4	9	6	5	2
5	9	6	1	2	7	3	8	4
3	5	9	7	1	2	4	6	8
6	8	7	4	9	5	2	3	1
4	1	2	8	6	3	9	7	5
9	2	8	5	3	1	7	4	6
1	6	5	9	7	4	8	2	3
7	3	4	2	8	6	5	1	9

642

4	9	6	2	1	8	5	3	7
1	2	7	5	6	3	4	8	9
3	8	5	9	7	4	6	1	2
6	7	4	3	5	2	8	9	1
9	3	1	8	4	7	2	6	5
8	5	2	6	9	1	7	4	3
7	1	8	4	2	9	3	5	6
5	4	9	7	3	6	1	2	8
2	6	3	1	8	5	9	7	4

643

9	8	5	3	7	6	4	2	1
6	7	3	2	4	1	5	8	9
4	2	1	5	8	9	6	7	3
5	1	8	7	2	3	9	4	6
2	4	6	9	5	8	1	3	7
7	3	9	1	6	4	8	5	2
3	6	4	8	1	7	2	9	5
8	9	2	6	3	5	7	1	4
1	5	7	4	9	2	3	6	8

644

1	9	3	6	8	5	7	2	4
6	8	5	7	4	2	1	9	3
7	4	2	9	3	1	5	6	8
2	7	4	1	6	8	3	5	9
9	3	1	4	5	7	6	8	2
8	5	6	3	2	9	4	7	1
5	1	8	2	7	3	9	4	6
3	6	7	8	9	4	2	1	5
4	2	9	5	1	6	8	3	7

645

6	9	7	3	8	5	2	4	1
4	2	5	7	9	1	8	6	3
8	3	1	6	2	4	5	9	7
7	1	4	9	5	6	3	2	8
5	6	2	1	3	8	4	7	9
3	8	9	4	7	2	1	5	6
2	5	3	8	6	7	9	1	4
1	7	8	5	4	9	6	3	2
9	4	6	2	1	3	7	8	5

646

6	4	2	1	9	8	7	5	3
1	5	7	6	3	4	2	9	8
9	3	8	7	2	5	4	6	1
2	7	4	8	5	9	1	3	6
3	6	9	2	1	7	8	4	5
8	1	5	3	4	6	9	2	7
7	8	3	9	6	2	5	1	4
5	2	6	4	7	1	3	8	9
4	9	1	5	8	3	6	7	2

647

8	5	6	7	9	1	3	4	2
2	3	1	8	4	6	7	5	9
4	9	7	3	2	5	6	8	1
1	2	8	5	7	4	9	3	6
3	7	5	9	6	2	4	1	8
6	4	9	1	8	3	5	2	7
5	1	2	6	3	9	8	7	4
7	6	3	4	1	8	2	9	5
9	8	4	2	5	7	1	6	3

648

9	7	4	3	5	1	6	2	8
8	2	3	9	7	6	5	1	4
6	5	1	8	4	2	9	3	7
2	9	5	4	3	7	1	8	6
3	6	8	5	1	9	4	7	2
1	4	7	6	2	8	3	9	5
7	8	9	1	6	5	2	4	3
5	3	2	7	9	4	8	6	1
4	1	6	2	8	3	7	5	9

649

5	9	2	4	1	7	3	6	8
6	1	3	9	2	8	7	5	4
8	4	7	5	6	3	2	9	1
2	8	5	1	3	9	6	4	7
4	6	1	8	7	2	5	3	9
7	3	9	6	4	5	8	1	2
3	2	6	7	9	4	1	8	5
1	5	4	2	8	6	9	7	3
9	7	8	3	5	1	4	2	6

650

4	6	5	7	2	9	3	1	8
7	8	2	3	5	1	4	6	9
1	3	9	6	8	4	2	7	5
5	2	3	1	6	8	9	4	7
6	1	4	2	9	7	5	8	3
9	7	8	4	3	5	6	2	1
8	5	7	9	4	2	1	3	6
2	9	6	8	1	3	7	5	4
3	4	1	5	7	6	8	9	2

651

8	5	9	6	4	1	3	2	7
1	6	2	3	5	7	8	4	9
7	3	4	2	8	9	6	5	1
4	2	7	9	1	3	5	8	6
5	8	6	7	2	4	1	9	3
3	9	1	5	6	8	4	7	2
6	4	5	1	7	2	9	3	8
9	7	8	4	3	6	2	1	5
2	1	3	8	9	5	7	6	4

652

4	5	2	9	8	3	7	6	1
6	3	1	7	2	5	8	9	4
7	8	9	1	4	6	5	3	2
1	9	6	8	3	4	2	5	7
3	4	5	2	9	7	6	1	8
2	7	8	6	5	1	3	4	9
5	2	3	4	7	9	1	8	6
9	6	7	5	1	8	4	2	3
8	1	4	3	6	2	9	7	5

653

6	5	7	1	3	2	8	9	4
3	1	2	4	9	8	6	7	5
8	4	9	7	5	6	1	3	2
2	7	8	9	6	1	5	4	3
5	9	3	8	2	4	7	6	1
1	6	4	5	7	3	2	8	9
7	3	6	2	4	5	9	1	8
9	8	5	3	1	7	4	2	6
4	2	1	6	8	9	3	5	7

654

7	5	2	1	3	6	9	4	8
1	8	4	9	2	5	6	3	7
3	9	6	8	7	4	1	5	2
9	3	7	4	5	2	8	6	1
6	4	5	7	1	8	3	2	9
2	1	8	3	6	9	4	7	5
4	2	9	6	8	7	5	1	3
8	7	3	5	4	1	2	9	6
5	6	1	2	9	3	7	8	4

655

3	4	1	8	6	7	9	2	5
2	8	5	1	3	9	4	6	7
6	7	9	2	4	5	3	8	1
4	1	8	9	2	3	7	5	6
5	2	3	7	1	6	8	4	9
7	9	6	5	8	4	2	1	3
8	3	4	6	7	1	5	9	2
9	6	2	3	5	8	1	7	4
1	5	7	4	9	2	6	3	8

656

5	1	3	9	8	2	7	4	6
7	2	4	5	1	6	9	3	8
9	6	8	3	7	4	2	5	1
1	7	5	8	4	9	6	2	3
6	8	9	7	2	3	5	1	4
3	4	2	1	6	5	8	7	9
8	3	7	6	5	1	4	9	2
4	5	1	2	9	8	3	6	7
2	9	6	4	3	7	1	8	5

657

1	9	8	2	6	4	5	3	7
5	6	4	3	1	7	8	9	2
2	3	7	5	8	9	4	6	1
8	5	9	7	4	2	3	1	6
3	2	6	1	5	8	9	7	4
7	4	1	9	3	6	2	8	5
4	1	3	6	9	5	7	2	8
6	8	2	4	7	3	1	5	9
9	7	5	8	2	1	6	4	3

658

2	3	6	4	8	9	7	1	5
8	1	9	5	6	7	3	2	4
4	7	5	1	3	2	6	9	8
3	2	8	9	1	5	4	6	7
7	5	1	2	4	6	9	8	3
6	9	4	3	7	8	2	5	1
1	8	3	6	9	4	5	7	2
9	4	2	7	5	1	8	3	6
5	6	7	8	2	3	1	4	9

659

7	3	1	9	6	4	2	5	8
9	4	5	2	1	8	6	7	3
8	2	6	3	7	5	9	4	1
5	7	2	1	8	9	3	6	4
3	9	8	5	4	6	7	1	2
6	1	4	7	2	3	8	9	5
4	8	7	6	3	1	5	2	9
2	5	3	4	9	7	1	8	6
1	6	9	8	5	2	4	3	7

660

7	9	8	3	1	6	2	4	5
1	5	4	9	7	2	6	3	8
2	3	6	8	5	4	9	1	7
4	8	7	6	2	1	5	9	3
5	1	3	4	9	8	7	6	2
9	6	2	5	3	7	1	8	4
8	2	1	7	4	9	3	5	6
3	4	9	2	6	5	8	7	1
6	7	5	1	8	3	4	2	9

661

3	1	5	6	4	2	7	8	9
4	6	8	7	3	9	5	2	1
7	2	9	5	8	1	4	6	3
1	7	4	9	5	8	2	3	6
6	9	2	1	7	3	8	4	5
8	5	3	4	2	6	1	9	7
9	3	7	2	1	4	6	5	8
5	4	6	8	9	7	3	1	2
2	8	1	3	6	5	9	7	4

662

1	9	5	8	7	4	6	2	3
6	3	8	5	2	9	4	7	1
7	2	4	1	3	6	9	8	5
2	5	1	3	4	7	8	9	6
8	6	7	2	9	1	3	5	4
3	4	9	6	5	8	7	1	2
4	8	2	9	1	3	5	6	7
5	7	6	4	8	2	1	3	9
9	1	3	7	6	5	2	4	8

663

2	9	5	3	6	1	7	4	8
8	1	3	2	7	4	9	5	6
6	7	4	5	9	8	2	3	1
7	4	2	1	8	9	5	6	3
3	8	9	4	5	6	1	2	7
5	6	1	7	3	2	4	8	9
9	5	7	8	4	3	6	1	2
4	2	8	6	1	7	3	9	5
1	3	6	9	2	5	8	7	4

664

2	9	7	6	1	4	5	3	8
6	1	5	7	8	3	9	2	4
8	4	3	2	5	9	1	7	6
1	2	8	4	3	5	6	9	7
5	6	4	8	9	7	3	1	2
3	7	9	1	6	2	4	8	5
7	8	6	9	4	1	2	5	3
9	5	2	3	7	6	8	4	1
4	3	1	5	2	8	7	6	9

665

9	2	3	7	8	5	4	1	6
7	8	6	2	4	1	9	3	5
5	1	4	6	9	3	8	7	2
1	7	5	8	2	4	6	9	3
3	9	8	5	6	7	2	4	1
4	6	2	1	3	9	7	5	8
6	4	9	3	1	8	5	2	7
8	3	7	4	5	2	1	6	9
2	5	1	9	7	6	3	8	4

666

3	8	5	4	2	1	6	7	9
1	4	7	3	9	6	5	8	2
2	6	9	5	7	8	1	3	4
9	3	2	8	6	5	7	4	1
8	5	1	2	4	7	3	9	6
4	7	6	1	3	9	8	2	5
6	9	8	7	5	4	2	1	3
5	1	3	9	8	2	4	6	7
7	2	4	6	1	3	9	5	8

667

1	6	2	8	4	9	5	3	7
7	8	9	2	3	5	4	6	1
3	5	4	6	7	1	8	2	9
4	2	6	1	5	7	3	9	8
8	1	7	9	2	3	6	5	4
9	3	5	4	8	6	7	1	2
5	4	8	3	9	2	1	7	6
6	9	3	7	1	4	2	8	5
2	7	1	5	6	8	9	4	3

668

6	3	8	2	1	7	5	4	9
1	4	2	9	3	5	7	6	8
5	9	7	8	4	6	1	2	3
9	1	6	7	5	4	3	8	2
4	2	3	6	8	1	9	7	5
7	8	5	3	2	9	6	1	4
2	7	9	4	6	3	8	5	1
8	6	1	5	9	2	4	3	7
3	5	4	1	7	8	2	9	6

669

6	2	1	4	7	8	9	5	3
4	8	7	9	5	3	6	2	1
3	9	5	1	2	6	8	7	4
8	5	2	7	1	9	3	4	6
7	6	4	8	3	5	2	1	9
9	1	3	6	4	2	5	8	7
2	4	8	3	6	1	7	9	5
1	3	9	5	8	7	4	6	2
5	7	6	2	9	4	1	3	8

670

5	8	1	3	9	7	6	2	4
7	6	4	1	8	2	3	5	9
9	3	2	4	6	5	7	1	8
3	2	5	7	1	8	9	4	6
6	4	9	5	2	3	1	8	7
1	7	8	9	4	6	2	3	5
4	5	3	6	7	1	8	9	2
2	1	7	8	5	9	4	6	3
8	9	6	2	3	4	5	7	1

671

4	2	9	3	7	8	1	6	5
3	5	6	2	1	9	8	4	7
7	8	1	5	6	4	3	2	9
8	6	5	1	3	2	9	7	4
2	1	3	4	9	7	5	8	6
9	4	7	8	5	6	2	1	3
5	3	8	6	4	1	7	9	2
6	7	2	9	8	5	4	3	1
1	9	4	7	2	3	6	5	8

672

6	1	7	2	5	3	4	9	8
8	5	3	4	1	9	7	6	2
4	9	2	6	8	7	5	3	1
3	4	5	9	2	8	1	7	6
2	6	8	7	4	1	9	5	3
1	7	9	5	3	6	8	2	4
9	8	6	3	7	4	2	1	5
7	2	4	1	6	5	3	8	9
5	3	1	8	9	2	6	4	7

673

5	8	7	9	2	1	3	4	6
4	9	1	5	6	3	8	7	2
3	2	6	4	8	7	5	9	1
2	7	5	6	4	8	1	3	9
9	3	8	1	7	5	6	2	4
6	1	4	2	3	9	7	5	8
1	5	2	7	9	6	4	8	3
7	4	3	8	1	2	9	6	5
8	6	9	3	5	4	2	1	7

674

9	6	3	8	7	4	5	2	1
5	4	2	9	6	1	8	7	3
1	8	7	2	3	5	4	9	6
3	2	9	5	8	7	1	6	4
4	7	5	6	1	3	2	8	9
8	1	6	4	2	9	3	5	7
7	5	1	3	9	8	6	4	2
6	3	4	7	5	2	9	1	8
2	9	8	1	4	6	7	3	5

675

1	4	8	3	2	5	7	6	9
5	3	7	6	1	9	4	2	8
2	9	6	4	8	7	5	3	1
6	5	9	1	3	4	8	7	2
8	7	1	9	5	2	6	4	3
4	2	3	7	6	8	9	1	5
3	8	4	5	7	1	2	9	6
7	6	5	2	9	3	1	8	4
9	1	2	8	4	6	3	5	7

676

5	7	8	3	2	6	4	1	9
3	9	6	8	4	1	7	2	5
4	2	1	7	9	5	3	8	6
7	4	2	6	3	8	9	5	1
9	8	3	1	5	2	6	4	7
6	1	5	4	7	9	8	3	2
1	6	4	2	8	7	5	9	3
2	3	9	5	6	4	1	7	8
8	5	7	9	1	3	2	6	4

677

4	7	8	5	3	9	1	2	6
2	1	6	7	8	4	5	3	9
9	5	3	1	2	6	7	8	4
3	9	2	6	7	5	4	1	8
5	4	1	2	9	8	3	6	7
6	8	7	4	1	3	2	9	5
1	2	5	8	6	7	9	4	3
7	6	9	3	4	2	8	5	1
8	3	4	9	5	1	6	7	2

678

6	4	2	7	5	3	9	1	8
7	9	3	1	8	2	4	6	5
5	1	8	4	6	9	2	7	3
4	6	9	5	3	8	1	2	7
8	7	5	9	2	1	3	4	6
3	2	1	6	4	7	5	8	9
9	5	7	8	1	4	6	3	2
2	8	4	3	9	6	7	5	1
1	3	6	2	7	5	8	9	4

679

4	1	8	7	3	5	6	9	2
9	3	7	1	2	6	5	8	4
2	6	5	8	9	4	3	7	1
3	2	1	5	4	9	7	6	8
5	4	9	6	7	8	1	2	3
7	8	6	3	1	2	9	4	5
1	7	4	9	8	3	2	5	6
6	9	2	4	5	1	8	3	7
8	5	3	2	6	7	4	1	9

680

5	9	1	2	7	3	8	6	4
2	6	8	4	9	5	7	3	1
3	4	7	8	6	1	5	9	2
7	5	4	9	8	6	1	2	3
6	8	2	1	3	4	9	5	7
9	1	3	5	2	7	4	8	6
4	2	5	6	1	8	3	7	9
8	3	6	7	4	9	2	1	5
1	7	9	3	5	2	6	4	8

681

1	5	6	4	3	9	7	8	2
9	4	8	6	2	7	3	1	5
3	2	7	5	8	1	9	4	6
4	9	5	1	6	2	8	7	3
2	7	1	3	5	8	6	9	4
8	6	3	7	9	4	5	2	1
5	8	9	2	1	6	4	3	7
6	1	4	9	7	3	2	5	8
7	3	2	8	4	5	1	6	9

682

7	9	2	5	8	3	1	6	4
1	4	5	6	7	9	2	8	3
3	6	8	1	4	2	5	7	9
5	7	9	2	1	8	3	4	6
6	2	3	7	5	4	9	1	8
4	8	1	9	3	6	7	5	2
8	5	6	3	9	1	4	2	7
2	3	7	4	6	5	8	9	1
9	1	4	8	2	7	6	3	5

683

8	6	1	9	2	3	4	7	5
5	7	4	1	8	6	3	9	2
2	3	9	7	5	4	1	6	8
4	9	8	3	1	2	7	5	6
1	2	3	6	7	5	9	8	4
7	5	6	8	4	9	2	3	1
3	8	5	2	9	1	6	4	7
6	1	7	4	3	8	5	2	9
9	4	2	5	6	7	8	1	3

684

2	3	7	9	6	4	1	5	8
1	9	6	5	8	2	7	4	3
4	8	5	1	7	3	6	2	9
8	5	9	4	1	7	2	3	6
6	1	2	8	3	5	9	7	4
7	4	3	6	2	9	5	8	1
5	2	1	3	4	6	8	9	7
3	7	8	2	9	1	4	6	5
9	6	4	7	5	8	3	1	2

685

5	4	1	6	2	3	9	7	8
6	2	3	9	8	7	4	5	1
8	9	7	1	5	4	3	6	2
1	6	4	8	3	2	5	9	7
3	5	2	4	7	9	8	1	6
7	8	9	5	1	6	2	4	3
4	1	5	2	6	8	7	3	9
2	7	6	3	9	5	1	8	4
9	3	8	7	4	1	6	2	5

686

4	7	5	2	8	1	9	3	6
1	3	9	5	6	4	8	7	2
2	8	6	9	3	7	4	5	1
9	4	8	3	2	6	5	1	7
6	5	2	1	7	9	3	4	8
7	1	3	4	5	8	6	2	9
5	6	1	7	9	3	2	8	4
3	9	7	8	4	2	1	6	5
8	2	4	6	1	5	7	9	3

687

8	9	3	7	2	1	5	6	4
5	2	1	9	4	6	8	3	7
7	6	4	3	5	8	1	2	9
1	7	9	5	3	4	6	8	2
2	5	8	1	6	7	4	9	3
4	3	6	2	8	9	7	5	1
9	4	5	6	7	2	3	1	8
6	8	2	4	1	3	9	7	5
3	1	7	8	9	5	2	4	6

688

4	3	1	7	6	8	5	9	2
9	6	7	2	5	1	4	8	3
5	8	2	9	3	4	1	6	7
1	9	4	3	7	5	8	2	6
7	5	8	4	2	6	3	1	9
3	2	6	8	1	9	7	5	4
6	4	3	1	8	2	9	7	5
8	7	5	6	9	3	2	4	1
2	1	9	5	4	7	6	3	8

689

4	1	2	9	7	8	3	6	5
9	5	7	2	6	3	1	8	4
8	3	6	4	1	5	7	9	2
3	8	5	1	9	4	6	2	7
6	9	4	7	8	2	5	1	3
2	7	1	5	3	6	9	4	8
5	6	9	8	2	7	4	3	1
7	2	3	6	4	1	8	5	9
1	4	8	3	5	9	2	7	6

690

2	4	6	5	7	3	9	1	8
7	5	3	1	9	8	4	2	6
8	1	9	4	6	2	3	7	5
4	8	2	7	3	1	6	5	9
1	6	5	9	2	4	7	8	3
9	3	7	8	5	6	1	4	2
6	2	8	3	4	7	5	9	1
3	9	4	2	1	5	8	6	7
5	7	1	6	8	9	2	3	4

691

7	9	5	1	3	4	2	8	6
6	3	4	2	5	8	9	1	7
8	1	2	7	6	9	5	3	4
2	8	6	9	7	3	1	4	5
1	4	7	8	2	5	3	6	9
9	5	3	4	1	6	7	2	8
5	6	1	3	8	7	4	9	2
3	7	9	6	4	2	8	5	1
4	2	8	5	9	1	6	7	3

692

2	5	3	7	4	9	8	6	1
6	8	7	5	2	1	3	4	9
9	4	1	3	6	8	7	2	5
7	6	9	1	3	4	2	5	8
3	1	4	8	5	2	6	9	7
8	2	5	9	7	6	4	1	3
1	3	6	4	8	5	9	7	2
4	9	8	2	1	7	5	3	6
5	7	2	6	9	3	1	8	4

693

9	7	3	8	1	5	2	6	4
8	6	1	2	4	7	9	3	5
5	4	2	6	9	3	8	1	7
3	8	5	4	6	1	7	2	9
4	2	9	3	7	8	1	5	6
6	1	7	9	5	2	3	4	8
1	5	4	7	3	9	6	8	2
2	9	6	1	8	4	5	7	3
7	3	8	5	2	6	4	9	1

694

3	7	4	6	9	8	5	1	2
6	8	9	1	5	2	4	3	7
2	5	1	7	4	3	9	8	6
7	4	3	5	1	9	6	2	8
8	1	5	3	2	6	7	9	4
9	2	6	8	7	4	1	5	3
1	6	8	4	3	5	2	7	9
4	9	7	2	8	1	3	6	5
5	3	2	9	6	7	8	4	1

695

8	4	3	5	1	9	2	7	6
6	7	9	3	2	4	1	8	5
1	2	5	6	8	7	4	9	3
3	9	6	8	7	2	5	1	4
5	8	2	1	4	3	7	6	9
4	1	7	9	6	5	3	2	8
7	6	8	4	3	1	9	5	2
9	3	1	2	5	6	8	4	7
2	5	4	7	9	8	6	3	1

696

6	8	9	2	5	1	7	4	3
1	7	4	6	8	3	5	9	2
5	2	3	9	7	4	1	8	6
7	5	8	1	9	6	3	2	4
3	1	6	5	4	2	8	7	9
4	9	2	7	3	8	6	5	1
9	4	1	8	6	7	2	3	5
2	3	7	4	1	5	9	6	8
8	6	5	3	2	9	4	1	7

697

3	1	9	6	2	5	7	4	8
7	8	4	3	9	1	6	2	5
5	2	6	8	7	4	1	3	9
6	3	1	5	4	2	8	9	7
9	5	7	1	3	8	2	6	4
2	4	8	9	6	7	3	5	1
1	7	3	2	5	9	4	8	6
8	6	5	4	1	3	9	7	2
4	9	2	7	8	6	5	1	3

698

3	6	2	4	1	7	5	8	9
1	8	9	3	2	5	7	6	4
5	4	7	6	8	9	2	1	3
8	7	4	2	6	3	9	5	1
6	9	5	7	4	1	8	3	2
2	1	3	9	5	8	4	7	6
4	3	1	8	7	2	6	9	5
9	2	8	5	3	6	1	4	7
7	5	6	1	9	4	3	2	8

699

2	5	6	4	9	7	1	8	3
9	4	1	6	3	8	7	2	5
7	3	8	1	5	2	4	9	6
3	1	7	8	2	9	5	6	4
8	6	5	3	4	1	2	7	9
4	2	9	5	7	6	3	1	8
5	8	2	9	1	4	6	3	7
1	9	3	7	6	5	8	4	2
6	7	4	2	8	3	9	5	1

700

5	9	1	2	8	4	6	3	7
6	2	4	1	7	3	5	9	8
8	3	7	5	6	9	1	4	2
2	8	5	3	1	6	4	7	9
7	4	6	9	2	5	8	1	3
3	1	9	7	4	8	2	6	5
1	7	8	4	3	2	9	5	6
4	5	2	6	9	7	3	8	1
9	6	3	8	5	1	7	2	4

701

9	2	6	4	1	3	7	5	8
5	1	8	9	7	2	3	6	4
4	7	3	6	5	8	2	9	1
6	5	4	3	9	1	8	7	2
8	3	7	5	2	6	4	1	9
1	9	2	8	4	7	5	3	6
2	6	9	7	8	5	1	4	3
3	8	5	1	6	4	9	2	7
7	4	1	2	3	9	6	8	5

702

9	2	5	8	4	3	1	6	7
6	4	7	2	5	1	8	3	9
1	3	8	7	9	6	2	5	4
8	5	2	6	3	4	9	7	1
3	9	4	1	7	2	6	8	5
7	1	6	5	8	9	3	4	2
5	7	9	3	2	8	4	1	6
2	6	3	4	1	7	5	9	8
4	8	1	9	6	5	7	2	3

703

9	8	4	5	3	1	2	6	7
5	3	7	2	4	6	9	1	8
6	1	2	9	7	8	4	3	5
4	7	8	6	2	3	1	5	9
3	9	1	4	5	7	6	8	2
2	6	5	1	8	9	3	7	4
1	5	9	8	6	2	7	4	3
8	2	3	7	1	4	5	9	6
7	4	6	3	9	5	8	2	1

704

4	7	6	5	9	2	8	3	1
2	3	8	4	6	1	9	7	5
9	5	1	7	8	3	4	6	2
8	2	3	9	4	6	5	1	7
7	6	5	3	1	8	2	9	4
1	9	4	2	7	5	6	8	3
5	4	7	6	3	9	1	2	8
3	1	9	8	2	4	7	5	6
6	8	2	1	5	7	3	4	9

705

9	4	1	5	8	3	7	6	2
5	3	6	7	1	2	4	8	9
2	8	7	9	4	6	3	5	1
8	9	2	3	7	4	5	1	6
6	7	3	1	2	5	9	4	8
4	1	5	8	6	9	2	7	3
3	6	4	2	5	8	1	9	7
7	5	9	6	3	1	8	2	4
1	2	8	4	9	7	6	3	5

706

9	7	6	1	8	4	3	5	2
8	1	5	6	3	2	9	7	4
2	4	3	5	9	7	6	8	1
4	6	8	7	5	1	2	3	9
7	9	2	4	6	3	5	1	8
3	5	1	9	2	8	7	4	6
5	3	9	8	4	6	1	2	7
1	2	4	3	7	9	8	6	5
6	8	7	2	1	5	4	9	3

707

6	7	3	8	2	9	5	4	1
4	5	8	7	6	1	3	2	9
9	2	1	3	4	5	7	6	8
2	6	7	4	9	8	1	5	3
5	8	9	1	3	6	4	7	2
1	3	4	2	5	7	8	9	6
3	1	6	5	7	2	9	8	4
7	4	2	9	8	3	6	1	5
8	9	5	6	1	4	2	3	7

708

7	3	6	1	8	9	5	4	2
4	1	2	6	7	5	8	9	3
9	5	8	3	2	4	1	6	7
8	4	1	2	5	7	6	3	9
5	6	7	4	9	3	2	1	8
2	9	3	8	6	1	4	7	5
6	8	9	7	1	2	3	5	4
1	7	4	5	3	8	9	2	6
3	2	5	9	4	6	7	8	1

709

7	1	5	8	2	4	6	9	3
9	4	2	3	6	7	8	5	1
8	6	3	1	9	5	4	7	2
5	3	7	9	1	8	2	6	4
4	9	8	2	7	6	1	3	5
6	2	1	5	4	3	7	8	9
3	7	9	4	8	2	5	1	6
2	5	6	7	3	1	9	4	8
1	8	4	6	5	9	3	2	7

710

5	1	7	6	8	4	2	9	3
6	8	3	7	2	9	4	1	5
9	2	4	5	1	3	8	7	6
2	5	6	9	4	7	3	8	1
4	9	1	8	3	2	6	5	7
7	3	8	1	5	6	9	4	2
3	4	9	2	7	1	5	6	8
8	7	2	4	6	5	1	3	9
1	6	5	3	9	8	7	2	4

711

7	9	4	2	1	5	8	6	3
2	5	8	4	6	3	1	9	7
1	3	6	9	7	8	2	5	4
4	1	3	6	2	9	5	7	8
6	2	7	5	8	1	4	3	9
5	8	9	7	3	4	6	2	1
9	6	2	8	4	7	3	1	5
3	4	5	1	9	2	7	8	6
8	7	1	3	5	6	9	4	2

712

9	8	3	6	5	4	7	2	1
4	7	2	8	1	9	5	6	3
6	5	1	7	3	2	8	9	4
1	4	7	5	9	6	3	8	2
8	6	9	2	7	3	1	4	5
2	3	5	1	4	8	6	7	9
3	1	8	4	2	7	9	5	6
7	9	4	3	6	5	2	1	8
5	2	6	9	8	1	4	3	7

713

9	5	1	8	7	6	2	3	4
2	3	8	1	4	5	7	6	9
7	4	6	3	2	9	1	5	8
6	1	7	5	9	3	4	8	2
8	2	3	6	1	4	9	7	5
5	9	4	7	8	2	6	1	3
4	7	5	2	3	1	8	9	6
3	8	9	4	6	7	5	2	1
1	6	2	9	5	8	3	4	7

714

4	7	3	2	8	9	6	1	5
6	9	5	7	4	1	8	3	2
1	8	2	5	3	6	7	4	9
2	1	9	6	5	3	4	8	7
7	6	4	1	9	8	2	5	3
5	3	8	4	2	7	1	9	6
9	2	6	8	1	5	3	7	4
8	5	7	3	6	4	9	2	1
3	4	1	9	7	2	5	6	8

715

4	2	9	7	8	3	5	6	1
1	5	6	9	2	4	3	8	7
7	3	8	1	6	5	4	9	2
3	8	7	4	5	1	9	2	6
6	4	2	3	9	8	1	7	5
5	9	1	2	7	6	8	3	4
2	6	3	5	1	9	7	4	8
9	7	5	8	4	2	6	1	3
8	1	4	6	3	7	2	5	9

716

2	1	3	4	6	5	9	7	8
7	6	4	8	2	9	3	5	1
5	9	8	1	7	3	2	6	4
3	8	6	5	9	1	4	2	7
9	2	1	6	4	7	8	3	5
4	7	5	2	3	8	1	9	6
6	4	7	9	1	2	5	8	3
1	5	2	3	8	6	7	4	9
8	3	9	7	5	4	6	1	2

717

6	3	2	1	4	5	8	9	7
4	1	8	9	3	7	5	6	2
5	7	9	8	6	2	4	3	1
9	4	7	5	2	8	3	1	6
3	2	1	6	9	4	7	5	8
8	5	6	3	7	1	2	4	9
2	9	4	7	1	3	6	8	5
7	6	5	4	8	9	1	2	3
1	8	3	2	5	6	9	7	4

718

2	5	4	9	7	3	6	1	8
8	3	6	2	5	1	4	7	9
9	1	7	6	4	8	2	5	3
5	4	2	3	8	6	7	9	1
1	9	3	5	2	7	8	6	4
6	7	8	4	1	9	5	3	2
4	2	9	7	3	5	1	8	6
7	6	1	8	9	2	3	4	5
3	8	5	1	6	4	9	2	7

719

2	1	6	8	4	9	5	7	3
9	7	8	3	5	2	6	4	1
3	4	5	1	7	6	8	9	2
5	9	4	2	1	3	7	8	6
6	3	2	5	8	7	4	1	9
1	8	7	6	9	4	3	2	5
4	6	1	9	3	8	2	5	7
7	5	3	4	2	1	9	6	8
8	2	9	7	6	5	1	3	4

720

7	8	2	4	3	5	6	9	1
4	1	6	8	7	9	2	3	5
3	5	9	1	2	6	7	4	8
1	2	3	7	9	8	5	6	4
8	4	7	5	6	2	9	1	3
9	6	5	3	4	1	8	2	7
6	7	1	2	8	3	4	5	9
2	3	8	9	5	4	1	7	6
5	9	4	6	1	7	3	8	2

721

7	1	2	5	6	3	9	8	4
6	8	3	7	4	9	1	2	5
4	5	9	2	1	8	6	3	7
5	7	4	3	8	6	2	1	9
2	3	1	4	9	5	7	6	8
8	9	6	1	2	7	5	4	3
3	6	7	8	5	1	4	9	2
1	2	5	9	3	4	8	7	6
9	4	8	6	7	2	3	5	1

722

2	3	6	5	8	9	1	4	7
1	4	7	6	2	3	5	9	8
8	9	5	7	4	1	2	6	3
3	1	2	8	6	7	9	5	4
5	7	4	3	9	2	8	1	6
9	6	8	4	1	5	3	7	2
6	5	3	9	7	8	4	2	1
4	2	9	1	3	6	7	8	5
7	8	1	2	5	4	6	3	9

723

5	4	1	3	2	6	9	7	8
9	7	3	5	4	8	1	2	6
2	8	6	7	1	9	3	5	4
1	6	4	8	5	3	7	9	2
3	5	2	4	9	7	8	6	1
8	9	7	1	6	2	4	3	5
6	1	5	9	3	4	2	8	7
7	2	9	6	8	1	5	4	3
4	3	8	2	7	5	6	1	9

724

5	9	1	2	4	8	6	3	7
6	8	3	5	9	7	4	2	1
2	4	7	3	6	1	5	8	9
4	1	2	9	7	5	8	6	3
7	5	9	8	3	6	1	4	2
8	3	6	1	2	4	9	7	5
3	6	8	7	1	9	2	5	4
1	7	5	4	8	2	3	9	6
9	2	4	6	5	3	7	1	8

725

4	9	1	2	3	7	6	8	5
3	6	2	5	9	8	4	1	7
8	7	5	6	4	1	2	9	3
6	5	9	7	8	3	1	2	4
2	1	4	9	6	5	3	7	8
7	8	3	4	1	2	9	5	6
5	2	6	1	7	4	8	3	9
9	3	7	8	2	6	5	4	1
1	4	8	3	5	9	7	6	2

726

5	3	4	7	1	2	9	8	6
9	7	6	5	8	3	1	4	2
2	1	8	4	9	6	7	3	5
7	9	2	6	3	4	5	1	8
6	4	5	1	2	8	3	7	9
3	8	1	9	5	7	6	2	4
8	5	7	2	6	1	4	9	3
4	6	3	8	7	9	2	5	1
1	2	9	3	4	5	8	6	7

727

4	3	7	1	6	9	5	2	8
2	9	1	5	3	8	6	4	7
5	6	8	2	4	7	9	3	1
9	5	2	8	1	3	7	6	4
6	7	4	9	2	5	1	8	3
8	1	3	4	7	6	2	5	9
3	2	6	7	9	4	8	1	5
1	8	9	3	5	2	4	7	6
7	4	5	6	8	1	3	9	2

728

4	3	6	2	5	8	9	1	7
5	2	9	3	7	1	8	4	6
8	7	1	6	9	4	2	3	5
1	8	7	9	6	5	3	2	4
6	4	3	7	8	2	1	5	9
9	5	2	4	1	3	7	6	8
2	9	4	5	3	7	6	8	1
7	1	5	8	2	6	4	9	3
3	6	8	1	4	9	5	7	2

729

1	6	5	9	2	8	7	3	4
3	8	9	6	4	7	1	2	5
4	2	7	1	5	3	8	6	9
8	4	2	5	9	1	6	7	3
9	7	3	2	8	6	4	5	1
5	1	6	3	7	4	2	9	8
2	9	8	4	6	5	3	1	7
7	5	1	8	3	2	9	4	6
6	3	4	7	1	9	5	8	2

730

7	2	1	4	8	3	9	5	6
6	3	4	7	5	9	8	2	1
8	9	5	6	1	2	4	7	3
3	4	7	2	9	1	5	6	8
9	1	2	8	6	5	7	3	4
5	8	6	3	4	7	2	1	9
4	6	3	5	7	8	1	9	2
2	5	9	1	3	4	6	8	7
1	7	8	9	2	6	3	4	5

731

4	9	2	3	6	1	7	5	8
7	3	1	5	2	8	6	4	9
8	6	5	4	7	9	3	2	1
1	7	9	2	8	6	4	3	5
5	8	6	7	4	3	9	1	2
2	4	3	9	1	5	8	7	6
6	2	8	1	3	4	5	9	7
3	5	7	8	9	2	1	6	4
9	1	4	6	5	7	2	8	3

732

4	6	3	8	1	7	2	5	9
8	2	5	4	3	9	6	7	1
1	9	7	5	6	2	4	3	8
7	1	2	6	5	4	8	9	3
3	8	4	9	2	1	7	6	5
6	5	9	3	7	8	1	4	2
2	4	1	7	9	3	5	8	6
9	7	6	2	8	5	3	1	4
5	3	8	1	4	6	9	2	7

733

7	3	4	8	9	5	2	6	1
2	8	6	1	4	7	5	9	3
9	5	1	6	2	3	7	4	8
8	2	7	9	5	4	1	3	6
5	4	9	3	6	1	8	2	7
6	1	3	7	8	2	4	5	9
1	6	5	4	3	8	9	7	2
4	9	8	2	7	6	3	1	5
3	7	2	5	1	9	6	8	4

734

9	3	1	8	5	6	2	4	7
5	4	8	1	2	7	6	3	9
7	2	6	3	9	4	1	8	5
3	6	9	4	7	8	5	2	1
1	7	4	5	6	2	3	9	8
8	5	2	9	3	1	7	6	4
2	8	3	7	1	9	4	5	6
6	9	7	2	4	5	8	1	3
4	1	5	6	8	3	9	7	2

735

9	1	5	6	4	2	7	8	3
7	3	6	5	8	9	2	4	1
8	2	4	1	3	7	9	6	5
5	6	7	8	2	1	4	3	9
4	9	2	7	6	3	1	5	8
1	8	3	4	9	5	6	2	7
3	4	1	9	5	6	8	7	2
2	7	8	3	1	4	5	9	6
6	5	9	2	7	8	3	1	4

736

6	8	4	1	9	7	2	3	5
7	1	3	8	5	2	6	9	4
9	2	5	3	6	4	8	7	1
5	7	1	9	8	3	4	6	2
4	3	6	7	2	5	1	8	9
2	9	8	6	4	1	7	5	3
8	5	7	4	1	9	3	2	6
1	6	9	2	3	8	5	4	7
3	4	2	5	7	6	9	1	8

737

2	6	8	9	3	1	4	7	5
9	3	5	2	7	4	8	1	6
7	1	4	5	6	8	2	3	9
1	5	6	8	2	9	3	4	7
3	9	2	6	4	7	5	8	1
4	8	7	3	1	5	9	6	2
8	2	1	4	5	6	7	9	3
6	4	3	7	9	2	1	5	8
5	7	9	1	8	3	6	2	4

738

6	1	4	5	8	9	2	7	3
8	3	5	1	7	2	4	6	9
7	9	2	4	6	3	1	8	5
9	2	6	3	4	5	7	1	8
4	5	7	8	9	1	3	2	6
3	8	1	7	2	6	9	5	4
5	4	8	2	3	7	6	9	1
1	7	9	6	5	4	8	3	2
2	6	3	9	1	8	5	4	7

739

6	4	8	3	7	5	1	2	9
1	9	3	2	8	4	7	6	5
7	5	2	6	9	1	4	8	3
8	1	6	9	2	7	3	5	4
2	3	5	4	1	8	9	7	6
9	7	4	5	3	6	2	1	8
3	2	7	8	5	9	6	4	1
5	6	1	7	4	3	8	9	2
4	8	9	1	6	2	5	3	7

740

9	2	8	4	6	3	5	1	7
4	5	1	2	7	9	6	3	8
7	3	6	1	8	5	9	2	4
6	9	3	8	4	7	1	5	2
5	8	4	9	1	2	3	7	6
2	1	7	5	3	6	4	8	9
8	7	5	3	9	4	2	6	1
1	4	2	6	5	8	7	9	3
3	6	9	7	2	1	8	4	5

741

4	3	9	5	8	6	7	2	1
5	8	7	4	2	1	9	6	3
6	2	1	9	7	3	4	8	5
7	4	8	2	9	5	3	1	6
9	6	5	1	3	8	2	7	4
2	1	3	6	4	7	8	5	9
8	9	6	3	1	2	5	4	7
1	7	4	8	5	9	6	3	2
3	5	2	7	6	4	1	9	8

742

5	1	9	7	2	6	3	8	4
3	4	8	5	1	9	2	7	6
6	7	2	3	4	8	1	5	9
8	2	1	4	5	3	6	9	7
7	5	3	9	6	1	8	4	2
9	6	4	8	7	2	5	1	3
4	3	6	1	9	5	7	2	8
2	9	5	6	8	7	4	3	1
1	8	7	2	3	4	9	6	5

743

3	8	4	9	7	2	1	5	6
6	7	9	1	8	5	4	2	3
5	1	2	3	4	6	7	8	9
4	6	3	2	9	8	5	7	1
9	5	7	6	1	4	8	3	2
8	2	1	5	3	7	9	6	4
2	3	8	4	5	9	6	1	7
7	4	6	8	2	1	3	9	5
1	9	5	7	6	3	2	4	8

744

6	7	3	1	4	2	5	9	8
4	2	9	5	3	8	6	1	7
5	8	1	7	6	9	3	4	2
1	5	8	9	7	4	2	6	3
2	4	7	3	1	6	8	5	9
9	3	6	8	2	5	1	7	4
7	9	2	6	5	3	4	8	1
3	1	5	4	8	7	9	2	6
8	6	4	2	9	1	7	3	5

745

6	7	3	5	8	2	4	9	1
9	8	5	1	6	4	7	3	2
1	4	2	7	9	3	5	8	6
3	5	9	4	1	7	6	2	8
2	1	7	8	3	6	9	5	4
4	6	8	2	5	9	1	7	3
7	3	4	6	2	5	8	1	9
5	9	1	3	4	8	2	6	7
8	2	6	9	7	1	3	4	5

746

7	6	9	2	8	3	4	5	1
8	1	3	5	7	4	9	2	6
5	2	4	1	6	9	3	8	7
6	5	2	7	4	8	1	9	3
4	9	1	6	3	2	5	7	8
3	8	7	9	5	1	2	6	4
1	3	6	8	9	5	7	4	2
2	7	5	4	1	6	8	3	9
9	4	8	3	2	7	6	1	5

747

6	2	3	9	8	5	4	7	1
1	9	4	2	6	7	3	8	5
8	7	5	3	4	1	6	2	9
4	3	7	1	5	6	2	9	8
2	1	6	7	9	8	5	4	3
9	5	8	4	2	3	7	1	6
7	4	1	6	3	9	8	5	2
3	8	9	5	7	2	1	6	4
5	6	2	8	1	4	9	3	7

748

8	5	9	2	6	3	7	1	4
4	7	1	9	8	5	6	3	2
3	6	2	1	4	7	8	9	5
9	3	5	8	1	4	2	7	6
7	8	6	3	9	2	5	4	1
2	1	4	5	7	6	9	8	3
1	4	7	6	5	8	3	2	9
5	9	3	7	2	1	4	6	8
6	2	8	4	3	9	1	5	7

749

8	4	7	9	1	2	6	3	5
9	3	1	7	5	6	4	2	8
2	6	5	8	4	3	9	7	1
7	9	4	1	2	8	3	5	6
3	5	6	4	9	7	1	8	2
1	8	2	3	6	5	7	4	9
5	1	8	6	7	4	2	9	3
4	2	9	5	3	1	8	6	7
6	7	3	2	8	9	5	1	4

750

9	3	4	1	5	7	2	8	6
6	1	7	3	2	8	9	5	4
8	5	2	9	6	4	3	7	1
3	7	1	8	4	2	6	9	5
5	4	9	6	3	1	7	2	8
2	8	6	5	7	9	1	4	3
4	9	8	2	1	3	5	6	7
1	2	5	7	8	6	4	3	9
7	6	3	4	9	5	8	1	2

751

5	8	6	3	1	9	7	4	2
1	2	3	4	6	7	5	9	8
9	7	4	2	8	5	1	6	3
8	5	9	7	3	4	6	2	1
3	1	2	9	5	6	4	8	7
6	4	7	1	2	8	9	3	5
2	9	5	6	7	3	8	1	4
4	3	8	5	9	1	2	7	6
7	6	1	8	4	2	3	5	9

752

3	1	4	6	7	9	2	5	8
6	5	8	3	1	2	9	4	7
7	9	2	8	5	4	6	1	3
8	6	7	5	2	3	1	9	4
9	2	3	1	4	7	8	6	5
1	4	5	9	8	6	7	3	2
5	8	9	2	3	1	4	7	6
2	7	6	4	9	5	3	8	1
4	3	1	7	6	8	5	2	9

753

8	4	7	1	9	3	6	5	2
9	1	6	7	2	5	4	8	3
5	3	2	4	6	8	1	9	7
1	8	4	2	7	6	5	3	9
7	5	3	8	1	9	2	6	4
2	6	9	5	3	4	7	1	8
3	2	8	6	5	7	9	4	1
6	9	1	3	4	2	8	7	5
4	7	5	9	8	1	3	2	6

754

3	5	1	8	7	6	9	4	2
2	7	9	3	1	4	6	5	8
8	4	6	9	2	5	7	1	3
5	9	4	6	3	8	1	2	7
6	8	2	1	4	7	5	3	9
7	1	3	2	5	9	8	6	4
4	2	7	5	8	1	3	9	6
1	6	8	4	9	3	2	7	5
9	3	5	7	6	2	4	8	1

755

4	7	1	9	3	5	2	6	8
9	6	3	2	7	8	1	5	4
5	2	8	1	4	6	9	7	3
2	8	6	4	5	7	3	1	9
3	4	5	8	1	9	7	2	6
1	9	7	3	6	2	8	4	5
7	5	2	6	8	3	4	9	1
8	1	9	5	2	4	6	3	7
6	3	4	7	9	1	5	8	2

756

6	4	9	2	5	3	8	7	1
3	2	7	1	8	9	4	5	6
8	5	1	6	4	7	3	2	9
2	1	4	7	3	8	6	9	5
5	8	3	9	6	1	2	4	7
9	7	6	4	2	5	1	3	8
4	3	5	8	9	6	7	1	2
7	6	2	5	1	4	9	8	3
1	9	8	3	7	2	5	6	4

757

2	1	7	9	6	4	3	8	5
9	6	3	8	7	5	4	2	1
5	4	8	2	1	3	6	7	9
4	7	1	5	8	6	9	3	2
3	9	2	1	4	7	8	5	6
6	8	5	3	9	2	7	1	4
7	2	6	4	3	1	5	9	8
8	5	4	7	2	9	1	6	3
1	3	9	6	5	8	2	4	7

758

3	8	9	2	5	6	7	4	1
5	1	4	8	3	7	6	9	2
6	7	2	9	1	4	5	3	8
2	9	5	1	4	3	8	6	7
4	6	8	7	9	5	1	2	3
7	3	1	6	2	8	9	5	4
9	4	7	3	6	1	2	8	5
1	2	3	5	8	9	4	7	6
8	5	6	4	7	2	3	1	9

759

2	3	5	9	6	4	1	7	8
6	4	9	7	8	1	2	5	3
7	1	8	5	3	2	9	4	6
1	6	2	8	5	3	7	9	4
8	5	3	4	9	7	6	1	2
4	9	7	1	2	6	3	8	5
3	8	4	2	7	9	5	6	1
9	2	1	6	4	5	8	3	7
5	7	6	3	1	8	4	2	9

760

5	7	8	9	1	6	2	4	3
1	3	6	2	5	4	8	7	9
9	4	2	3	7	8	1	6	5
8	5	7	6	9	2	4	3	1
3	2	4	7	8	1	5	9	6
6	9	1	5	4	3	7	2	8
2	6	5	1	3	7	9	8	4
7	8	9	4	6	5	3	1	2
4	1	3	8	2	9	6	5	7

761

8	5	6	3	9	2	4	7	1
2	7	9	6	1	4	5	3	8
4	1	3	8	5	7	2	6	9
6	2	5	7	3	1	9	8	4
3	4	1	5	8	9	6	2	7
7	9	8	4	2	6	3	1	5
5	3	2	9	7	8	1	4	6
1	6	7	2	4	5	8	9	3
9	8	4	1	6	3	7	5	2

762

7	4	6	1	2	5	8	3	9
3	5	2	7	9	8	6	1	4
9	8	1	6	4	3	2	7	5
2	9	5	4	1	6	7	8	3
6	7	3	8	5	9	4	2	1
4	1	8	3	7	2	5	9	6
8	2	4	9	6	1	3	5	7
1	3	7	5	8	4	9	6	2
5	6	9	2	3	7	1	4	8

763

8	6	9	2	1	3	4	5	7
1	2	3	4	5	7	6	8	9
5	7	4	8	6	9	2	3	1
3	9	8	5	2	1	7	4	6
7	1	5	6	9	4	8	2	3
2	4	6	7	3	8	9	1	5
4	8	1	3	7	6	5	9	2
6	3	2	9	8	5	1	7	4
9	5	7	1	4	2	3	6	8

764

6	9	3	1	2	5	7	4	8
4	2	1	6	8	7	5	9	3
8	7	5	9	3	4	1	2	6
2	8	6	7	9	1	3	5	4
5	4	9	8	6	3	2	7	1
1	3	7	5	4	2	6	8	9
7	5	8	4	1	6	9	3	2
3	1	4	2	7	9	8	6	5
9	6	2	3	5	8	4	1	7

765

2	4	8	7	9	1	3	6	5
1	7	5	3	2	6	4	9	8
6	3	9	4	5	8	1	7	2
8	2	7	9	6	3	5	1	4
4	5	3	8	1	7	9	2	6
9	1	6	5	4	2	7	8	3
5	8	4	2	7	9	6	3	1
3	9	1	6	8	4	2	5	7
7	6	2	1	3	5	8	4	9

766

3	6	4	1	9	7	8	5	2
7	2	8	3	4	5	9	1	6
9	5	1	6	8	2	7	4	3
6	1	5	2	3	9	4	8	7
2	3	9	8	7	4	1	6	5
8	4	7	5	1	6	2	3	9
4	8	6	7	2	3	5	9	1
1	7	3	9	5	8	6	2	4
5	9	2	4	6	1	3	7	8

767

4	3	1	8	2	7	6	9	5
9	6	5	1	4	3	7	2	8
8	7	2	9	5	6	4	1	3
3	2	6	7	8	5	9	4	1
7	4	8	6	1	9	5	3	2
1	5	9	4	3	2	8	6	7
6	9	3	5	7	1	2	8	4
2	8	7	3	9	4	1	5	6
5	1	4	2	6	8	3	7	9

768

2	6	3	4	9	5	8	7	1
7	8	5	6	1	2	4	3	9
9	1	4	3	7	8	2	5	6
4	7	9	8	2	1	3	6	5
1	5	2	9	6	3	7	4	8
8	3	6	5	4	7	1	9	2
6	2	8	7	5	4	9	1	3
3	9	7	1	8	6	5	2	4
5	4	1	2	3	9	6	8	7

769

3	8	5	6	9	4	2	1	7
1	9	2	3	7	8	6	5	4
6	7	4	2	5	1	3	9	8
7	4	3	5	2	9	1	8	6
5	1	9	8	6	3	7	4	2
8	2	6	1	4	7	9	3	5
9	5	8	7	1	6	4	2	3
4	3	7	9	8	2	5	6	1
2	6	1	4	3	5	8	7	9

770

8	3	4	6	2	7	1	5	9
7	1	5	9	3	4	2	8	6
6	9	2	1	5	8	3	7	4
2	8	6	4	9	1	5	3	7
1	4	7	3	8	5	6	9	2
3	5	9	2	7	6	8	4	1
9	6	8	5	4	2	7	1	3
4	7	1	8	6	3	9	2	5
5	2	3	7	1	9	4	6	8

771

3	6	7	1	9	5	8	4	2
2	4	8	6	7	3	9	5	1
9	1	5	4	2	8	7	6	3
4	9	6	5	3	7	2	1	8
1	8	2	9	6	4	5	3	7
7	5	3	8	1	2	6	9	4
6	7	1	3	8	9	4	2	5
8	3	4	2	5	6	1	7	9
5	2	9	7	4	1	3	8	6

772

8	2	4	3	6	9	7	1	5
1	6	5	2	7	4	8	9	3
3	7	9	1	5	8	6	2	4
9	5	1	8	4	7	3	6	2
7	4	2	9	3	6	5	8	1
6	3	8	5	2	1	4	7	9
5	1	7	6	9	3	2	4	8
4	8	3	7	1	2	9	5	6
2	9	6	4	8	5	1	3	7

773

2	3	7	9	4	5	8	1	6
1	8	9	6	7	2	4	3	5
6	5	4	3	8	1	9	7	2
8	9	2	7	1	6	5	4	3
7	4	3	2	5	9	6	8	1
5	1	6	8	3	4	2	9	7
4	6	5	1	9	3	7	2	8
3	2	8	4	6	7	1	5	9
9	7	1	5	2	8	3	6	4

774

2	1	4	6	3	7	9	5	8
5	3	7	4	9	8	1	6	2
6	8	9	1	2	5	3	7	4
7	5	3	8	4	9	6	2	1
4	2	6	7	1	3	5	8	9
8	9	1	2	5	6	7	4	3
3	4	8	5	7	1	2	9	6
9	6	5	3	8	2	4	1	7
1	7	2	9	6	4	8	3	5

775

9	5	8	2	3	4	7	6	1
7	2	4	5	1	6	9	8	3
3	1	6	8	7	9	5	2	4
4	7	1	9	2	3	6	5	8
2	3	9	6	8	5	1	4	7
8	6	5	7	4	1	3	9	2
5	8	7	1	9	2	4	3	6
1	9	3	4	6	8	2	7	5
6	4	2	3	5	7	8	1	9

776

1	8	3	9	2	5	6	4	7
6	7	2	4	8	3	5	9	1
5	9	4	7	1	6	3	8	2
2	3	6	8	7	9	4	1	5
9	5	1	6	3	4	2	7	8
7	4	8	1	5	2	9	6	3
8	2	9	5	4	7	1	3	6
4	1	5	3	6	8	7	2	9
3	6	7	2	9	1	8	5	4

777

5	9	4	6	2	1	3	8	7
6	7	1	9	8	3	2	4	5
2	8	3	5	4	7	9	6	1
1	2	6	8	9	4	7	5	3
4	5	7	1	3	2	6	9	8
8	3	9	7	6	5	4	1	2
3	1	8	4	7	6	5	2	9
7	6	5	2	1	9	8	3	4
9	4	2	3	5	8	1	7	6

778

8	3	1	9	4	6	2	5	7
2	5	7	8	1	3	6	4	9
4	6	9	7	2	5	8	1	3
3	8	2	5	6	7	4	9	1
1	9	4	2	3	8	5	7	6
6	7	5	4	9	1	3	8	2
5	4	3	6	7	9	1	2	8
9	1	8	3	5	2	7	6	4
7	2	6	1	8	4	9	3	5

779

8	4	2	5	7	3	9	1	6
1	9	5	8	2	6	4	7	3
3	7	6	4	9	1	2	5	8
2	6	1	3	5	9	8	4	7
7	5	3	1	8	4	6	2	9
9	8	4	7	6	2	1	3	5
4	1	7	9	3	8	5	6	2
5	2	8	6	4	7	3	9	1
6	3	9	2	1	5	7	8	4

780

5	6	2	1	7	4	8	3	9
4	9	3	2	8	5	6	1	7
8	1	7	9	3	6	5	2	4
9	3	5	7	4	1	2	6	8
2	8	6	3	5	9	4	7	1
7	4	1	6	2	8	3	9	5
6	5	9	4	1	3	7	8	2
3	7	8	5	9	2	1	4	6
1	2	4	8	6	7	9	5	3

781

3	7	1	9	6	5	2	8	4
4	8	9	1	3	2	5	7	6
5	6	2	4	7	8	3	1	9
6	1	5	2	4	9	8	3	7
7	2	3	5	8	6	4	9	1
9	4	8	7	1	3	6	2	5
1	5	6	3	2	7	9	4	8
2	9	4	8	5	1	7	6	3
8	3	7	6	9	4	1	5	2

782

3	6	4	2	8	9	7	1	5
9	5	7	6	4	1	8	3	2
2	8	1	3	7	5	4	9	6
8	7	2	1	3	4	6	5	9
5	3	9	7	6	8	2	4	1
1	4	6	5	9	2	3	8	7
4	2	5	8	1	6	9	7	3
6	9	3	4	5	7	1	2	8
7	1	8	9	2	3	5	6	4

783

8	1	2	5	6	3	4	9	7
5	7	9	2	1	4	8	3	6
4	6	3	8	7	9	1	5	2
9	2	1	3	5	8	6	7	4
3	4	8	7	2	6	5	1	9
6	5	7	4	9	1	3	2	8
1	3	4	9	8	7	2	6	5
2	9	6	1	4	5	7	8	3
7	8	5	6	3	2	9	4	1

784

8	5	1	9	2	6	4	7	3
9	4	3	5	7	1	2	6	8
6	2	7	8	4	3	1	5	9
3	9	8	7	1	2	5	4	6
7	6	4	3	9	5	8	2	1
5	1	2	6	8	4	9	3	7
1	8	6	2	5	7	3	9	4
4	3	5	1	6	9	7	8	2
2	7	9	4	3	8	6	1	5

785

5	9	8	6	3	2	7	4	1
2	7	1	9	8	4	5	6	3
3	6	4	5	1	7	8	2	9
4	5	3	8	6	9	1	7	2
6	1	2	7	4	3	9	8	5
7	8	9	2	5	1	6	3	4
1	2	6	4	9	8	3	5	7
8	3	7	1	2	5	4	9	6
9	4	5	3	7	6	2	1	8

786

8	7	4	2	9	6	3	5	1
5	2	3	7	4	1	9	8	6
1	6	9	5	3	8	4	7	2
9	8	1	3	5	7	6	2	4
3	4	2	8	6	9	5	1	7
7	5	6	4	1	2	8	3	9
4	9	8	1	2	5	7	6	3
2	3	7	6	8	4	1	9	5
6	1	5	9	7	3	2	4	8

787

3	8	6	1	7	9	5	2	4
2	9	5	4	3	8	1	7	6
1	4	7	5	6	2	9	3	8
6	2	4	3	1	5	7	8	9
7	1	8	9	4	6	3	5	2
9	5	3	2	8	7	6	4	1
8	6	2	7	5	1	4	9	3
5	3	9	6	2	4	8	1	7
4	7	1	8	9	3	2	6	5

788

9	4	7	3	1	5	6	2	8
8	1	3	7	6	2	9	4	5
5	2	6	8	4	9	7	1	3
7	5	4	1	2	3	8	6	9
2	3	1	6	9	8	4	5	7
6	8	9	5	7	4	1	3	2
3	6	2	9	8	1	5	7	4
4	7	8	2	5	6	3	9	1
1	9	5	4	3	7	2	8	6

789

2	6	7	5	4	8	3	9	1
8	5	4	1	3	9	7	6	2
3	1	9	7	2	6	8	5	4
6	4	1	3	5	2	9	7	8
7	2	8	9	6	4	1	3	5
5	9	3	8	1	7	4	2	6
9	8	2	6	7	1	5	4	3
1	3	6	4	9	5	2	8	7
4	7	5	2	8	3	6	1	9

790

7	3	4	1	6	9	5	2	8
9	8	6	3	2	5	7	1	4
2	5	1	7	4	8	6	3	9
1	4	2	9	5	6	3	8	7
5	7	9	4	8	3	2	6	1
3	6	8	2	7	1	4	9	5
6	2	5	8	9	7	1	4	3
8	1	7	6	3	4	9	5	2
4	9	3	5	1	2	8	7	6

791

1	6	3	9	2	5	7	4	8
4	7	2	3	1	8	9	5	6
8	9	5	7	6	4	2	3	1
7	3	9	2	8	1	4	6	5
6	2	4	5	9	3	1	8	7
5	1	8	6	4	7	3	9	2
9	5	7	8	3	2	6	1	4
3	8	1	4	7	6	5	2	9
2	4	6	1	5	9	8	7	3

792

7	5	4	3	2	9	1	8	6
9	8	3	5	1	6	2	7	4
1	2	6	8	7	4	3	5	9
3	6	7	2	9	5	4	1	8
4	1	8	6	3	7	5	9	2
5	9	2	4	8	1	7	6	3
2	7	5	9	6	3	8	4	1
8	4	9	1	5	2	6	3	7
6	3	1	7	4	8	9	2	5

793

7	5	9	4	6	8	2	1	3
3	8	4	5	2	1	9	7	6
6	2	1	9	7	3	8	5	4
8	6	7	1	5	2	3	4	9
9	3	5	6	4	7	1	2	8
4	1	2	8	3	9	5	6	7
5	4	3	2	9	6	7	8	1
1	9	6	7	8	5	4	3	2
2	7	8	3	1	4	6	9	5

794

2	9	5	4	3	7	6	8	1
7	8	6	2	1	9	5	4	3
3	4	1	5	6	8	9	7	2
1	5	9	6	8	4	3	2	7
4	3	8	9	7	2	1	5	6
6	7	2	1	5	3	4	9	8
9	6	3	8	2	5	7	1	4
8	1	4	7	9	6	2	3	5
5	2	7	3	4	1	8	6	9

795

1	5	3	6	9	8	7	2	4
8	7	2	4	3	5	1	9	6
9	4	6	7	2	1	3	5	8
6	1	5	3	8	9	2	4	7
2	3	8	5	4	7	9	6	1
4	9	7	1	6	2	8	3	5
7	6	4	2	1	3	5	8	9
3	8	1	9	5	4	6	7	2
5	2	9	8	7	6	4	1	3

796

7	8	9	2	6	4	5	3	1
1	6	4	7	3	5	2	8	9
5	2	3	9	1	8	4	7	6
6	4	7	1	8	3	9	2	5
9	1	8	5	7	2	3	6	4
3	5	2	4	9	6	8	1	7
2	9	6	3	4	7	1	5	8
8	3	1	6	5	9	7	4	2
4	7	5	8	2	1	6	9	3

797

5	3	7	9	8	2	6	1	4
9	1	2	6	5	4	7	8	3
6	4	8	1	3	7	2	9	5
4	6	5	8	7	9	1	3	2
2	9	3	4	6	1	5	7	8
7	8	1	3	2	5	4	6	9
8	2	9	5	1	6	3	4	7
3	5	6	7	4	8	9	2	1
1	7	4	2	9	3	8	5	6

798

2	7	5	6	8	3	9	1	4
6	3	9	4	5	1	8	2	7
1	8	4	9	2	7	5	3	6
3	1	7	5	4	9	6	8	2
9	4	8	1	6	2	7	5	3
5	6	2	3	7	8	4	9	1
8	2	1	7	9	4	3	6	5
4	5	3	8	1	6	2	7	9
7	9	6	2	3	5	1	4	8

799

1	3	9	4	6	2	5	8	7
8	4	6	3	5	7	2	1	9
2	7	5	8	9	1	3	4	6
9	6	1	7	8	5	4	2	3
4	5	7	2	1	3	6	9	8
3	2	8	9	4	6	1	7	5
7	9	2	5	3	4	8	6	1
6	8	3	1	2	9	7	5	4
5	1	4	6	7	8	9	3	2

800

9	8	1	5	3	2	4	7	6
4	2	5	7	6	1	8	3	9
7	6	3	8	4	9	1	2	5
1	3	8	6	5	4	2	9	7
2	5	4	1	9	7	3	6	8
6	7	9	2	8	3	5	1	4
3	1	6	4	7	8	9	5	2
5	4	2	9	1	6	7	8	3
8	9	7	3	2	5	6	4	1

801

6	7	5	4	8	9	2	1	3
4	2	9	6	3	1	7	8	5
8	3	1	2	5	7	6	9	4
1	9	3	8	6	5	4	7	2
7	4	2	9	1	3	8	5	6
5	8	6	7	2	4	1	3	9
9	5	7	1	4	6	3	2	8
3	6	8	5	7	2	9	4	1
2	1	4	3	9	8	5	6	7

802

4	7	9	3	6	2	8	1	5
3	8	6	5	9	1	4	2	7
5	1	2	4	8	7	9	3	6
1	3	7	9	2	8	6	5	4
8	6	5	7	3	4	2	9	1
2	9	4	1	5	6	3	7	8
6	5	3	8	1	9	7	4	2
7	2	1	6	4	3	5	8	9
9	4	8	2	7	5	1	6	3

803

9	5	3	8	2	6	1	7	4
4	8	6	1	7	5	3	9	2
7	1	2	9	3	4	8	6	5
6	2	8	3	5	1	7	4	9
1	9	5	7	4	2	6	8	3
3	7	4	6	9	8	2	5	1
2	4	7	5	6	3	9	1	8
5	6	1	2	8	9	4	3	7
8	3	9	4	1	7	5	2	6

804

8	1	4	2	5	9	7	6	3
6	3	2	1	4	7	8	9	5
5	9	7	6	8	3	1	2	4
9	8	3	5	1	6	4	7	2
1	2	5	3	7	4	9	8	6
7	4	6	9	2	8	3	5	1
2	5	9	8	3	1	6	4	7
3	7	8	4	6	5	2	1	9
4	6	1	7	9	2	5	3	8

805

9	2	4	3	6	8	5	7	1
6	8	7	1	4	5	9	3	2
1	5	3	7	2	9	4	8	6
2	1	8	9	7	3	6	4	5
5	4	9	2	8	6	3	1	7
3	7	6	4	5	1	8	2	9
7	3	2	5	9	4	1	6	8
4	6	5	8	1	7	2	9	3
8	9	1	6	3	2	7	5	4

806

1	7	9	8	4	5	6	2	3
2	8	6	9	3	1	5	7	4
3	5	4	7	6	2	9	1	8
9	4	8	2	5	6	7	3	1
5	2	7	1	8	3	4	9	6
6	3	1	4	9	7	2	8	5
8	6	2	3	7	4	1	5	9
7	9	5	6	1	8	3	4	2
4	1	3	5	2	9	8	6	7

807

3	4	6	1	7	8	9	5	2
1	8	5	2	6	9	3	7	4
2	7	9	5	3	4	8	6	1
7	9	1	8	5	2	6	4	3
6	3	2	7	4	1	5	9	8
4	5	8	6	9	3	2	1	7
8	6	3	9	1	7	4	2	5
9	2	7	4	8	5	1	3	6
5	1	4	3	2	6	7	8	9

808

2	4	6	8	9	3	5	1	7
8	5	7	1	6	4	2	9	3
1	9	3	7	5	2	8	6	4
9	1	8	4	7	5	3	2	6
6	3	4	9	2	8	1	7	5
5	7	2	3	1	6	9	4	8
3	2	1	5	4	7	6	8	9
7	6	5	2	8	9	4	3	1
4	8	9	6	3	1	7	5	2

809

9	1	4	8	6	5	2	3	7
6	3	8	4	2	7	5	1	9
2	7	5	3	9	1	8	4	6
1	5	9	2	8	6	3	7	4
4	2	6	9	7	3	1	8	5
7	8	3	5	1	4	6	9	2
3	6	1	7	4	2	9	5	8
5	9	7	6	3	8	4	2	1
8	4	2	1	5	9	7	6	3

810

5	1	9	2	3	4	6	8	7
2	6	8	1	5	7	4	3	9
4	7	3	6	8	9	1	5	2
9	3	1	5	7	6	8	2	4
7	5	2	4	9	8	3	1	6
6	8	4	3	2	1	9	7	5
8	9	5	7	4	3	2	6	1
3	2	6	9	1	5	7	4	8
1	4	7	8	6	2	5	9	3

811

5	1	7	8	6	4	3	2	9
3	6	8	1	2	9	4	5	7
9	2	4	3	7	5	1	6	8
2	8	3	9	5	6	7	4	1
6	4	1	7	8	2	5	9	3
7	5	9	4	1	3	2	8	6
1	7	6	5	4	8	9	3	2
8	3	5	2	9	1	6	7	4
4	9	2	6	3	7	8	1	5

812

3	2	1	7	8	5	9	4	6
5	8	4	2	9	6	3	7	1
6	9	7	1	3	4	2	8	5
4	3	5	6	2	7	8	1	9
1	6	9	4	5	8	7	3	2
2	7	8	9	1	3	5	6	4
9	1	6	3	7	2	4	5	8
7	5	2	8	4	1	6	9	3
8	4	3	5	6	9	1	2	7

813

1	4	8	2	5	9	6	3	7
5	9	2	6	3	7	1	8	4
3	6	7	8	1	4	9	2	5
7	8	4	5	2	6	3	1	9
2	5	1	9	8	3	7	4	6
9	3	6	4	7	1	2	5	8
4	2	9	3	6	8	5	7	1
8	1	5	7	9	2	4	6	3
6	7	3	1	4	5	8	9	2

814

5	6	7	8	3	2	1	9	4
8	3	9	4	1	6	2	5	7
1	2	4	7	5	9	3	6	8
2	7	8	3	9	4	6	1	5
9	4	1	2	6	5	7	8	3
6	5	3	1	8	7	4	2	9
7	8	2	9	4	1	5	3	6
4	9	6	5	2	3	8	7	1
3	1	5	6	7	8	9	4	2

815

8	2	4	6	1	5	7	9	3
6	1	5	9	3	7	8	2	4
9	3	7	8	4	2	1	6	5
4	5	8	3	6	1	9	7	2
3	6	2	7	9	4	5	1	8
1	7	9	5	2	8	3	4	6
7	9	3	2	5	6	4	8	1
5	4	6	1	8	9	2	3	7
2	8	1	4	7	3	6	5	9

816

4	9	5	6	8	1	2	3	7
2	8	7	3	4	9	6	5	1
3	1	6	5	2	7	8	9	4
9	4	8	2	3	6	1	7	5
1	5	3	8	7	4	9	6	2
6	7	2	1	9	5	3	4	8
7	3	1	4	6	8	5	2	9
5	2	9	7	1	3	4	8	6
8	6	4	9	5	2	7	1	3

817

7	3	6	2	9	4	8	5	1
1	2	9	8	3	5	4	7	6
4	8	5	6	1	7	2	3	9
3	4	1	9	2	8	7	6	5
6	9	2	7	5	3	1	8	4
8	5	7	1	4	6	9	2	3
5	1	3	4	7	2	6	9	8
9	7	8	3	6	1	5	4	2
2	6	4	5	8	9	3	1	7

818

8	7	3	6	5	2	1	4	9
4	2	9	1	3	8	5	6	7
1	5	6	9	7	4	8	3	2
5	9	4	2	1	6	7	8	3
6	8	7	4	9	3	2	1	5
2	3	1	5	8	7	4	9	6
9	1	2	3	4	5	6	7	8
3	6	8	7	2	1	9	5	4
7	4	5	8	6	9	3	2	1

819

5	9	3	1	7	2	6	4	8
1	4	8	3	9	6	2	7	5
2	7	6	5	8	4	3	1	9
3	5	4	6	2	1	9	8	7
6	8	2	7	4	9	1	5	3
7	1	9	8	5	3	4	6	2
8	6	1	9	3	5	7	2	4
9	2	7	4	6	8	5	3	1
4	3	5	2	1	7	8	9	6

820

4	3	6	2	7	1	5	9	8
7	2	9	8	6	5	3	4	1
5	8	1	3	9	4	6	2	7
8	1	3	6	4	2	7	5	9
6	5	2	7	3	9	8	1	4
9	4	7	5	1	8	2	3	6
1	7	5	4	8	3	9	6	2
2	9	8	1	5	6	4	7	3
3	6	4	9	2	7	1	8	5

821

5	2	8	7	3	4	9	1	6
4	6	1	5	2	9	3	8	7
9	7	3	1	8	6	5	2	4
2	9	5	3	1	7	6	4	8
1	4	6	2	9	8	7	5	3
3	8	7	4	6	5	1	9	2
8	1	2	6	5	3	4	7	9
6	5	4	9	7	2	8	3	1
7	3	9	8	4	1	2	6	5

822

2	4	7	5	6	8	3	9	1
8	1	6	9	3	7	4	5	2
9	5	3	1	4	2	6	7	8
5	2	8	3	1	6	7	4	9
6	7	9	8	2	4	5	1	3
1	3	4	7	9	5	2	8	6
4	8	1	6	5	3	9	2	7
7	6	5	2	8	9	1	3	4
3	9	2	4	7	1	8	6	5

823

5	4	3	2	1	6	9	7	8
8	1	2	4	9	7	3	5	6
9	6	7	8	3	5	2	4	1
2	3	1	9	4	8	5	6	7
4	7	8	5	6	3	1	9	2
6	5	9	7	2	1	4	8	3
7	8	4	1	5	2	6	3	9
3	2	5	6	7	9	8	1	4
1	9	6	3	8	4	7	2	5

824

6	8	7	2	1	5	4	9	3
2	9	1	8	3	4	5	7	6
3	4	5	6	7	9	1	2	8
1	7	4	9	6	3	8	5	2
8	2	3	5	4	1	7	6	9
9	5	6	7	2	8	3	1	4
5	3	8	1	9	6	2	4	7
7	1	9	4	8	2	6	3	5
4	6	2	3	5	7	9	8	1

825

1	7	6	4	8	5	3	9	2
8	2	3	9	7	1	4	5	6
9	4	5	2	6	3	1	8	7
3	8	4	7	2	9	6	1	5
7	5	1	3	4	6	8	2	9
2	6	9	1	5	8	7	3	4
4	1	8	5	9	7	2	6	3
5	3	2	6	1	4	9	7	8
6	9	7	8	3	2	5	4	1

826

2	5	9	1	4	6	8	7	3
6	3	8	5	2	7	1	4	9
1	7	4	8	3	9	6	2	5
8	6	2	4	1	5	9	3	7
7	4	1	6	9	3	5	8	2
5	9	3	7	8	2	4	6	1
4	8	7	3	5	1	2	9	6
9	1	6	2	7	4	3	5	8
3	2	5	9	6	8	7	1	4

827

3	9	7	1	2	6	4	8	5
8	4	5	3	9	7	6	1	2
2	1	6	5	4	8	3	7	9
7	6	1	4	8	9	2	5	3
5	8	2	7	6	3	9	4	1
4	3	9	2	5	1	8	6	7
6	7	4	9	3	5	1	2	8
9	5	8	6	1	2	7	3	4
1	2	3	8	7	4	5	9	6

828

6	4	9	1	3	8	2	7	5
8	5	7	2	4	9	1	6	3
3	2	1	6	7	5	4	8	9
1	8	3	5	6	7	9	2	4
9	7	5	3	2	4	6	1	8
4	6	2	9	8	1	3	5	7
7	9	6	4	5	2	8	3	1
2	1	8	7	9	3	5	4	6
5	3	4	8	1	6	7	9	2

829

9	3	4	1	2	6	8	5	7
2	6	7	8	4	5	1	9	3
8	1	5	3	9	7	6	2	4
1	8	6	7	3	2	5	4	9
4	9	2	5	8	1	7	3	6
7	5	3	4	6	9	2	8	1
3	7	8	2	1	4	9	6	5
5	4	9	6	7	8	3	1	2
6	2	1	9	5	3	4	7	8

830

2	3	8	9	6	5	4	7	1
9	1	4	2	7	3	8	5	6
7	6	5	8	1	4	2	9	3
5	4	1	7	2	6	9	3	8
6	9	2	5	3	8	1	4	7
8	7	3	4	9	1	6	2	5
3	8	7	6	4	9	5	1	2
1	5	9	3	8	2	7	6	4
4	2	6	1	5	7	3	8	9

831

2	5	3	9	4	8	1	6	7
7	9	4	5	1	6	2	8	3
1	8	6	7	3	2	5	4	9
3	6	9	4	7	1	8	5	2
5	4	7	8	2	9	6	3	1
8	2	1	3	6	5	7	9	4
9	1	2	6	8	3	4	7	5
6	7	5	2	9	4	3	1	8
4	3	8	1	5	7	9	2	6

832

3	8	6	5	1	2	9	7	4
4	7	2	3	8	9	6	5	1
5	1	9	4	6	7	2	8	3
6	5	4	1	9	3	7	2	8
7	3	1	2	5	8	4	9	6
2	9	8	7	4	6	1	3	5
1	4	3	9	2	5	8	6	7
8	2	5	6	7	4	3	1	9
9	6	7	8	3	1	5	4	2

833

7	9	4	8	2	6	1	5	3
5	6	2	3	9	1	4	8	7
1	3	8	4	7	5	9	2	6
9	1	6	2	4	3	8	7	5
4	8	5	6	1	7	3	9	2
2	7	3	9	5	8	6	4	1
6	2	9	5	3	4	7	1	8
3	4	7	1	8	2	5	6	9
8	5	1	7	6	9	2	3	4

834

3	7	5	6	4	1	9	8	2
8	6	9	2	5	7	1	3	4
4	1	2	8	3	9	6	5	7
9	2	3	1	8	4	5	7	6
5	8	6	7	9	2	3	4	1
7	4	1	3	6	5	2	9	8
1	5	8	9	7	6	4	2	3
6	3	4	5	2	8	7	1	9
2	9	7	4	1	3	8	6	5

835

4	9	7	1	2	6	5	8	3
5	8	1	4	3	7	9	2	6
6	2	3	5	8	9	4	1	7
7	3	2	6	5	1	8	9	4
1	4	8	7	9	2	3	6	5
9	6	5	8	4	3	2	7	1
3	5	6	2	7	8	1	4	9
2	1	4	9	6	5	7	3	8
8	7	9	3	1	4	6	5	2

836

7	6	1	8	3	4	2	9	5
4	3	5	9	7	2	8	1	6
9	8	2	5	1	6	3	7	4
3	5	8	7	4	1	9	6	2
1	9	6	3	2	8	5	4	7
2	4	7	6	5	9	1	3	8
5	2	4	1	6	3	7	8	9
8	7	3	4	9	5	6	2	1
6	1	9	2	8	7	4	5	3

837

7	3	5	4	9	8	1	6	2
1	9	2	5	3	6	7	8	4
6	4	8	7	2	1	9	3	5
9	7	4	2	1	3	8	5	6
3	8	6	9	7	5	4	2	1
2	5	1	6	8	4	3	7	9
8	1	9	3	5	2	6	4	7
4	2	3	1	6	7	5	9	8
5	6	7	8	4	9	2	1	3

838

4	8	7	1	9	6	2	5	3
5	2	1	8	3	4	7	6	9
9	3	6	2	7	5	8	1	4
8	9	3	7	2	1	5	4	6
6	5	2	3	4	9	1	8	7
7	1	4	5	6	8	9	3	2
3	7	8	6	1	2	4	9	5
2	4	5	9	8	3	6	7	1
1	6	9	4	5	7	3	2	8

839

1	6	5	4	3	2	9	8	7
9	3	4	1	7	8	2	5	6
7	8	2	6	9	5	4	3	1
8	2	9	5	6	3	7	1	4
3	7	1	9	2	4	5	6	8
5	4	6	7	8	1	3	2	9
4	1	8	2	5	7	6	9	3
6	5	7	3	1	9	8	4	2
2	9	3	8	4	6	1	7	5

840

3	5	7	6	1	9	4	2	8
9	1	2	4	5	8	6	3	7
6	4	8	7	2	3	5	1	9
4	6	5	9	8	2	1	7	3
2	7	9	3	4	1	8	6	5
8	3	1	5	6	7	2	9	4
5	2	3	8	9	6	7	4	1
1	9	4	2	7	5	3	8	6
7	8	6	1	3	4	9	5	2

841

7	9	3	4	2	8	5	6	1
4	5	6	9	7	1	3	2	8
2	1	8	3	5	6	7	4	9
6	4	2	7	3	9	1	8	5
8	3	9	2	1	5	4	7	6
1	7	5	6	8	4	9	3	2
5	6	7	1	4	2	8	9	3
3	2	1	8	9	7	6	5	4
9	8	4	5	6	3	2	1	7

842

7	3	8	5	6	4	2	1	9
4	6	2	9	1	3	5	7	8
1	5	9	8	2	7	4	6	3
3	1	5	7	4	2	8	9	6
2	8	7	3	9	6	1	5	4
6	9	4	1	8	5	3	2	7
5	4	3	2	7	9	6	8	1
9	2	1	6	3	8	7	4	5
8	7	6	4	5	1	9	3	2

843

2	1	9	8	6	4	7	5	3
4	5	3	7	2	1	9	6	8
7	6	8	3	5	9	1	2	4
8	4	6	5	1	3	2	9	7
1	7	5	2	9	8	4	3	6
9	3	2	4	7	6	8	1	5
5	9	7	6	4	2	3	8	1
3	2	4	1	8	5	6	7	9
6	8	1	9	3	7	5	4	2

844

1	7	4	2	8	6	5	3	9
2	9	3	4	1	5	8	6	7
8	6	5	3	9	7	2	1	4
9	3	7	6	4	2	1	8	5
6	8	2	9	5	1	7	4	3
5	4	1	7	3	8	6	9	2
4	2	6	1	7	3	9	5	8
7	5	9	8	6	4	3	2	1
3	1	8	5	2	9	4	7	6

845

8	6	1	9	7	5	3	2	4
3	7	4	1	8	2	6	9	5
9	5	2	3	4	6	7	1	8
4	3	9	5	2	8	1	6	7
5	8	7	6	9	1	2	4	3
1	2	6	7	3	4	5	8	9
6	4	3	2	5	9	8	7	1
7	1	8	4	6	3	9	5	2
2	9	5	8	1	7	4	3	6

846

3	4	5	9	1	8	2	6	7
7	8	9	3	2	6	1	5	4
6	1	2	4	5	7	8	3	9
8	2	6	1	7	3	9	4	5
9	3	4	8	6	5	7	2	1
1	5	7	2	4	9	3	8	6
2	7	8	6	9	4	5	1	3
4	9	3	5	8	1	6	7	2
5	6	1	7	3	2	4	9	8

847

3	6	2	7	9	4	8	5	1
1	8	9	5	2	6	4	3	7
4	5	7	3	8	1	9	2	6
6	1	3	8	7	5	2	4	9
7	2	4	6	3	9	1	8	5
5	9	8	1	4	2	7	6	3
8	7	6	2	1	3	5	9	4
2	4	5	9	6	7	3	1	8
9	3	1	4	5	8	6	7	2

848

7	9	3	1	6	2	5	4	8
2	4	5	9	3	8	6	7	1
1	8	6	4	7	5	9	3	2
8	1	9	7	5	4	3	2	6
3	5	2	8	1	6	4	9	7
6	7	4	3	2	9	8	1	5
5	2	7	6	9	3	1	8	4
9	6	8	2	4	1	7	5	3
4	3	1	5	8	7	2	6	9

849

2	9	7	4	6	1	3	5	8
5	3	6	7	9	8	1	2	4
1	8	4	3	2	5	7	6	9
9	5	3	1	7	4	6	8	2
6	2	1	5	8	9	4	7	3
7	4	8	6	3	2	5	9	1
3	7	9	8	4	6	2	1	5
4	1	2	9	5	7	8	3	6
8	6	5	2	1	3	9	4	7

850

7	6	4	3	2	8	5	9	1
8	5	1	4	7	9	6	2	3
9	3	2	6	1	5	4	8	7
5	8	6	1	4	2	7	3	9
1	7	3	8	9	6	2	4	5
2	4	9	7	5	3	1	6	8
6	1	5	9	8	4	3	7	2
3	9	7	2	6	1	8	5	4
4	2	8	5	3	7	9	1	6

851

3	8	7	5	6	1	4	9	2
4	1	2	7	3	9	8	6	5
6	9	5	4	8	2	3	1	7
8	4	9	2	7	3	1	5	6
7	6	3	9	1	5	2	4	8
5	2	1	6	4	8	7	3	9
1	7	8	3	9	6	5	2	4
2	3	6	8	5	4	9	7	1
9	5	4	1	2	7	6	8	3

852

3	8	4	2	7	9	1	5	6
2	6	5	1	3	8	9	7	4
7	1	9	5	4	6	3	2	8
4	5	8	7	1	3	6	9	2
1	2	3	6	9	4	5	8	7
9	7	6	8	5	2	4	3	1
5	4	7	9	8	1	2	6	3
8	3	2	4	6	5	7	1	9
6	9	1	3	2	7	8	4	5

853

7	3	4	5	6	9	2	1	8
9	5	1	4	2	8	6	7	3
8	2	6	7	3	1	4	5	9
4	7	5	2	1	3	9	8	6
6	8	2	9	7	4	5	3	1
1	9	3	6	8	5	7	2	4
5	6	8	3	4	2	1	9	7
2	1	7	8	9	6	3	4	5
3	4	9	1	5	7	8	6	2

854

1	4	8	3	9	5	7	2	6
9	3	7	4	6	2	1	8	5
2	5	6	7	1	8	9	3	4
5	2	1	6	3	9	4	7	8
7	6	3	2	8	4	5	9	1
8	9	4	1	5	7	2	6	3
6	1	2	9	4	3	8	5	7
3	7	5	8	2	1	6	4	9
4	8	9	5	7	6	3	1	2

855

4	7	3	9	8	6	5	2	1
1	2	5	3	4	7	6	8	9
9	8	6	5	2	1	7	4	3
5	6	9	8	3	2	4	1	7
2	3	1	6	7	4	8	9	5
8	4	7	1	9	5	3	6	2
7	9	2	4	5	8	1	3	6
6	5	4	2	1	3	9	7	8
3	1	8	7	6	9	2	5	4

856

7	9	4	5	6	1	8	2	3
8	1	2	9	7	3	5	6	4
6	3	5	2	8	4	7	1	9
4	8	9	3	1	7	2	5	6
2	5	3	6	9	8	4	7	1
1	6	7	4	2	5	3	9	8
5	4	1	7	3	6	9	8	2
3	2	6	8	5	9	1	4	7
9	7	8	1	4	2	6	3	5

857

7	8	1	4	5	2	9	6	3
5	6	9	7	8	3	1	4	2
4	2	3	6	9	1	5	8	7
6	7	4	5	3	9	2	1	8
2	9	8	1	4	6	3	7	5
3	1	5	8	2	7	6	9	4
8	3	7	9	6	5	4	2	1
9	4	2	3	1	8	7	5	6
1	5	6	2	7	4	8	3	9

858

7	6	4	9	5	8	1	3	2
5	3	2	1	7	6	8	9	4
8	9	1	4	3	2	6	7	5
6	7	9	2	1	3	5	4	8
2	1	5	8	9	4	3	6	7
3	4	8	7	6	5	2	1	9
4	2	6	3	8	9	7	5	1
9	5	7	6	2	1	4	8	3
1	8	3	5	4	7	9	2	6

859

8	2	3	6	1	7	5	4	9
6	1	9	2	5	4	8	7	3
4	7	5	3	8	9	2	6	1
1	5	4	8	3	2	6	9	7
3	9	6	4	7	5	1	2	8
7	8	2	9	6	1	3	5	4
9	6	8	7	2	3	4	1	5
5	3	7	1	4	6	9	8	2
2	4	1	5	9	8	7	3	6

860

5	4	9	6	2	8	7	1	3
2	8	6	7	3	1	4	5	9
1	3	7	9	5	4	6	2	8
8	7	4	5	9	2	3	6	1
9	6	1	3	4	7	2	8	5
3	5	2	1	8	6	9	4	7
4	9	8	2	1	3	5	7	6
6	1	3	4	7	5	8	9	2
7	2	5	8	6	9	1	3	4

861

9	3	5	7	8	2	4	6	1
2	8	6	5	1	4	9	3	7
1	4	7	3	9	6	8	2	5
3	6	9	8	2	1	5	7	4
8	1	2	4	7	5	6	9	3
7	5	4	6	3	9	2	1	8
6	2	8	1	5	7	3	4	9
4	7	3	9	6	8	1	5	2
5	9	1	2	4	3	7	8	6

862

3	6	5	7	1	9	8	2	4
1	8	9	4	5	2	7	3	6
7	4	2	3	8	6	1	5	9
9	3	1	2	6	8	5	4	7
2	5	8	9	7	4	6	1	3
6	7	4	1	3	5	2	9	8
8	2	7	5	9	3	4	6	1
4	1	3	6	2	7	9	8	5
5	9	6	8	4	1	3	7	2

863

4	3	9	2	6	8	7	5	1
5	2	1	4	3	7	8	9	6
8	6	7	9	1	5	2	3	4
9	4	2	1	8	6	5	7	3
3	5	8	7	9	4	6	1	2
7	1	6	3	5	2	9	4	8
1	9	5	8	2	3	4	6	7
6	8	4	5	7	1	3	2	9
2	7	3	6	4	9	1	8	5

864

1	7	2	4	9	8	6	5	3
3	8	6	7	5	2	4	9	1
5	9	4	3	6	1	8	7	2
4	5	3	2	8	9	7	1	6
7	2	9	1	4	6	3	8	5
8	6	1	5	3	7	2	4	9
9	1	7	8	2	3	5	6	4
6	3	5	9	7	4	1	2	8
2	4	8	6	1	5	9	3	7

865

7	5	6	1	3	9	8	2	4
3	8	1	6	2	4	9	7	5
9	2	4	7	8	5	1	3	6
2	3	8	4	1	6	5	9	7
1	9	7	8	5	3	4	6	2
6	4	5	2	9	7	3	1	8
5	6	3	9	4	2	7	8	1
8	7	9	5	6	1	2	4	3
4	1	2	3	7	8	6	5	9

866

7	4	3	1	6	5	9	2	8
1	2	5	7	8	9	3	4	6
9	8	6	4	2	3	1	7	5
4	7	1	9	5	8	6	3	2
8	6	2	3	1	4	5	9	7
3	5	9	2	7	6	8	1	4
6	1	7	5	9	2	4	8	3
2	3	8	6	4	1	7	5	9
5	9	4	8	3	7	2	6	1

867

7	5	1	2	6	9	3	4	8
6	2	8	5	3	4	7	9	1
4	9	3	7	1	8	6	2	5
2	6	9	4	5	7	1	8	3
3	7	4	1	8	6	2	5	9
1	8	5	9	2	3	4	7	6
8	3	2	6	7	5	9	1	4
5	4	7	3	9	1	8	6	2
9	1	6	8	4	2	5	3	7

868

1	6	3	5	4	2	8	7	9
5	2	9	7	6	8	1	3	4
8	7	4	3	1	9	6	2	5
9	3	1	6	7	5	2	4	8
6	5	2	4	8	3	7	9	1
7	4	8	2	9	1	3	5	6
2	9	6	1	5	7	4	8	3
4	8	7	9	3	6	5	1	2
3	1	5	8	2	4	9	6	7

869

9	8	1	4	3	2	5	7	6
6	5	4	7	1	9	3	8	2
2	7	3	8	6	5	4	1	9
7	3	9	6	4	8	1	2	5
5	4	6	3	2	1	7	9	8
8	1	2	9	5	7	6	3	4
3	6	7	2	9	4	8	5	1
1	2	8	5	7	6	9	4	3
4	9	5	1	8	3	2	6	7

870

7	8	5	4	3	1	2	6	9
9	3	2	5	7	6	1	8	4
4	1	6	8	9	2	7	5	3
3	4	7	1	5	8	9	2	6
2	5	8	3	6	9	4	1	7
6	9	1	7	2	4	5	3	8
5	6	4	2	8	7	3	9	1
1	2	9	6	4	3	8	7	5
8	7	3	9	1	5	6	4	2

871

8	1	3	2	5	6	4	9	7
6	4	9	7	1	8	3	5	2
5	7	2	9	4	3	6	1	8
1	9	4	6	8	2	5	7	3
3	6	7	5	9	1	8	2	4
2	5	8	4	3	7	9	6	1
7	3	5	8	2	9	1	4	6
4	2	1	3	6	5	7	8	9
9	8	6	1	7	4	2	3	5

872

4	5	6	7	9	2	1	8	3
2	3	7	4	8	1	5	6	9
1	9	8	5	6	3	2	7	4
6	2	9	3	7	4	8	5	1
5	8	1	9	2	6	4	3	7
3	7	4	1	5	8	6	9	2
8	1	2	6	3	7	9	4	5
7	4	5	8	1	9	3	2	6
9	6	3	2	4	5	7	1	8

873

7	1	6	8	4	9	5	2	3
5	2	3	7	1	6	4	9	8
4	8	9	3	2	5	7	6	1
3	6	1	2	5	8	9	7	4
8	5	4	1	9	7	6	3	2
9	7	2	4	6	3	8	1	5
6	9	8	5	3	2	1	4	7
2	4	5	6	7	1	3	8	9
1	3	7	9	8	4	2	5	6

874

5	8	4	2	9	1	6	7	3
9	6	2	3	5	7	8	4	1
7	1	3	8	6	4	2	5	9
2	5	8	1	4	6	9	3	7
6	7	1	5	3	9	4	8	2
3	4	9	7	2	8	5	1	6
8	2	7	6	1	5	3	9	4
4	3	5	9	7	2	1	6	8
1	9	6	4	8	3	7	2	5

875

1	8	9	5	4	6	3	7	2
3	2	4	8	7	1	5	6	9
5	6	7	3	9	2	4	8	1
9	7	1	2	8	5	6	3	4
8	5	6	9	3	4	2	1	7
4	3	2	6	1	7	8	9	5
2	1	5	7	6	3	9	4	8
7	9	3	4	2	8	1	5	6
6	4	8	1	5	9	7	2	3

876

7	4	8	2	6	5	1	3	9
2	3	1	7	9	4	6	5	8
9	5	6	8	3	1	4	7	2
5	2	3	1	7	8	9	6	4
6	8	7	4	2	9	5	1	3
1	9	4	6	5	3	2	8	7
8	7	5	9	1	2	3	4	6
3	6	9	5	4	7	8	2	1
4	1	2	3	8	6	7	9	5

877

3	5	7	1	8	6	2	9	4
2	1	8	3	9	4	5	7	6
6	4	9	5	7	2	3	1	8
4	6	3	7	1	9	8	5	2
9	8	2	4	3	5	7	6	1
1	7	5	2	6	8	4	3	9
7	9	1	8	4	3	6	2	5
8	2	6	9	5	7	1	4	3
5	3	4	6	2	1	9	8	7

878

8	4	2	5	1	9	3	7	6
1	9	3	8	7	6	5	4	2
5	6	7	2	4	3	8	9	1
7	5	6	1	8	4	9	2	3
2	1	9	6	3	7	4	5	8
4	3	8	9	2	5	1	6	7
6	8	1	4	9	2	7	3	5
3	2	4	7	5	1	6	8	9
9	7	5	3	6	8	2	1	4

879

4	1	7	9	3	6	8	5	2
8	2	9	1	4	5	6	3	7
3	6	5	8	2	7	9	1	4
6	3	8	7	5	4	1	2	9
7	4	1	6	9	2	3	8	5
9	5	2	3	8	1	4	7	6
5	9	3	2	6	8	7	4	1
2	7	6	4	1	3	5	9	8
1	8	4	5	7	9	2	6	3

880

1	7	4	9	6	8	2	3	5
5	2	9	3	1	4	8	7	6
8	3	6	7	5	2	1	4	9
3	1	5	4	8	9	6	2	7
6	9	8	2	7	1	4	5	3
7	4	2	5	3	6	9	1	8
4	5	1	6	9	7	3	8	2
2	6	7	8	4	3	5	9	1
9	8	3	1	2	5	7	6	4

881

6	1	4	9	7	5	3	2	8
3	7	2	6	8	1	4	9	5
9	8	5	2	3	4	1	7	6
5	9	1	4	6	2	8	3	7
4	2	3	7	5	8	9	6	1
8	6	7	3	1	9	2	5	4
2	3	6	1	4	7	5	8	9
7	4	8	5	9	3	6	1	2
1	5	9	8	2	6	7	4	3

882

9	1	6	2	7	8	5	4	3
2	7	4	5	9	3	6	8	1
8	5	3	4	1	6	7	9	2
3	6	8	9	2	1	4	5	7
5	9	1	7	6	4	2	3	8
4	2	7	8	3	5	9	1	6
1	4	2	6	8	9	3	7	5
6	8	5	3	4	7	1	2	9
7	3	9	1	5	2	8	6	4

883

3	9	5	2	4	6	7	1	8
8	2	1	3	5	7	4	9	6
4	7	6	8	1	9	3	5	2
1	3	7	9	8	5	2	6	4
6	4	8	1	7	2	5	3	9
2	5	9	4	6	3	8	7	1
9	6	4	5	3	8	1	2	7
5	1	2	7	9	4	6	8	3
7	8	3	6	2	1	9	4	5

884

5	8	2	6	4	1	3	7	9
4	7	3	2	9	5	8	1	6
9	6	1	3	8	7	2	5	4
7	2	8	5	1	9	6	4	3
6	1	5	8	3	4	7	9	2
3	9	4	7	2	6	5	8	1
1	5	7	4	6	2	9	3	8
2	3	9	1	5	8	4	6	7
8	4	6	9	7	3	1	2	5

885

5	9	8	1	2	3	6	7	4
3	1	4	8	7	6	9	2	5
2	7	6	4	9	5	8	1	3
7	8	3	6	1	9	5	4	2
1	4	5	2	8	7	3	6	9
6	2	9	5	3	4	7	8	1
4	3	1	7	5	8	2	9	6
9	6	7	3	4	2	1	5	8
8	5	2	9	6	1	4	3	7

886

3	8	2	9	4	7	1	5	6
7	4	6	8	1	5	9	2	3
9	1	5	6	2	3	7	4	8
8	3	7	5	6	4	2	1	9
4	5	1	2	9	8	3	6	7
6	2	9	7	3	1	5	8	4
5	6	8	1	7	9	4	3	2
2	9	4	3	5	6	8	7	1
1	7	3	4	8	2	6	9	5

887

1	2	3	7	6	5	8	4	9
8	9	4	1	3	2	6	5	7
7	6	5	9	4	8	1	2	3
3	1	9	8	7	4	5	6	2
2	4	6	5	9	1	7	3	8
5	7	8	3	2	6	4	9	1
4	3	1	2	5	7	9	8	6
6	8	2	4	1	9	3	7	5
9	5	7	6	8	3	2	1	4

888

9	6	2	8	1	4	3	7	5
5	8	7	3	2	6	4	9	1
1	4	3	7	9	5	8	6	2
4	1	5	9	3	8	7	2	6
2	9	8	1	6	7	5	4	3
3	7	6	5	4	2	9	1	8
7	3	1	2	8	9	6	5	4
6	2	9	4	5	3	1	8	7
8	5	4	6	7	1	2	3	9

889

5	9	8	3	7	4	6	2	1
6	3	2	9	1	8	7	5	4
1	7	4	6	5	2	3	9	8
3	1	7	5	8	9	4	6	2
8	4	9	7	2	6	1	3	5
2	5	6	1	4	3	8	7	9
7	6	1	8	9	5	2	4	3
9	2	3	4	6	1	5	8	7
4	8	5	2	3	7	9	1	6

890

3	4	5	2	9	6	7	1	8
1	2	6	7	4	8	3	9	5
7	8	9	1	3	5	2	4	6
2	7	4	5	8	3	9	6	1
6	5	8	9	1	7	4	3	2
9	3	1	6	2	4	5	8	7
8	1	2	4	5	9	6	7	3
4	6	3	8	7	2	1	5	9
5	9	7	3	6	1	8	2	4

891

6	8	4	3	2	7	5	1	9
1	9	2	5	6	8	4	7	3
3	7	5	4	1	9	6	8	2
7	1	9	2	8	4	3	6	5
8	4	6	9	3	5	1	2	7
5	2	3	6	7	1	8	9	4
2	5	7	8	4	6	9	3	1
4	6	1	7	9	3	2	5	8
9	3	8	1	5	2	7	4	6

892

1	4	3	9	7	5	8	2	6
6	2	5	1	4	8	7	9	3
8	7	9	3	6	2	5	1	4
5	8	4	6	2	3	9	7	1
9	3	6	7	8	1	4	5	2
2	1	7	4	5	9	3	6	8
4	9	2	8	1	7	6	3	5
3	5	8	2	9	6	1	4	7
7	6	1	5	3	4	2	8	9

893

4	5	8	6	3	9	7	2	1
9	1	7	5	8	2	6	4	3
2	6	3	1	7	4	5	8	9
3	8	1	4	9	5	2	7	6
5	9	4	7	2	6	1	3	8
6	7	2	3	1	8	4	9	5
8	3	6	2	4	1	9	5	7
1	4	9	8	5	7	3	6	2
7	2	5	9	6	3	8	1	4

894

5	2	1	9	3	6	8	4	7
3	8	4	1	5	7	6	9	2
9	7	6	4	8	2	3	5	1
2	6	9	7	1	4	5	3	8
4	3	8	2	6	5	1	7	9
1	5	7	3	9	8	2	6	4
6	4	2	8	7	3	9	1	5
7	9	5	6	2	1	4	8	3
8	1	3	5	4	9	7	2	6

895

4	3	1	8	9	2	5	6	7
2	6	7	1	5	3	8	4	9
9	8	5	7	6	4	1	2	3
5	9	6	3	2	7	4	8	1
3	4	2	5	8	1	9	7	6
1	7	8	9	4	6	2	3	5
6	2	9	4	3	5	7	1	8
7	5	4	6	1	8	3	9	2
8	1	3	2	7	9	6	5	4

896

1	4	2	5	9	3	6	8	7
8	6	3	2	4	7	1	9	5
5	7	9	6	8	1	4	3	2
2	5	1	9	3	8	7	4	6
3	8	4	7	2	6	5	1	9
7	9	6	4	1	5	8	2	3
6	1	8	3	5	9	2	7	4
4	3	7	1	6	2	9	5	8
9	2	5	8	7	4	3	6	1

897

7	6	5	1	2	8	9	3	4
9	2	3	5	4	6	7	1	8
1	4	8	7	3	9	5	2	6
4	1	7	6	9	5	2	8	3
3	5	2	8	7	4	6	9	1
6	8	9	2	1	3	4	7	5
8	7	4	9	5	1	3	6	2
5	9	6	3	8	2	1	4	7
2	3	1	4	6	7	8	5	9

898

9	2	7	1	5	4	6	8	3
3	6	5	7	2	8	1	4	9
4	1	8	9	3	6	5	2	7
5	4	6	8	7	3	9	1	2
1	8	9	5	4	2	3	7	6
2	7	3	6	9	1	4	5	8
6	5	4	3	8	7	2	9	1
8	3	2	4	1	9	7	6	5
7	9	1	2	6	5	8	3	4

899

2	1	4	8	9	6	5	3	7
9	7	3	1	5	2	4	8	6
8	5	6	7	4	3	9	2	1
5	3	8	6	1	7	2	9	4
6	9	2	3	8	4	1	7	5
1	4	7	9	2	5	3	6	8
7	6	5	2	3	1	8	4	9
3	8	1	4	7	9	6	5	2
4	2	9	5	6	8	7	1	3

900

6	7	9	2	8	3	1	5	4
8	4	3	9	5	1	2	6	7
5	2	1	7	6	4	9	3	8
4	9	8	6	1	2	3	7	5
3	6	5	8	7	9	4	2	1
7	1	2	3	4	5	8	9	6
1	3	7	4	9	6	5	8	2
2	5	6	1	3	8	7	4	9
9	8	4	5	2	7	6	1	3

901

2	1	9	5	3	4	8	6	7
8	7	6	2	9	1	5	4	3
4	3	5	6	7	8	1	9	2
1	8	3	4	2	7	6	5	9
6	5	2	9	8	3	4	7	1
9	4	7	1	6	5	2	3	8
5	2	1	7	4	9	3	8	6
3	9	4	8	1	6	7	2	5
7	6	8	3	5	2	9	1	4

902

2	6	9	3	5	4	8	7	1
4	1	8	2	6	7	9	5	3
5	7	3	1	8	9	2	4	6
1	5	6	7	9	8	4	3	2
8	9	2	5	4	3	1	6	7
3	4	7	6	2	1	5	9	8
9	3	1	8	7	5	6	2	4
7	2	5	4	1	6	3	8	9
6	8	4	9	3	2	7	1	5

903

7	8	9	6	3	2	4	5	1
5	2	4	8	7	1	3	9	6
3	1	6	9	4	5	7	8	2
8	9	7	5	1	3	6	2	4
2	4	3	7	8	6	9	1	5
6	5	1	2	9	4	8	7	3
1	6	8	3	5	9	2	4	7
9	3	5	4	2	7	1	6	8
4	7	2	1	6	8	5	3	9

904

2	7	1	4	9	3	6	8	5
8	6	5	1	7	2	3	9	4
3	9	4	5	8	6	1	7	2
6	3	9	8	1	4	2	5	7
1	2	7	3	5	9	8	4	6
5	4	8	6	2	7	9	1	3
4	8	2	9	6	5	7	3	1
7	1	3	2	4	8	5	6	9
9	5	6	7	3	1	4	2	8

905

4	8	1	5	6	9	3	2	7
5	3	7	8	4	2	9	6	1
6	9	2	3	1	7	4	5	8
9	5	3	7	8	6	2	1	4
7	1	6	4	2	3	5	8	9
2	4	8	1	9	5	6	7	3
3	6	9	2	7	1	8	4	5
1	2	4	9	5	8	7	3	6
8	7	5	6	3	4	1	9	2

906

3	7	2	8	5	1	6	9	4
6	8	5	3	9	4	2	1	7
4	1	9	7	6	2	3	5	8
1	2	4	9	7	8	5	3	6
9	3	7	5	2	6	8	4	1
5	6	8	1	4	3	7	2	9
2	4	1	6	8	5	9	7	3
7	5	6	4	3	9	1	8	2
8	9	3	2	1	7	4	6	5

907

7	5	2	3	9	1	8	4	6
4	9	3	7	8	6	5	1	2
6	1	8	4	2	5	9	3	7
8	4	9	6	3	7	1	2	5
5	6	1	9	4	2	3	7	8
2	3	7	1	5	8	6	9	4
9	8	5	2	7	3	4	6	1
1	2	4	5	6	9	7	8	3
3	7	6	8	1	4	2	5	9

908

6	3	9	7	1	5	2	4	8
2	4	7	8	9	3	1	6	5
8	1	5	4	6	2	9	7	3
1	8	2	5	7	9	6	3	4
5	7	3	6	2	4	8	9	1
4	9	6	3	8	1	7	5	2
3	6	1	2	5	7	4	8	9
9	5	8	1	4	6	3	2	7
7	2	4	9	3	8	5	1	6

909

5	3	6	7	4	2	8	9	1
4	8	7	1	6	9	2	3	5
9	2	1	5	8	3	6	7	4
3	1	4	9	7	8	5	6	2
7	5	9	4	2	6	3	1	8
2	6	8	3	5	1	7	4	9
8	4	3	6	1	5	9	2	7
6	7	2	8	9	4	1	5	3
1	9	5	2	3	7	4	8	6

910

6	9	8	1	2	7	5	4	3
4	2	5	8	3	6	7	9	1
7	3	1	9	4	5	6	2	8
8	5	2	3	7	4	9	1	6
9	1	4	6	5	8	2	3	7
3	7	6	2	1	9	4	8	5
2	6	7	4	8	3	1	5	9
5	4	3	7	9	1	8	6	2
1	8	9	5	6	2	3	7	4

911

1	6	8	2	5	9	7	4	3
3	5	4	6	7	1	8	2	9
2	9	7	3	4	8	6	5	1
9	7	3	8	2	4	1	6	5
8	4	5	9	1	6	2	3	7
6	1	2	7	3	5	9	8	4
5	2	1	4	8	7	3	9	6
7	8	9	5	6	3	4	1	2
4	3	6	1	9	2	5	7	8

912

2	6	7	1	5	4	3	9	8
3	8	5	6	7	9	4	1	2
4	9	1	8	3	2	6	5	7
9	4	2	5	8	1	7	6	3
6	7	8	4	9	3	5	2	1
1	5	3	2	6	7	9	8	4
8	1	6	3	4	5	2	7	9
7	2	4	9	1	6	8	3	5
5	3	9	7	2	8	1	4	6

913

3	4	9	5	2	7	1	6	8
2	8	6	4	9	1	7	3	5
5	1	7	6	8	3	9	2	4
9	2	5	3	4	6	8	1	7
8	7	3	2	1	5	4	9	6
4	6	1	8	7	9	3	5	2
7	3	2	9	6	8	5	4	1
1	5	4	7	3	2	6	8	9
6	9	8	1	5	4	2	7	3

914

8	1	6	2	9	3	7	5	4
2	5	9	6	7	4	1	3	8
7	4	3	8	1	5	6	2	9
4	8	2	5	6	1	3	9	7
6	3	1	9	8	7	2	4	5
5	9	7	3	4	2	8	6	1
1	2	4	7	5	6	9	8	3
9	6	5	1	3	8	4	7	2
3	7	8	4	2	9	5	1	6

915

6	4	5	7	2	1	3	9	8
9	8	1	3	5	4	2	6	7
7	2	3	8	6	9	5	4	1
3	9	2	1	7	8	6	5	4
5	6	7	9	4	2	1	8	3
4	1	8	6	3	5	9	7	2
2	7	6	5	8	3	4	1	9
1	5	4	2	9	7	8	3	6
8	3	9	4	1	6	7	2	5

916

4	2	6	8	7	1	3	5	9
3	5	8	2	4	9	1	7	6
7	9	1	6	5	3	8	2	4
5	6	4	9	8	2	7	1	3
2	7	9	3	1	5	6	4	8
8	1	3	7	6	4	5	9	2
6	8	5	4	2	7	9	3	1
9	4	7	1	3	6	2	8	5
1	3	2	5	9	8	4	6	7

917

1	7	4	6	2	9	8	5	3
6	5	8	1	4	3	2	7	9
3	9	2	7	8	5	6	1	4
4	1	9	2	5	6	7	3	8
8	6	3	4	9	7	1	2	5
5	2	7	8	3	1	9	4	6
9	3	6	5	7	2	4	8	1
2	4	1	3	6	8	5	9	7
7	8	5	9	1	4	3	6	2

918

8	4	6	9	5	2	7	3	1
2	5	3	4	1	7	6	8	9
7	1	9	6	8	3	2	4	5
6	9	1	3	4	5	8	7	2
4	8	7	1	2	6	5	9	3
3	2	5	8	7	9	4	1	6
9	7	4	2	6	1	3	5	8
1	6	8	5	3	4	9	2	7
5	3	2	7	9	8	1	6	4

919

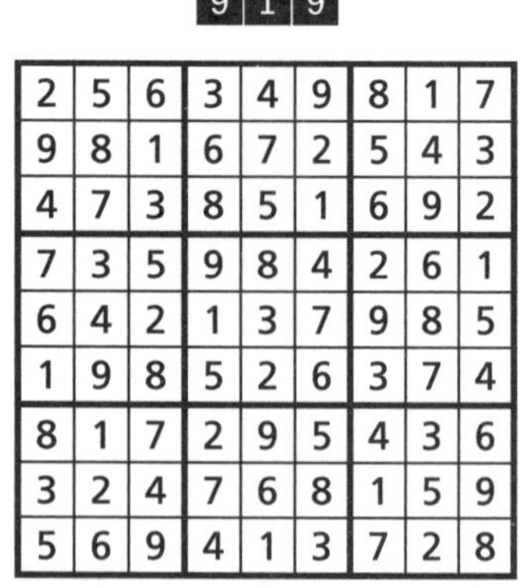

2	5	6	3	4	9	8	1	7
9	8	1	6	7	2	5	4	3
4	7	3	8	5	1	6	9	2
7	3	5	9	8	4	2	6	1
6	4	2	1	3	7	9	8	5
1	9	8	5	2	6	3	7	4
8	1	7	2	9	5	4	3	6
3	2	4	7	6	8	1	5	9
5	6	9	4	1	3	7	2	8

920

5	6	7	8	3	9	4	2	1
4	1	2	6	7	5	8	9	3
9	3	8	2	4	1	6	7	5
8	9	5	3	6	4	2	1	7
1	7	3	9	2	8	5	4	6
2	4	6	1	5	7	3	8	9
3	5	4	7	9	2	1	6	8
6	8	9	4	1	3	7	5	2
7	2	1	5	8	6	9	3	4

921

8	4	6	3	1	7	2	5	9
7	1	3	9	2	5	4	8	6
9	5	2	8	4	6	3	1	7
1	8	9	2	6	4	7	3	5
5	3	7	1	9	8	6	4	2
2	6	4	5	7	3	8	9	1
4	2	1	6	8	9	5	7	3
6	7	5	4	3	1	9	2	8
3	9	8	7	5	2	1	6	4

922

9	1	6	5	4	8	3	7	2
7	5	2	9	6	3	4	8	1
8	3	4	1	2	7	6	9	5
2	9	5	3	8	4	7	1	6
6	7	1	2	5	9	8	3	4
3	4	8	6	7	1	5	2	9
1	8	9	4	3	6	2	5	7
4	2	7	8	1	5	9	6	3
5	6	3	7	9	2	1	4	8

923

9	3	1	5	7	6	4	2	8
5	4	6	3	2	8	1	7	9
2	8	7	9	4	1	6	3	5
3	2	5	1	6	7	9	8	4
4	1	8	2	3	9	7	5	6
6	7	9	4	8	5	2	1	3
7	6	2	8	5	4	3	9	1
1	5	3	6	9	2	8	4	7
8	9	4	7	1	3	5	6	2

924

1	6	9	2	7	8	3	5	4
7	5	4	1	3	9	8	6	2
2	8	3	6	5	4	1	7	9
4	1	2	7	9	5	6	3	8
6	3	5	8	2	1	9	4	7
9	7	8	4	6	3	5	2	1
5	9	7	3	8	2	4	1	6
3	2	1	9	4	6	7	8	5
8	4	6	5	1	7	2	9	3

925

6	3	9	1	2	5	8	7	4
7	1	5	6	8	4	2	3	9
8	2	4	7	9	3	5	1	6
3	4	2	9	6	1	7	8	5
5	7	8	3	4	2	6	9	1
9	6	1	8	5	7	4	2	3
4	8	6	2	3	9	1	5	7
1	5	3	4	7	8	9	6	2
2	9	7	5	1	6	3	4	8

926

7	2	5	3	8	4	1	6	9
3	4	6	5	9	1	7	8	2
9	1	8	6	7	2	3	4	5
5	6	1	2	3	8	4	9	7
2	8	3	7	4	9	5	1	6
4	9	7	1	6	5	2	3	8
8	5	2	4	1	6	9	7	3
1	7	9	8	5	3	6	2	4
6	3	4	9	2	7	8	5	1

927

4	8	9	5	7	2	3	6	1
6	7	1	9	8	3	4	2	5
3	5	2	1	6	4	9	8	7
2	4	7	3	9	5	6	1	8
1	6	8	4	2	7	5	3	9
5	9	3	6	1	8	7	4	2
7	1	6	8	4	9	2	5	3
9	3	4	2	5	1	8	7	6
8	2	5	7	3	6	1	9	4

928

3	8	9	5	4	6	7	2	1
5	4	6	2	1	7	3	9	8
7	1	2	9	8	3	4	5	6
1	7	3	6	2	5	9	8	4
6	5	8	1	9	4	2	7	3
9	2	4	7	3	8	6	1	5
4	6	5	8	7	9	1	3	2
8	9	1	3	6	2	5	4	7
2	3	7	4	5	1	8	6	9

929

1	6	9	7	4	3	8	5	2
7	3	2	5	9	8	1	6	4
5	8	4	1	6	2	7	3	9
9	5	6	8	2	4	3	7	1
3	1	7	6	5	9	4	2	8
4	2	8	3	1	7	5	9	6
8	4	5	2	7	6	9	1	3
6	9	1	4	3	5	2	8	7
2	7	3	9	8	1	6	4	5

930

8	7	5	2	6	1	3	4	9
1	3	6	5	4	9	2	7	8
2	9	4	8	3	7	1	6	5
9	6	2	7	1	5	8	3	4
3	4	7	6	9	8	5	2	1
5	8	1	3	2	4	7	9	6
7	2	9	1	5	6	4	8	3
6	5	8	4	7	3	9	1	2
4	1	3	9	8	2	6	5	7

931

2	6	3	5	1	7	8	9	4
9	1	7	8	2	4	5	3	6
4	5	8	3	6	9	2	7	1
7	9	6	1	3	8	4	2	5
3	4	1	9	5	2	7	6	8
8	2	5	4	7	6	9	1	3
1	8	4	2	9	3	6	5	7
6	3	9	7	4	5	1	8	2
5	7	2	6	8	1	3	4	9

932

7	1	8	9	6	4	3	5	2
4	9	5	2	3	1	8	6	7
2	6	3	7	8	5	4	9	1
6	4	1	5	9	7	2	8	3
3	5	2	8	4	6	1	7	9
8	7	9	1	2	3	5	4	6
9	2	4	6	1	8	7	3	5
5	3	6	4	7	2	9	1	8
1	8	7	3	5	9	6	2	4

933

2	7	6	8	5	4	3	1	9
9	1	4	2	7	3	6	5	8
8	5	3	1	6	9	7	2	4
6	2	7	4	9	5	8	3	1
4	8	9	6	3	1	5	7	2
1	3	5	7	2	8	9	4	6
7	9	1	3	4	6	2	8	5
5	4	2	9	8	7	1	6	3
3	6	8	5	1	2	4	9	7

934

7	5	3	6	1	4	9	2	8
4	2	8	7	5	9	3	1	6
6	9	1	3	8	2	4	7	5
5	8	6	4	3	7	1	9	2
2	4	9	5	6	1	7	8	3
1	3	7	2	9	8	5	6	4
8	1	5	9	4	6	2	3	7
3	6	2	1	7	5	8	4	9
9	7	4	8	2	3	6	5	1

935

1	6	8	9	2	3	4	7	5
5	9	4	1	7	8	3	2	6
7	2	3	4	6	5	9	1	8
3	1	7	6	9	2	5	8	4
2	5	6	8	4	1	7	3	9
8	4	9	3	5	7	2	6	1
4	8	1	7	3	9	6	5	2
9	7	5	2	8	6	1	4	3
6	3	2	5	1	4	8	9	7

936

6	2	4	9	7	1	8	3	5
5	3	7	6	2	8	4	9	1
1	9	8	5	3	4	7	6	2
3	8	6	7	4	2	5	1	9
7	4	1	3	5	9	2	8	6
9	5	2	8	1	6	3	4	7
2	6	3	1	8	7	9	5	4
8	7	9	4	6	5	1	2	3
4	1	5	2	9	3	6	7	8

937

6	5	8	3	4	2	9	7	1
1	9	4	7	5	8	2	3	6
2	3	7	9	6	1	8	4	5
3	4	6	2	8	7	5	1	9
5	8	2	4	1	9	7	6	3
9	7	1	6	3	5	4	2	8
8	6	9	1	7	4	3	5	2
4	2	3	5	9	6	1	8	7
7	1	5	8	2	3	6	9	4

938

6	7	2	8	4	9	5	3	1
9	1	3	7	5	6	8	4	2
5	8	4	1	2	3	6	7	9
8	9	1	2	3	7	4	6	5
3	2	7	4	6	5	1	9	8
4	5	6	9	1	8	7	2	3
1	3	5	6	7	2	9	8	4
7	4	8	3	9	1	2	5	6
2	6	9	5	8	4	3	1	7

939

4	3	6	5	8	9	7	1	2
1	9	2	3	7	4	5	8	6
7	8	5	6	2	1	9	4	3
2	6	1	9	4	5	3	7	8
3	5	4	8	6	7	2	9	1
9	7	8	2	1	3	4	6	5
8	1	3	4	9	2	6	5	7
5	4	7	1	3	6	8	2	9
6	2	9	7	5	8	1	3	4

940

3	7	8	4	6	1	2	9	5
6	2	1	3	5	9	7	4	8
4	5	9	2	8	7	1	6	3
9	4	5	6	3	2	8	7	1
8	6	7	1	9	5	4	3	2
2	1	3	7	4	8	9	5	6
5	9	6	8	1	4	3	2	7
1	3	2	9	7	6	5	8	4
7	8	4	5	2	3	6	1	9

941

9	4	6	5	3	2	8	7	1
5	7	3	1	9	8	6	2	4
8	2	1	7	4	6	5	9	3
3	6	4	9	7	5	1	8	2
2	9	8	6	1	4	7	3	5
1	5	7	8	2	3	4	6	9
7	3	9	4	8	1	2	5	6
6	1	2	3	5	7	9	4	8
4	8	5	2	6	9	3	1	7

942

3	9	2	6	7	1	4	8	5
1	5	8	3	9	4	2	6	7
7	4	6	8	5	2	9	3	1
6	7	1	9	8	5	3	4	2
9	3	4	7	2	6	1	5	8
8	2	5	4	1	3	7	9	6
5	6	3	1	4	7	8	2	9
4	1	9	2	6	8	5	7	3
2	8	7	5	3	9	6	1	4

943

4	8	5	2	1	7	3	9	6
2	7	9	8	6	3	5	1	4
3	1	6	9	4	5	7	8	2
9	3	8	5	2	4	1	6	7
5	4	2	1	7	6	8	3	9
7	6	1	3	8	9	2	4	5
1	9	7	4	3	2	6	5	8
8	2	4	6	5	1	9	7	3
6	5	3	7	9	8	4	2	1

944

7	2	5	3	1	8	4	6	9
1	9	3	7	4	6	8	5	2
6	4	8	2	5	9	7	3	1
8	6	7	5	9	4	2	1	3
2	5	4	1	3	7	6	9	8
9	3	1	6	8	2	5	4	7
3	8	6	4	2	1	9	7	5
5	7	9	8	6	3	1	2	4
4	1	2	9	7	5	3	8	6

945

4	7	3	5	6	8	2	1	9
9	5	8	4	1	2	7	6	3
1	6	2	9	3	7	4	5	8
6	2	7	3	8	5	9	4	1
5	9	1	6	2	4	8	3	7
3	8	4	7	9	1	6	2	5
2	4	9	8	5	3	1	7	6
7	3	6	1	4	9	5	8	2
8	1	5	2	7	6	3	9	4

946

2	7	5	9	3	8	1	6	4
1	3	6	2	7	4	8	9	5
9	4	8	5	1	6	3	2	7
4	1	2	6	9	3	7	5	8
7	5	3	8	2	1	6	4	9
6	8	9	7	4	5	2	3	1
5	6	7	4	8	2	9	1	3
8	2	1	3	5	9	4	7	6
3	9	4	1	6	7	5	8	2

947

2	4	7	6	8	1	9	5	3
5	6	9	2	4	3	8	1	7
1	3	8	9	5	7	2	6	4
3	1	5	4	7	2	6	9	8
4	7	2	8	6	9	1	3	5
8	9	6	3	1	5	4	7	2
6	5	3	1	2	8	7	4	9
9	8	1	7	3	4	5	2	6
7	2	4	5	9	6	3	8	1

948

4	3	5	9	6	1	7	2	8
1	6	9	2	8	7	5	3	4
2	8	7	4	5	3	9	6	1
5	4	1	6	2	9	8	7	3
3	2	8	5	7	4	6	1	9
7	9	6	1	3	8	4	5	2
6	7	4	8	1	2	3	9	5
8	5	2	3	9	6	1	4	7
9	1	3	7	4	5	2	8	6

949

5	7	8	9	1	3	6	4	2
4	1	2	8	7	6	3	5	9
9	3	6	5	2	4	7	8	1
6	2	9	7	4	8	5	1	3
8	4	7	1	3	5	2	9	6
3	5	1	6	9	2	8	7	4
7	8	4	2	6	1	9	3	5
1	6	5	3	8	9	4	2	7
2	9	3	4	5	7	1	6	8

950

3	7	1	6	8	5	2	4	9
4	8	9	2	7	1	3	6	5
5	6	2	9	3	4	8	7	1
2	3	8	1	6	7	5	9	4
6	5	7	8	4	9	1	3	2
1	9	4	5	2	3	7	8	6
9	4	5	3	1	8	6	2	7
8	1	6	7	9	2	4	5	3
7	2	3	4	5	6	9	1	8

951

3	5	1	8	6	9	4	7	2
6	2	8	7	4	3	9	5	1
9	4	7	2	1	5	3	8	6
2	9	3	1	8	4	5	6	7
4	8	6	9	5	7	2	1	3
7	1	5	3	2	6	8	4	9
1	7	4	5	9	2	6	3	8
8	6	9	4	3	1	7	2	5
5	3	2	6	7	8	1	9	4

952

7	2	9	8	5	6	1	3	4
4	8	5	3	9	1	2	7	6
6	3	1	2	4	7	5	9	8
8	1	7	9	2	3	4	6	5
9	5	3	1	6	4	8	2	7
2	4	6	7	8	5	3	1	9
5	9	8	6	1	2	7	4	3
3	6	2	4	7	8	9	5	1
1	7	4	5	3	9	6	8	2

953

1	8	9	6	7	4	2	5	3
2	4	7	5	3	9	6	1	8
5	6	3	2	1	8	4	7	9
4	7	6	1	8	3	9	2	5
3	2	5	7	9	6	1	8	4
9	1	8	4	5	2	3	6	7
6	5	2	9	4	7	8	3	1
7	3	4	8	6	1	5	9	2
8	9	1	3	2	5	7	4	6

954

3	9	5	6	7	8	1	4	2
8	1	6	4	5	2	7	3	9
4	7	2	3	9	1	8	6	5
5	8	3	2	1	7	6	9	4
1	6	9	8	3	4	2	5	7
2	4	7	9	6	5	3	8	1
6	5	4	7	2	3	9	1	8
9	2	1	5	8	6	4	7	3
7	3	8	1	4	9	5	2	6

955

5	7	1	4	3	6	8	2	9
6	2	8	7	9	1	3	4	5
9	4	3	5	2	8	1	7	6
1	5	9	3	7	4	2	6	8
4	3	6	1	8	2	9	5	7
2	8	7	9	6	5	4	1	3
7	6	4	8	1	9	5	3	2
3	9	5	2	4	7	6	8	1
8	1	2	6	5	3	7	9	4

956

6	3	4	7	2	9	1	8	5
8	9	7	6	5	1	4	3	2
2	1	5	4	3	8	9	7	6
5	7	3	1	6	2	8	4	9
9	6	1	5	8	4	7	2	3
4	8	2	3	9	7	5	6	1
7	4	9	2	1	3	6	5	8
3	5	8	9	7	6	2	1	4
1	2	6	8	4	5	3	9	7

957

2	1	3	4	6	7	5	9	8
8	5	6	3	2	9	1	7	4
7	9	4	8	1	5	3	2	6
3	4	9	7	5	6	2	8	1
5	8	7	1	4	2	6	3	9
1	6	2	9	8	3	7	4	5
4	3	1	6	7	8	9	5	2
6	7	5	2	9	4	8	1	3
9	2	8	5	3	1	4	6	7

958

5	8	2	3	6	1	9	7	4
6	7	4	5	9	2	3	8	1
3	9	1	4	8	7	5	6	2
7	4	6	9	5	3	1	2	8
8	2	3	6	1	4	7	9	5
9	1	5	7	2	8	6	4	3
1	3	7	2	4	6	8	5	9
2	5	8	1	7	9	4	3	6
4	6	9	8	3	5	2	1	7

959

5	6	7	1	4	9	3	8	2
1	4	3	5	2	8	6	7	9
8	9	2	3	7	6	4	5	1
7	3	9	6	1	4	8	2	5
6	8	1	7	5	2	9	3	4
2	5	4	9	8	3	7	1	6
9	1	6	2	3	7	5	4	8
4	7	5	8	9	1	2	6	3
3	2	8	4	6	5	1	9	7

960

8	9	5	3	4	2	7	6	1
1	3	4	5	7	6	8	2	9
6	2	7	1	9	8	5	4	3
3	1	8	4	2	5	9	7	6
4	6	2	9	8	7	1	3	5
7	5	9	6	1	3	4	8	2
5	7	1	2	3	4	6	9	8
9	4	3	8	6	1	2	5	7
2	8	6	7	5	9	3	1	4

961

9	3	1	2	5	7	8	6	4
2	7	5	8	4	6	3	9	1
6	4	8	1	9	3	5	2	7
7	6	2	9	3	4	1	5	8
1	9	4	5	2	8	7	3	6
8	5	3	7	6	1	2	4	9
4	1	9	3	7	2	6	8	5
3	8	6	4	1	5	9	7	2
5	2	7	6	8	9	4	1	3

962

4	5	2	7	9	6	3	1	8
6	7	9	8	3	1	5	2	4
3	8	1	2	4	5	9	6	7
9	1	6	4	8	2	7	5	3
8	4	5	1	7	3	6	9	2
7	2	3	5	6	9	4	8	1
1	6	8	3	5	7	2	4	9
2	9	7	6	1	4	8	3	5
5	3	4	9	2	8	1	7	6

963

8	3	9	1	2	6	7	4	5
4	7	2	3	5	8	9	1	6
1	5	6	9	4	7	3	8	2
3	9	8	4	6	2	5	7	1
6	1	5	8	7	3	2	9	4
2	4	7	5	9	1	8	6	3
5	8	3	7	1	4	6	2	9
7	6	4	2	3	9	1	5	8
9	2	1	6	8	5	4	3	7

964

8	9	5	1	4	2	6	7	3
1	6	2	3	9	7	5	4	8
7	4	3	8	6	5	1	2	9
3	7	6	2	8	4	9	1	5
4	1	9	6	5	3	7	8	2
2	5	8	7	1	9	4	3	6
9	3	1	5	7	8	2	6	4
6	2	4	9	3	1	8	5	7
5	8	7	4	2	6	3	9	1

965

4	9	8	3	5	1	7	2	6
6	3	5	8	2	7	1	9	4
7	1	2	4	6	9	3	8	5
2	4	9	1	8	6	5	7	3
3	5	7	2	9	4	6	1	8
1	8	6	5	7	3	9	4	2
8	7	1	6	3	2	4	5	9
5	6	4	9	1	8	2	3	7
9	2	3	7	4	5	8	6	1

966

4	6	7	3	8	5	9	1	2
3	1	9	2	6	4	7	5	8
2	5	8	9	1	7	6	3	4
9	4	3	7	2	6	5	8	1
7	8	1	5	9	3	4	2	6
6	2	5	8	4	1	3	7	9
5	9	4	1	7	8	2	6	3
1	7	2	6	3	9	8	4	5
8	3	6	4	5	2	1	9	7

967

1	5	2	9	6	4	7	8	3
7	8	4	2	1	3	5	9	6
3	6	9	5	8	7	2	1	4
2	9	3	8	7	6	4	5	1
4	7	8	3	5	1	6	2	9
6	1	5	4	2	9	3	7	8
8	2	6	1	4	5	9	3	7
5	3	7	6	9	8	1	4	2
9	4	1	7	3	2	8	6	5

968

1	5	6	8	7	9	2	3	4
2	9	4	6	5	3	8	1	7
7	8	3	1	2	4	6	9	5
4	3	8	5	6	1	9	7	2
9	6	2	7	3	8	5	4	1
5	1	7	9	4	2	3	8	6
6	2	1	3	9	7	4	5	8
8	4	9	2	1	5	7	6	3
3	7	5	4	8	6	1	2	9

969

3	4	6	7	8	9	2	1	5
9	2	8	4	1	5	6	7	3
7	5	1	6	3	2	4	8	9
8	7	3	2	5	4	1	9	6
2	1	4	3	9	6	8	5	7
6	9	5	8	7	1	3	2	4
5	6	2	9	4	8	7	3	1
4	3	9	1	2	7	5	6	8
1	8	7	5	6	3	9	4	2

970

9	5	7	8	2	4	1	3	6
8	2	1	5	3	6	4	7	9
3	6	4	7	1	9	8	2	5
6	1	3	4	8	5	7	9	2
7	4	2	1	9	3	5	6	8
5	9	8	6	7	2	3	1	4
4	8	9	3	6	1	2	5	7
1	7	6	2	5	8	9	4	3
2	3	5	9	4	7	6	8	1

971

3	5	8	4	9	2	7	1	6
9	1	4	8	6	7	5	3	2
2	6	7	3	5	1	9	4	8
7	9	3	6	4	5	2	8	1
4	8	5	2	1	9	3	6	7
1	2	6	7	3	8	4	5	9
5	4	9	1	7	6	8	2	3
8	7	1	5	2	3	6	9	4
6	3	2	9	8	4	1	7	5

972

7	1	5	6	2	9	3	8	4
6	3	8	4	1	5	7	2	9
2	4	9	3	8	7	5	6	1
4	9	6	5	3	8	1	7	2
5	7	1	2	4	6	9	3	8
8	2	3	9	7	1	4	5	6
9	5	2	7	6	4	8	1	3
1	6	4	8	5	3	2	9	7
3	8	7	1	9	2	6	4	5

973

4	2	8	1	7	9	3	6	5
6	7	1	4	3	5	2	8	9
9	3	5	8	2	6	1	4	7
1	9	6	7	5	3	4	2	8
8	5	2	6	1	4	7	9	3
3	4	7	9	8	2	5	1	6
7	1	4	3	9	8	6	5	2
5	8	3	2	6	1	9	7	4
2	6	9	5	4	7	8	3	1

974

9	4	7	5	3	2	6	1	8
2	6	5	1	4	8	7	3	9
8	1	3	7	9	6	5	4	2
1	9	4	2	8	7	3	5	6
3	5	2	9	6	4	1	8	7
7	8	6	3	5	1	9	2	4
6	7	8	4	1	5	2	9	3
4	3	1	6	2	9	8	7	5
5	2	9	8	7	3	4	6	1

975

9	5	6	3	1	4	8	7	2
7	8	3	9	5	2	1	6	4
2	1	4	6	8	7	3	9	5
8	4	2	7	3	6	5	1	9
1	7	5	4	9	8	2	3	6
6	3	9	5	2	1	7	4	8
4	9	1	2	7	5	6	8	3
3	2	8	1	6	9	4	5	7
5	6	7	8	4	3	9	2	1

976

2	4	8	5	1	6	7	9	3
3	1	5	4	9	7	6	2	8
7	9	6	8	3	2	4	5	1
5	7	2	3	6	9	1	8	4
6	3	9	1	8	4	2	7	5
1	8	4	2	7	5	3	6	9
9	2	3	6	4	8	5	1	7
8	6	1	7	5	3	9	4	2
4	5	7	9	2	1	8	3	6

977

8	2	7	1	4	5	3	6	9
5	1	4	9	3	6	7	2	8
6	3	9	8	7	2	1	5	4
2	5	3	6	9	8	4	7	1
7	6	1	3	2	4	9	8	5
9	4	8	5	1	7	2	3	6
3	7	6	4	8	9	5	1	2
4	8	2	7	5	1	6	9	3
1	9	5	2	6	3	8	4	7

978

9	2	1	4	3	5	6	8	7
4	5	7	9	8	6	3	1	2
8	6	3	1	7	2	9	5	4
7	8	4	5	6	3	2	9	1
3	1	2	8	9	4	7	6	5
5	9	6	7	2	1	4	3	8
2	4	8	3	1	9	5	7	6
6	7	9	2	5	8	1	4	3
1	3	5	6	4	7	8	2	9

979

6	7	4	9	3	5	1	8	2
1	5	3	8	6	2	4	7	9
2	9	8	4	7	1	5	3	6
8	3	5	7	9	4	6	2	1
4	6	2	1	5	8	3	9	7
9	1	7	3	2	6	8	4	5
7	4	6	5	8	9	2	1	3
3	2	1	6	4	7	9	5	8
5	8	9	2	1	3	7	6	4

980

4	7	2	3	6	1	9	8	5
5	9	1	7	2	8	3	6	4
6	8	3	4	5	9	2	7	1
1	3	7	2	4	6	5	9	8
9	4	5	1	8	3	6	2	7
2	6	8	9	7	5	4	1	3
8	1	6	5	3	2	7	4	9
3	2	4	8	9	7	1	5	6
7	5	9	6	1	4	8	3	2

981

7	3	8	6	1	4	2	5	9
6	2	1	9	5	8	3	4	7
9	5	4	3	2	7	6	1	8
2	9	7	4	6	1	8	3	5
8	4	5	7	9	3	1	6	2
1	6	3	5	8	2	9	7	4
5	1	2	8	7	6	4	9	3
3	8	9	1	4	5	7	2	6
4	7	6	2	3	9	5	8	1

982

3	6	2	1	7	5	8	9	4
7	8	9	3	2	4	1	5	6
5	1	4	9	6	8	2	3	7
1	7	8	4	3	9	5	6	2
4	9	6	7	5	2	3	1	8
2	3	5	8	1	6	4	7	9
8	2	7	5	9	3	6	4	1
6	5	1	2	4	7	9	8	3
9	4	3	6	8	1	7	2	5

983

5	3	6	8	7	9	4	2	1
2	9	7	4	6	1	5	3	8
8	1	4	2	5	3	6	9	7
3	2	9	6	8	7	1	4	5
1	7	5	9	4	2	8	6	3
4	6	8	1	3	5	9	7	2
9	5	2	7	1	6	3	8	4
7	8	1	3	9	4	2	5	6
6	4	3	5	2	8	7	1	9

984

6	3	2	4	5	9	1	8	7
1	8	5	6	7	2	3	4	9
4	9	7	3	8	1	2	6	5
3	7	1	2	9	4	8	5	6
9	2	6	5	3	8	4	7	1
8	5	4	1	6	7	9	2	3
2	6	3	9	4	5	7	1	8
7	4	9	8	1	6	5	3	2
5	1	8	7	2	3	6	9	4

985

6	4	2	9	5	3	7	1	8
8	5	7	6	2	1	3	9	4
3	1	9	4	7	8	6	2	5
5	3	8	2	9	6	4	7	1
2	6	1	8	4	7	9	5	3
7	9	4	1	3	5	8	6	2
9	2	5	7	8	4	1	3	6
1	8	3	5	6	9	2	4	7
4	7	6	3	1	2	5	8	9

986

3	7	1	6	4	2	9	8	5
2	4	5	3	8	9	7	6	1
6	9	8	7	5	1	2	3	4
5	8	7	4	1	3	6	9	2
9	1	6	2	7	5	8	4	3
4	3	2	9	6	8	5	1	7
1	6	4	5	9	7	3	2	8
8	5	3	1	2	6	4	7	9
7	2	9	8	3	4	1	5	6

987

4	6	2	8	3	7	5	1	9
7	8	1	5	2	9	4	6	3
9	5	3	6	1	4	2	8	7
2	9	4	7	8	6	3	5	1
3	1	8	2	4	5	7	9	6
6	7	5	1	9	3	8	4	2
5	2	6	4	7	1	9	3	8
8	4	9	3	6	2	1	7	5
1	3	7	9	5	8	6	2	4

988

2	9	3	6	8	5	1	7	4
4	6	8	3	7	1	9	5	2
5	1	7	9	2	4	3	6	8
9	4	6	2	5	3	7	8	1
3	5	1	8	6	7	4	2	9
8	7	2	4	1	9	6	3	5
7	2	4	5	9	6	8	1	3
6	8	9	1	3	2	5	4	7
1	3	5	7	4	8	2	9	6

989

4	2	9	7	5	1	3	6	8
7	1	6	9	3	8	5	4	2
8	5	3	6	2	4	1	9	7
2	4	7	8	9	3	6	1	5
3	6	5	4	1	2	7	8	9
1	9	8	5	6	7	4	2	3
5	7	2	1	8	6	9	3	4
9	3	1	2	4	5	8	7	6
6	8	4	3	7	9	2	5	1

990

3	2	8	6	9	5	7	1	4
7	5	1	8	4	2	6	3	9
9	6	4	7	3	1	8	5	2
1	4	3	5	2	7	9	8	6
2	7	9	3	6	8	5	4	1
6	8	5	9	1	4	3	2	7
8	3	2	1	7	9	4	6	5
5	1	7	4	8	6	2	9	3
4	9	6	2	5	3	1	7	8

991

5	4	6	2	7	8	3	1	9
1	7	3	4	9	5	2	6	8
8	9	2	1	6	3	7	5	4
7	8	9	3	1	4	5	2	6
4	2	5	6	8	7	9	3	1
6	3	1	9	5	2	8	4	7
9	1	8	5	3	6	4	7	2
3	6	4	7	2	9	1	8	5
2	5	7	8	4	1	6	9	3

992

9	4	6	7	8	2	3	5	1
5	2	3	1	4	6	9	8	7
8	7	1	9	5	3	2	6	4
2	9	8	3	6	7	1	4	5
1	3	4	5	2	8	7	9	6
6	5	7	4	1	9	8	2	3
4	8	2	6	3	1	5	7	9
7	1	5	2	9	4	6	3	8
3	6	9	8	7	5	4	1	2

993

6	5	9	8	3	7	4	2	1
1	2	8	9	5	4	6	3	7
4	7	3	2	1	6	8	9	5
9	6	7	3	4	2	1	5	8
3	1	4	6	8	5	9	7	2
5	8	2	7	9	1	3	6	4
2	3	1	5	6	8	7	4	9
7	4	6	1	2	9	5	8	3
8	9	5	4	7	3	2	1	6

994

8	2	1	4	9	5	7	6	3
5	7	6	3	8	2	9	1	4
9	3	4	1	7	6	8	2	5
2	6	5	9	4	7	1	3	8
3	8	7	2	6	1	5	4	9
4	1	9	5	3	8	2	7	6
1	9	2	6	5	4	3	8	7
6	5	8	7	1	3	4	9	2
7	4	3	8	2	9	6	5	1

995

5	1	2	4	8	7	9	6	3
8	9	4	6	1	3	7	5	2
3	6	7	9	2	5	8	4	1
1	5	3	7	9	8	6	2	4
2	8	6	3	5	4	1	9	7
7	4	9	1	6	2	3	8	5
4	2	1	8	3	6	5	7	9
6	3	5	2	7	9	4	1	8
9	7	8	5	4	1	2	3	6

996

1	6	7	4	5	9	2	8	3
2	5	9	3	6	8	7	1	4
4	8	3	1	7	2	5	6	9
7	4	1	5	8	3	6	9	2
5	2	6	7	9	1	4	3	8
3	9	8	6	2	4	1	7	5
8	1	2	9	4	7	3	5	6
9	7	5	2	3	6	8	4	1
6	3	4	8	1	5	9	2	7

997

4	6	8	9	2	3	5	1	7
5	9	2	4	1	7	6	3	8
1	7	3	5	6	8	2	9	4
6	5	4	7	9	1	8	2	3
7	2	1	3	8	5	4	6	9
3	8	9	6	4	2	7	5	1
8	1	5	2	3	4	9	7	6
2	3	6	8	7	9	1	4	5
9	4	7	1	5	6	3	8	2

998

5	1	8	7	3	2	6	4	9
7	9	3	4	5	6	1	8	2
2	4	6	9	1	8	7	3	5
9	5	1	6	2	3	8	7	4
3	2	4	1	8	7	5	9	6
6	8	7	5	4	9	2	1	3
8	3	5	2	9	1	4	6	7
4	7	9	8	6	5	3	2	1
1	6	2	3	7	4	9	5	8

999

8	2	9	6	5	3	4	1	7
4	1	5	2	9	7	6	8	3
7	3	6	4	1	8	5	2	9
1	5	3	8	7	2	9	6	4
9	7	8	1	4	6	2	3	5
2	6	4	5	3	9	8	7	1
5	4	2	3	6	1	7	9	8
3	8	7	9	2	4	1	5	6
6	9	1	7	8	5	3	4	2

1000

3	9	7	5	8	2	6	1	4
5	4	6	1	9	7	8	3	2
2	1	8	6	4	3	9	5	7
9	8	1	4	7	5	3	2	6
7	2	4	8	3	6	5	9	1
6	5	3	9	2	1	7	4	8
8	7	2	3	5	4	1	6	9
1	3	9	2	6	8	4	7	5
4	6	5	7	1	9	2	8	3

1001

7	2	4	8	5	3	6	1	9
1	5	8	9	4	6	2	3	7
6	9	3	2	7	1	8	4	5
8	6	1	3	9	5	7	2	4
2	3	5	4	8	7	9	6	1
9	4	7	6	1	2	5	8	3
5	7	6	1	3	8	4	9	2
4	1	2	7	6	9	3	5	8
3	8	9	5	2	4	1	7	6

1002

9	4	1	8	6	3	2	5	7
2	5	6	4	9	7	1	8	3
8	3	7	1	5	2	6	4	9
6	2	5	9	4	1	3	7	8
4	8	3	7	2	6	5	9	1
1	7	9	5	3	8	4	6	2
7	9	2	6	1	4	8	3	5
5	1	4	3	8	9	7	2	6
3	6	8	2	7	5	9	1	4

1003

6	3	9	5	4	1	2	8	7
5	2	8	3	7	6	4	9	1
7	1	4	8	2	9	3	5	6
8	7	5	4	6	2	1	3	9
3	6	1	9	5	8	7	2	4
9	4	2	1	3	7	8	6	5
2	8	6	7	9	4	5	1	3
1	5	7	6	8	3	9	4	2
4	9	3	2	1	5	6	7	8

1004

2	4	5	9	8	7	6	1	3
7	6	9	1	5	3	2	4	8
8	1	3	2	4	6	9	5	7
4	5	7	6	2	8	3	9	1
1	9	8	4	3	5	7	6	2
6	3	2	7	9	1	4	8	5
3	8	6	5	7	9	1	2	4
5	2	1	3	6	4	8	7	9
9	7	4	8	1	2	5	3	6

1005

9	6	8	3	7	2	4	1	5
7	3	1	4	6	5	9	8	2
2	5	4	8	1	9	7	6	3
5	1	7	9	3	6	2	4	8
6	8	2	7	4	1	5	3	9
4	9	3	2	5	8	1	7	6
8	4	9	1	2	3	6	5	7
1	2	6	5	8	7	3	9	4
3	7	5	6	9	4	8	2	1

1006

1	2	3	7	4	8	6	9	5
9	8	5	2	6	3	7	4	1
6	7	4	9	5	1	3	2	8
5	6	7	4	9	2	8	1	3
4	1	2	8	3	6	5	7	9
3	9	8	1	7	5	2	6	4
7	3	1	5	2	4	9	8	6
2	4	6	3	8	9	1	5	7
8	5	9	6	1	7	4	3	2

1007

8	7	9	5	2	1	6	3	4
1	6	5	8	3	4	7	2	9
3	2	4	9	6	7	5	1	8
7	9	3	6	4	2	1	8	5
2	8	1	7	5	9	3	4	6
4	5	6	3	1	8	9	7	2
5	4	2	1	9	3	8	6	7
6	3	7	2	8	5	4	9	1
9	1	8	4	7	6	2	5	3

1008

2	7	8	1	4	6	5	9	3
3	5	9	2	8	7	6	4	1
4	6	1	3	5	9	7	2	8
6	1	4	7	9	5	3	8	2
8	2	3	4	6	1	9	7	5
5	9	7	8	3	2	4	1	6
1	8	6	9	7	3	2	5	4
7	3	2	5	1	4	8	6	9
9	4	5	6	2	8	1	3	7

1009

7	1	5	6	2	4	3	9	8
8	4	6	7	9	3	1	5	2
9	3	2	1	5	8	4	6	7
2	5	8	9	4	6	7	3	1
4	7	3	8	1	5	6	2	9
6	9	1	2	3	7	5	8	4
1	2	4	5	6	9	8	7	3
3	6	7	4	8	2	9	1	5
5	8	9	3	7	1	2	4	6

1010

9	7	2	3	6	1	8	4	5
4	5	8	9	2	7	6	3	1
6	1	3	8	4	5	2	9	7
5	6	1	7	3	4	9	8	2
3	4	9	1	8	2	5	7	6
8	2	7	5	9	6	3	1	4
2	9	6	4	7	3	1	5	8
7	3	5	6	1	8	4	2	9
1	8	4	2	5	9	7	6	3

1011

8	6	2	1	3	4	9	7	5
1	7	4	2	5	9	3	8	6
9	3	5	6	8	7	2	1	4
4	9	8	3	7	1	5	6	2
7	1	6	9	2	5	4	3	8
2	5	3	4	6	8	7	9	1
6	4	9	5	1	3	8	2	7
5	8	1	7	9	2	6	4	3
3	2	7	8	4	6	1	5	9

1012

7	5	1	2	9	6	3	8	4
4	3	9	8	5	7	6	2	1
6	8	2	3	1	4	7	5	9
1	4	6	7	8	2	5	9	3
2	9	8	5	6	3	1	4	7
5	7	3	1	4	9	8	6	2
9	6	7	4	3	8	2	1	5
8	2	5	9	7	1	4	3	6
3	1	4	6	2	5	9	7	8

1013

3	1	9	5	4	2	8	6	7
5	4	6	9	8	7	2	3	1
7	8	2	3	6	1	5	4	9
2	9	3	1	5	4	7	8	6
4	5	1	6	7	8	9	2	3
8	6	7	2	9	3	1	5	4
6	3	5	8	1	9	4	7	2
9	7	8	4	2	6	3	1	5
1	2	4	7	3	5	6	9	8

1014

3	6	9	5	8	4	7	2	1
2	1	8	3	7	6	5	9	4
7	4	5	9	2	1	6	3	8
6	9	2	7	1	5	8	4	3
5	7	4	8	9	3	1	6	2
8	3	1	4	6	2	9	7	5
4	8	7	1	3	9	2	5	6
1	5	6	2	4	7	3	8	9
9	2	3	6	5	8	4	1	7

1015

4	9	1	3	6	7	2	5	8
2	8	6	9	5	4	1	3	7
7	3	5	2	1	8	6	9	4
8	1	4	6	2	3	5	7	9
3	5	2	4	7	9	8	1	6
6	7	9	5	8	1	4	2	3
1	6	7	8	9	5	3	4	2
5	4	8	7	3	2	9	6	1
9	2	3	1	4	6	7	8	5

1016

2	8	9	4	7	1	6	5	3
3	7	4	5	6	2	1	9	8
5	6	1	9	8	3	4	7	2
1	4	5	3	9	8	7	2	6
6	9	7	1	2	5	8	3	4
8	3	2	7	4	6	9	1	5
9	1	3	6	5	4	2	8	7
4	5	8	2	1	7	3	6	9
7	2	6	8	3	9	5	4	1

1017

8	6	7	2	1	5	4	3	9
9	5	4	7	6	3	8	1	2
2	3	1	4	8	9	7	5	6
5	1	9	8	7	2	3	6	4
7	8	2	3	4	6	1	9	5
6	4	3	9	5	1	2	7	8
1	7	8	5	9	4	6	2	3
4	2	5	6	3	7	9	8	1
3	9	6	1	2	8	5	4	7

1018

2	5	7	3	8	4	9	1	6
6	9	1	2	5	7	4	8	3
4	8	3	6	9	1	7	5	2
5	6	9	4	1	3	2	7	8
7	4	8	5	6	2	3	9	1
1	3	2	9	7	8	6	4	5
3	7	4	1	2	5	8	6	9
9	2	5	8	4	6	1	3	7
8	1	6	7	3	9	5	2	4

1019

3	8	9	4	7	6	2	5	1
5	1	6	9	8	2	3	4	7
7	4	2	1	3	5	9	8	6
9	6	4	5	1	8	7	2	3
2	3	7	6	4	9	5	1	8
1	5	8	7	2	3	6	9	4
6	7	5	8	9	4	1	3	2
8	2	1	3	5	7	4	6	9
4	9	3	2	6	1	8	7	5

1020

2	7	5	8	1	3	6	9	4
6	8	4	9	5	7	1	3	2
1	3	9	6	4	2	7	8	5
3	1	6	5	2	8	9	4	7
7	4	8	1	9	6	2	5	3
9	5	2	7	3	4	8	1	6
5	6	3	2	8	1	4	7	9
8	9	7	4	6	5	3	2	1
4	2	1	3	7	9	5	6	8

1021

7	6	5	2	9	1	8	3	4
2	3	1	4	5	8	7	9	6
8	4	9	6	7	3	1	2	5
3	7	6	1	8	2	4	5	9
5	8	4	9	3	7	6	1	2
1	9	2	5	4	6	3	7	8
9	5	7	8	1	4	2	6	3
6	1	8	3	2	9	5	4	7
4	2	3	7	6	5	9	8	1

1022

9	1	6	4	7	8	3	5	2
2	4	5	6	3	9	7	1	8
8	7	3	1	5	2	4	6	9
5	9	8	2	4	1	6	7	3
1	6	4	3	9	7	2	8	5
7	3	2	5	8	6	9	4	1
3	5	1	9	6	4	8	2	7
6	8	9	7	2	5	1	3	4
4	2	7	8	1	3	5	9	6

1023

5	6	2	3	7	1	9	4	8
1	8	3	4	6	9	7	5	2
9	7	4	5	2	8	1	3	6
3	4	8	6	9	5	2	7	1
6	9	7	2	1	3	4	8	5
2	1	5	8	4	7	6	9	3
8	2	9	7	3	6	5	1	4
4	3	1	9	5	2	8	6	7
7	5	6	1	8	4	3	2	9

1024

1	9	8	7	4	5	3	2	6
4	6	7	1	2	3	5	9	8
2	3	5	8	6	9	7	4	1
6	2	3	9	1	4	8	7	5
7	5	9	2	8	6	1	3	4
8	4	1	5	3	7	9	6	2
9	1	6	4	7	8	2	5	3
3	7	2	6	5	1	4	8	9
5	8	4	3	9	2	6	1	7

1025

2	7	4	1	9	8	5	3	6
5	3	6	4	7	2	8	9	1
8	1	9	6	3	5	7	2	4
6	9	3	5	2	1	4	7	8
1	8	2	3	4	7	9	6	5
7	4	5	9	8	6	3	1	2
4	6	1	7	5	9	2	8	3
9	5	8	2	6	3	1	4	7
3	2	7	8	1	4	6	5	9

1026

9	8	3	1	5	6	7	4	2
1	2	4	9	7	3	8	5	6
5	6	7	4	8	2	3	9	1
3	4	6	2	9	7	1	8	5
7	5	1	3	4	8	6	2	9
2	9	8	6	1	5	4	7	3
4	1	5	7	3	9	2	6	8
8	3	2	5	6	4	9	1	7
6	7	9	8	2	1	5	3	4

1027

2	1	3	6	5	7	9	4	8
5	4	8	1	2	9	3	7	6
7	6	9	8	4	3	1	2	5
6	9	7	2	1	4	5	8	3
3	5	2	7	8	6	4	1	9
4	8	1	9	3	5	2	6	7
9	2	5	4	6	8	7	3	1
8	3	4	5	7	1	6	9	2
1	7	6	3	9	2	8	5	4

1028

4	8	3	9	5	6	1	2	7
9	6	5	7	2	1	3	8	4
7	2	1	3	4	8	5	9	6
5	1	4	8	7	2	9	6	3
3	9	2	5	6	4	8	7	1
6	7	8	1	3	9	4	5	2
2	4	9	6	8	3	7	1	5
1	5	6	4	9	7	2	3	8
8	3	7	2	1	5	6	4	9

1029

7	4	6	3	5	1	9	8	2
8	3	5	2	7	9	4	6	1
1	2	9	4	8	6	7	3	5
2	1	7	8	4	3	6	5	9
6	5	4	1	9	2	8	7	3
3	9	8	7	6	5	1	2	4
5	7	2	9	1	8	3	4	6
4	6	1	5	3	7	2	9	8
9	8	3	6	2	4	5	1	7

1030

3	4	2	7	6	9	8	5	1
6	1	8	4	5	2	9	7	3
5	9	7	8	3	1	4	2	6
4	7	1	5	8	3	6	9	2
2	8	6	1	9	7	5	3	4
9	3	5	6	2	4	1	8	7
7	2	4	9	1	5	3	6	8
8	5	3	2	4	6	7	1	9
1	6	9	3	7	8	2	4	5

1031

9	1	4	3	8	2	6	5	7
2	6	7	4	1	5	3	8	9
3	5	8	9	6	7	2	1	4
1	9	2	7	4	3	5	6	8
6	8	5	2	9	1	4	7	3
4	7	3	8	5	6	1	9	2
8	3	1	5	7	4	9	2	6
5	4	9	6	2	8	7	3	1
7	2	6	1	3	9	8	4	5

1032

3	9	1	7	2	4	8	6	5
7	8	4	5	3	6	2	9	1
6	5	2	9	1	8	3	7	4
8	2	3	6	4	5	7	1	9
1	7	5	8	9	2	6	4	3
9	4	6	1	7	3	5	2	8
2	6	8	4	5	1	9	3	7
4	3	9	2	8	7	1	5	6
5	1	7	3	6	9	4	8	2

1033

3	5	7	8	1	2	4	6	9
2	9	4	3	6	7	8	1	5
8	1	6	9	4	5	7	3	2
5	6	2	1	3	4	9	8	7
7	3	8	5	2	9	6	4	1
9	4	1	7	8	6	2	5	3
1	7	3	4	9	8	5	2	6
4	2	9	6	5	1	3	7	8
6	8	5	2	7	3	1	9	4

1034

3	4	9	7	6	2	8	5	1
7	8	6	5	1	3	4	9	2
1	2	5	4	9	8	3	6	7
2	7	3	1	4	9	6	8	5
9	1	8	2	5	6	7	4	3
6	5	4	8	3	7	2	1	9
4	9	2	6	7	5	1	3	8
5	6	7	3	8	1	9	2	4
8	3	1	9	2	4	5	7	6

1035

4	8	7	9	1	2	3	5	6
9	3	2	6	8	5	7	4	1
6	1	5	4	7	3	2	9	8
3	4	6	8	2	1	9	7	5
5	9	1	3	6	7	8	2	4
2	7	8	5	9	4	1	6	3
7	2	4	1	3	6	5	8	9
8	5	3	2	4	9	6	1	7
1	6	9	7	5	8	4	3	2

1036

3	6	7	9	8	2	1	5	4
8	9	5	3	4	1	7	6	2
4	2	1	6	7	5	3	9	8
5	4	3	2	9	8	6	1	7
6	1	2	4	3	7	5	8	9
9	7	8	1	5	6	4	2	3
2	3	4	5	6	9	8	7	1
1	8	6	7	2	4	9	3	5
7	5	9	8	1	3	2	4	6